ナショナル・トラストの軌跡

1895〜1945年

四元忠博 著

緑風出版

まえがき

　1982年、イギリスのドーセットシァにある広大な面積を持つコーフ城がナショナル・トラストへ遺贈されたとの大きな報道記事が載った。この頃私は、鹿児島県の志布志湾の開発計画（新大隅開発計画）に対して、故郷の人々と反対運動に関わっていた。そういうこともあって、イギリスにナショナル・トラスト（以下、トラストと略称する）があることは知っていた。わが国にもトラストのような自然保護団体で、かつ土地所有団体があれば、16キロメートルのあの弓形をなす白砂青松の美しい海岸がよもや破壊されることはなかったかもしれない。しかし1980年には、いわゆる「新大隅開発計画」とは関連しないと言われつつ、志布志湾改修工事が強行され、ついには1985年に国家石油備蓄基地（CTS）が着工されるに至ったのである。
　一方、私は「新大隅開発計画」反対運動に参加する中で、研究生活の一環として、当時一橋大学教授であった恩師浜林正夫先生を中心とする研究会に参加していた。研究会の仲間たちは、それぞれ自ら選択したイギリス史上の人々、それもむしろ異端ともいうべき、あるいは少数派ともいうべき人物を取り上げ、その人物が歴史上いかなる意味と意義を有したかを考察し、その研究成果を世に問うことを目的とするようになった。
　実は当時、私はナショナル・トラストに関する訳書を刊行していた[1]。トラストが創立されたのは今では100年を優に超す1895年だ。トラストの創立者3名のうち誰を研究対象とするか。それは比較的容易に決定できた。自らの性格ともかなり一致しそうなハードウィック・ローンズリィを選ぶことにした。トラスト成立の事情について、私は研究会の仲間たちと色々と議論を交わした。そして1985年には、研究資料の必要に迫られて渡英することになった。ようやくローンズリィに関する小論が公刊されたのが1989年であった[2]。
　この頃わが国では、次々と打ち出される開発計画が強行される中で、依然としてバブル経済が謳歌されていた。だがその反面、農村人口が減少し、農村社会が疲弊しつつあった。やがてあれほどの繁栄を誇ったわが国経済も、ついにそのバブルがはじけて、今や経済ばかりでなく、社会一般が呻吟しつつある。

もはや日本経済は、工業化と都市化が進展する中で、都市経済化してしまっている。そして私たちの多くが都市経済的思考にとらわれているのではないか。このように考えると、日本経済を回復するために、従来と同じような経済政策を用いても日本の経済社会が蘇生するとは考え難い。むしろわが国の置かれた状況は、工業化と都市化が肥大化した結果、自然環境問題と農村社会が深刻化しつつあることに眼を向けるべきである。

　イギリスにしろ、日本にしろ、人口の大部分は都市に住んでいる。他方、自然環境問題と農村社会が深刻化しつつあるとはいえ、その空間域は、都市に比べて極めて広い。このことに私たちは真摯に眼を向けるべきではないか。なぜならばそうすることによってこそ、私たちは将来の日本に向けて大きな希望を得ることができると考えるからだ。

　トラストの主たる目的は、広大で自然豊かな大地を所有し、守り育てることにある。私は1985年に渡英して以来、現在までほぼ毎年イギリスを訪ねている。その間、私はトラストの資産を、オープン・スペースを中心に、力の及ぶ限り歩き続けてきた。初めの頃はただやみくもにトラストの美しい山や谷、海岸や岬、農場、そして村落地を歩き回っていた。時には歴史的に由緒ある建築物や城などを訪ねたこともある。年を経て、回を重ねるうちに、私はトラストの持つ農業用地と村落地、そしてそれらを取り巻く広大なオープン・スペースが一体となって、一つの健全な生気あるオープン・カントリィサイド（開かれた田園地帯）が構成されるのだということを知ることができた。

　トラストが草創の頃から一貫して農業部門と関係を持ち続けてきたことは、年次報告書を読めば、おのずと理解できるし、また本書を読み進むうちにさらに明らかになるはずである。

　2001年の年次報告書では、議長のチャールズ・ナネリィ氏が「トラストはこの1年間、ずっとトラストの借地農と一緒に働いてきた。……カントリィサイドを将来、いかに守り育てるかが、私たちの課題である」と言っている。2001年4月2日、新理事長のフィオナ・レイノルズ夫人と会見した時も、私たちはこの種の話をした。しかしトラストがこれほどまでに農業部門の重要性を強調し、これを地域経済の活況化の枢軸として捉えはじめたのは、それほど古い話ではない。たとえばトラストが持続可能な（sustainable）農業を実験農場として開始

まえがき

したのは1993年のことである。そしてこの実験農場が成功して、トラストの他の農場へ次々と広がりつつあることは注目すべきである。このことこそトラストが1世紀もの間、貴重な経験と学習を重ねてきた証といっていい。

　本書は、なぜトラストが創立されねばならなかったのか、その原因と理由を掘り起こしつつ、創立時から第2次大戦の終了までの50年間の「ナショナル・トラスト運動」を、主としてトラストの年次報告書に従いながら、その意味と意義を明らかにしようとしたものである。

　最近の「ナショナル・トラスト運動」の動きについては、前述のトラストの年次報告書の中での議長の所信表明によって、ほぼ理解できたと思う。それに本書でも触れているように、「ナショナル・トラスト運動」は今やイギリス社会で大きなうねりを生み出しつつある。それからトラストは国内ばかりでなく、EUへ、そして世界中へも発信を続けつつある。

　なぜトラストがイギリス国民の中に、このような大きなうねりを生み出すに至ったのか。私がトラストの成立から第2次大戦までの50年間の「ナショナル・トラスト運動」の軌跡を追ってきたのは、このトラストの大いなる成長の秘密がこの50年間にあるはずだと考えたからである。この私の予測は間違っていなかった。しかしこのことが正しいかどうかについての判断は、読者に委ねるしかない。私がここで言えることは、現在のナショナル・トラストは、創立後の貴重な一つ一つの体験と学習を積み上げてこそ存在しているのだということである。だからこそ1995年には、100周年祭を祝い、今や次なる100年を目指して運動を展開しつつあるのである。トラストの現在の到達点を探り、将来への展望を描くためには、本書の研究方法に基づきつつ、戦後のナショナル・トラスト運動を慎重に追究していくことこそ必須である。かかる努力を経て始めて、私たちはナショナル・トラスト運動の本質と、将来への人間社会の進むべき道を見い出せるはずである。

　ところでこれまでの私の仕事は、「ナショナル・トラスト運動」の軌跡を、創立時から第2次大戦までの半世紀間を通して追究してきたものである。この仕事は、私が長年勤務した大学を定年退職する直前に脱稿できたことを思えば、喜ぶべきことかもしれない。しかし今日、地球の危機が叫ばれつつあることを思う時、私の仕事は遅すぎたと言うしかない。この事実に、もはやあがなえる

手立てはないけれども、ただできるだけ早く次の仕事に取り掛かることを私への課題としたい。最近届いたフィオナ・レイノルズ理事長から私への手紙をそのまま掲載することを許していただきたい。

THE NATIONAL TRUST
for Places of Historic Interest or Natural Beauty

ROWAN · KEMBREY PARK · SWINDON · WILTSHIRE SN2 8YL
Telephone +44 (0)1793 462800· Facsimile +44 (0)1793 496813· Website www.nationaltrust.org.uk

14 February 2003

Dear Mr Yotsumoto

Thank you very much for forwarding copies of your article on the National Trust, which I have passed on to our Communications Team.

I was delighted to read about your plans for a further volume and to hear that you will continue to lecture on the National Trust after you leave Saitama.

May I take this opportunity to wish you every happiness in your retirement. Thank you so much for all the good and close relationships between National Trust enthusiasts in both our countries.

Yours sincerely

Fiona Reynolds
Director-General

　この手紙から、理事長の日本におけるナショナル・トラスト運動の高揚への期待が込められていることを十分に理解していただけると思う。
　地球が危ない！　自然環境問題はイギリスだけの問題ではない。すべての国が直面しているこの危機は、過去のどの時期よりも重大問題化していることは

明白だ。日本にある全国各地のナショナル・トラスト運動もイギリスのナショナル・トラスト運動を正しく学び、その運動を今以上に幅広く展開することが切望されているのだということを忘れないでほしい。

　私が本書の執筆に取り掛かったのは2000年後半に入ってからである。思えば、最初の論稿に取り掛かるのに相当の期間を要し、戸惑い、逡巡し、相当に難渋したことを覚えている。次の論稿の執筆開始までには、1年ほどを要したが、書き始めると1年間で3本の論稿を書き終えることができた。

　最初の論稿を完成させたことが、次の論稿を書き上げるのに相当の力となったようだ。これらの論稿は、いずれも埼玉大学経済学会『社会科学論集』に掲載させていただいた。これらの論稿を掲載順に記しておこう。

○「ナショナル・トラストの成立（1895年）」（第102号、2001年1月）
○「ナショナル・トラスト運動の展開（1907～1945年）
　　―その1（1907～1920年）―」（第106号、2002年5月）
○「ナショナル・トラスト運動の展開（1907～1945年）
　　―その2（1921～1937年）―」（第107号、2002年9月）
○「ナショナル・トラスト運動の展開（1907～1945年）
　　―その3（1937～1945年）―」（第108号、2002年12月）

　上記のごとく、これらの論稿は、ナショナル・トラストの成立から年代順に執筆されている。したがって本書の構成も、これらの順序に従った。ただしこれらの論稿の執筆後、渡英し、フィールド・ワークを重ねたこと、またトラスト自体の出版物もさらに刊行されたこともあって、一部書き加えたところもある。それに私の不注意により誤りもあったので、それらも書き改めた。

　最後になったが、本書が刊行されるまでの事情について書いておこう。本書を一読すればわかるとおり、イギリスでは、トラストの人々は言うに及ばず、私を助け、導いてくれた人々は極めて多い。わが国でも、論文や小論を送るたびに、批評、そして暖かい批判と励ましを数多く頂いた。これらの内外の人々の励ましがなかったならば、とうてい本書は世に出ることはなかったであろう。したがっていちいちお名前を挙げることはできないが、一人だけ名前を記すことを許していただけるならば、それは大学院時代からの恩師浜林正夫先生であ

る。先生には字の擦り切れた原資料を見て頂いたり、原稿を読んで頂いた。とくに「第1編　ナショナル・トラストの成立（1895年）」を執筆するに際しては、先生宅に出かけて色々な助言を頂きもした。その際には奥様にも大変お世話になった。併せてお礼の言葉に代えさせて頂きたい。なお妻雅子には、今回はワープロを何度も打ち直したり、その他索引作りなど面倒なことも手伝ってもらった。記して感謝の気持ちを表わしたい。それからこのような学術書でさえ、その刊行がますます困難になっている現在、快く出版を引き受けてくれた（株）緑風出版の高須次郎氏にも深甚の謝意を表したい。同社が2002年、第18回梓会出版文化賞を受賞したのを機に、本書が緑の風を起こすきっかけの一つになればと思う。

2003年3月31日

---

(1) Robin Fedden, *The National Trust—Past and Present* (London, 1968), 四元忠博訳『ナショナル・トラスト——その歴史と現状』（時潮社、1984年）。

(2) 四元忠博「湖水地方の番犬——ナショナル・トラストとローンズリィ」浜林・神武編『社会的異端者の系譜——イギリス史上の人々』（三省堂、1989年）。

ナショナル・トラストの軌跡
―1895〜1945年―
目　次

目次

第1編　ナショナル・トラストの成立　15
 はじめに
 第1章　オープン・スペース運動の開始　21
  第1節　オープン・スペース　21
  第2節　入会地保存協会の創立　23
  第3節　オープン・スペース運動の開始　25
 第2章　ナショナル・トラストの成立　29
  第1節　ナショナル・トラスト研究の視角　29
  第2節　ナショナル・トラストの発足　30
  第3節　ナショナル・トラストの意味　36
  第4節　ナショナル・トラストの目的　39
 第3章　ナショナル・トラスト運動の開始　45
  第1節　ナショナル・トラスト運動の開始　45
  第2節　何を、いかにして守るのか　46
  第3節　創世期のナショナル・トラストの自然保護活動
    ——主として年次報告書から　51

第2編　ナショナル・トラスト運動の展開（1907～1945年）　75
 序　章　76
  はじめに
  第1節　持続可能な発展を求めて　Choosing to be Sustainable　78
  第2節　農村活動と自然環境保護　80
   (1) Sustainable Developmentsとその効果　80
   (2) ナショナル・トラストと農業環境政策　83
   (3) Sustainable Agricultureの発展を求めて　84

第1章　第1次ナショナル・トラスト法の付与（1907～1910年）　90
　　序説　90
　　第1節　バリントン・コートの獲得　96
　　第2節　前進に向けて　101
第2章　新たな前進へ向けて——創立者たちの死（1911～1920年）116
　　第1節　オープン・カントリィサイドの獲得に向けて　116
　　第2節　戦時中のナショナル・トラスト運動　120
　　第3節　オープン・カントリィサイド　127
第3章　さらなる発展へ向けて（1921～1930年）　144
　　第1節　新たな体制からの出発　144
　　第2節　ナショナル・トラスト運動の高揚　151
　　第3節　新しい資産の増加　167
第4章　相続税の免除（1931～1937年）　178
　　第1節　1931年歳入法の改正——相続税の免除　178
　　第2節　さらなる前進へ向けて　182
　　第3節　前進のためのさらなる条件を求めて　184
第5章　第2次ナショナル・トラスト法の成立（1937～1939年）214
　　第1節　第2次ナショナル・トラスト法成立へ　214
　　第2節　第2次ナショナル・トラスト法の成立　223
　　第3節　困難な時代——農業危機と自然破壊　227
第6章　第2次世界大戦　234
　　第1節　第2次世界大戦の勃発　234
　　第2節　第2次世界大戦（1939～1945年）　235
　　第3節　終戦（1945年）　258
補　章　望むべきオープン・カントリィサイドへ向けて　263
　　第1節　ビアトリクス・ポター（1866～1943年）
　　　　　：湖水地方 the Lake District　263
　　第2節　アクランド家：ハニコト・エステート
　　　　　——エクスムア Exmoor　272
　　おわりに　276

索引　283

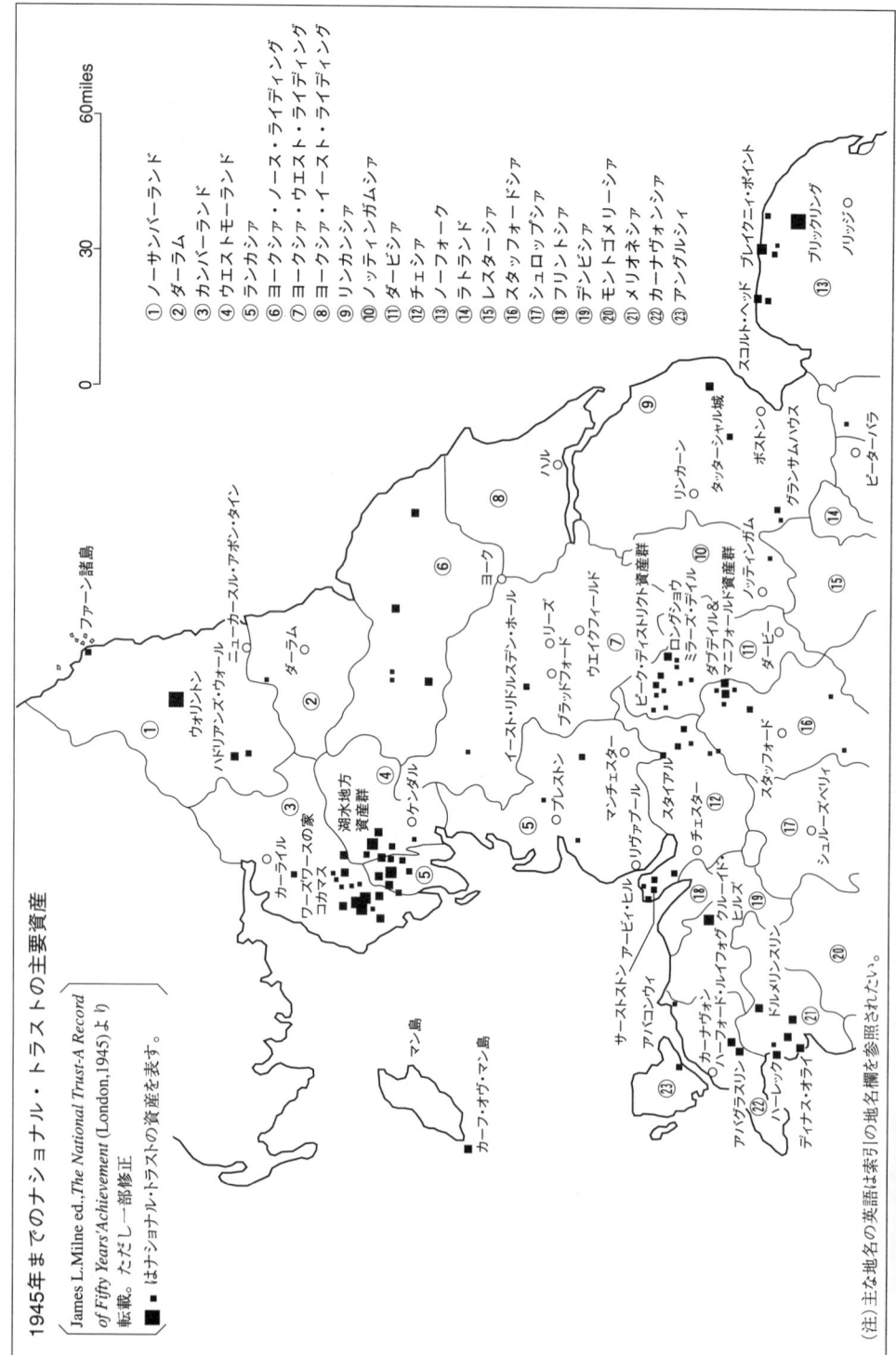

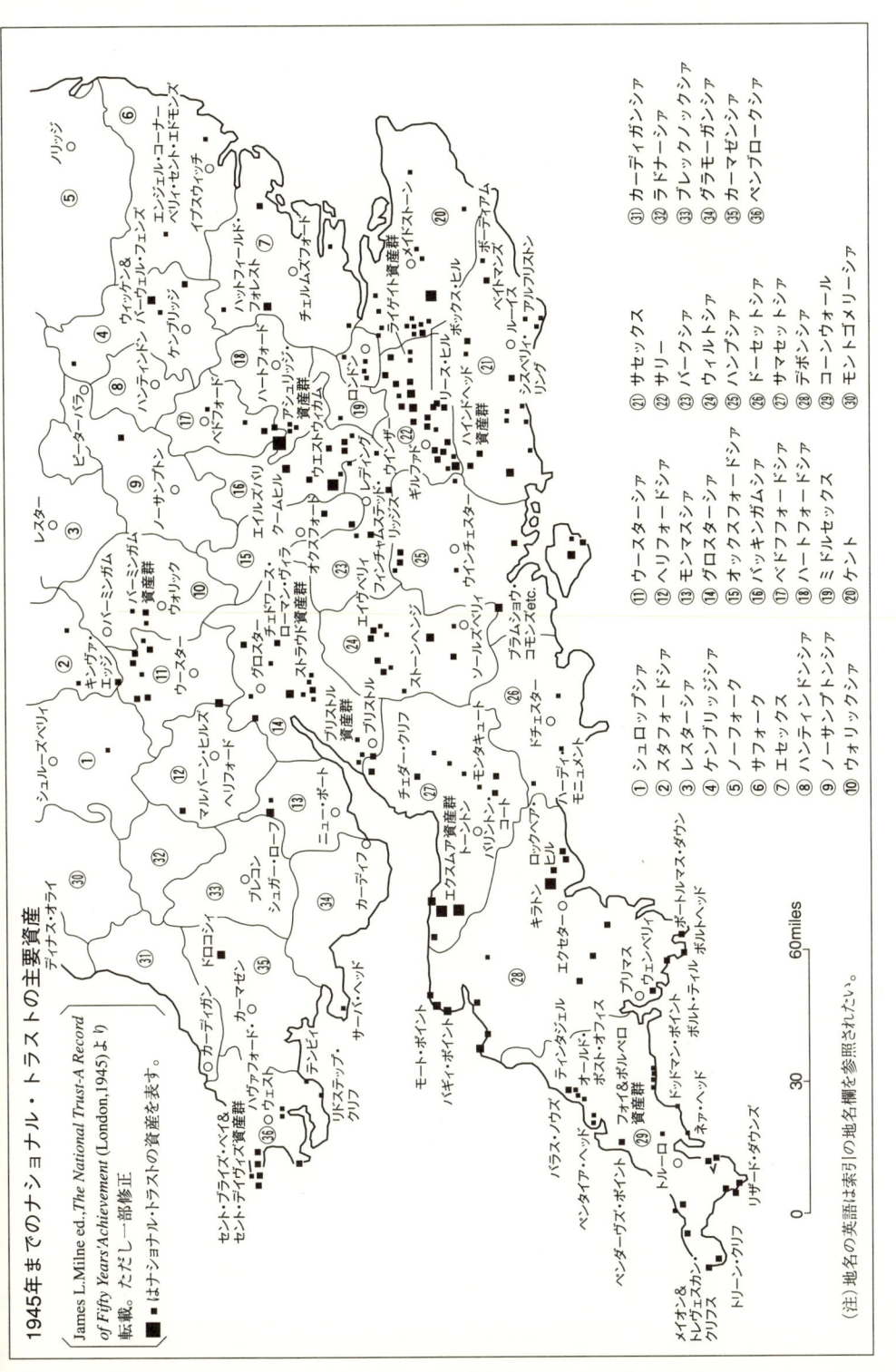

第1編
ナショナル・トラストの成立

はじめに

　わが国でも公害問題だけでなく、自然環境問題についても、種々論じられてきた。しかし自然環境問題自体が学際的な性格を有しているだけに、自然環境を守ることが、いったいいかなる意味を有するものであるかが、未だに明確にされているとは言い難い。

　しかし自然環境問題がなぜ生じねばならなかったのかを考えるならば、それが資本主義経済による営利追求の結果生じたものであることは明白だ。このように考えるならば、社会科学、とりわけ経済学研究、そして自然環境問題が歴史的所産であることから社会経済史研究が、その問題を解く鍵を握っているということができる。それでは私自身、社会経済史研究を基軸にしつつ、この余りにも広い研究分野を持つ自然環境問題を、どこに焦点を当てて考えようというのか。

　そもそも自然環境自体は、田園地帯（countryside）にある。あるいは自然環境そのものが田園地帯であると言うべきであろう。それに田園地帯こそは農村地帯である。このように考えると、自然環境と農業活動とは一体のものであり、そこにこそ自然環境を土台とした人々の営みから文化（culture）も生み出されてきたのだと言うこともできよう。

　ナショナル・トラストは自然保護団体で、かつ土地所有団体である。トラストの規模は2002年末現在、会員数は300万人を突破し、所有面積は約67万エーカー以上（約27万ヘクタール。因みに1エーカーは約0.4ヘクタールで、約4,000㎡）、獲得された海岸線は約960km、それに60の村を持っている。トラストの場合、スコットランドは別組織である。だからトラストの会員数をイギリスの人口約6千万人（2000年半ば）と比較する場合、スコットランドの人口約510万人を差し引いて考える必要がある。それにトラストによって獲得された海岸線約

はじめに

960kmといえば、およそ横浜から私の故郷の鹿児島県の志布志湾ぐらいまでの距離である。その規模の大きさは言うに及ぶまい。それから1999年、トラストの農業アドバイザー（Agricultural Adviser）のロブ・マクリン氏が私に「イギリスにはトラスト以外にも数々の自然保護のための土地所有団体がある。だからイギリスで、これらの会員数を加えると、その影響力はもっと大きくなるはずだ」と言った。確かにそうだと思う。というのは、私もここ数年来、列車の中やロンドンその他の都市、そして地方の至るところで出会ったイギリスの人々との会話の中で、彼らのトラストへの信頼と自然保護への関心がますます高まりつつあるのを実感しているからである。だからイギリス人の中に大きなうねりが生じつつあると考えるのは、私だけではないはずだ。このイギリスでのトラストを中心とした胎動ともいうべき大きなうねりが、私たちに大きな希望を投げかけてくれることだけは間違いない。しかしだからと言って、これだけでは具体性に乏しく、なにが私たちに大きな希望を投げかけてくれているのか明らかではない。

それではトラストの土地所有の内訳はどうなっているのか。ここで注目すべきは、トラストの土地のうち約80％以上が農業用地として利用されていることだ。トラストは自然保護団体である。だからトラストの方針が自然保護と農業活動を両立させることにあるのは自明のところだ。具体的に、現在トラストが、イギリスの西部にある美しい田園地帯で有名なコッツウォルズのシャーボン村で行っている実験農場を例に、トラストの活動を見てみよう。その詳細については、他の機会に譲らねばならないが、この実験農場であるシャーボン農場は、現在、第2段階に入り、10年目を迎えている。だれでもシャーボン農場を歩けば、次のことを間違いなく実感できるはずである。すなわちトラストは農業、そして生物多様性の保護は言うまでもなく、歴史的および考古学上重要な文化財や大衆のレクリエーションのためのグリーン・ツーリズムなどを保護・育成するために注意を凝らしつつ、それら全体の均衡を保つことに日々努力を重ねている[1]。ここだけでなく、今日トラストがオープン・カントリィサイドと言っている多くのトラストの土地をも歩いてみて欲しい。これらの地に立つと、そこの地域社会の人々と自然とが渾然一体となっており、あなたもそこに溶け込んでいくのを感じ取ることができるはずだ。上述のようなごく簡略な描写か

17

らだけでも、トラストの活動が単なる自然保護活動だけではなく、文化的および社会・経済的活動でもあることが分かるはずである。すなわちトラストの活動は、イギリスの農村経済、ひいては地域経済の活性化に貢献しうるということ、そしてそのことがまた健全な国民経済のモデルをも提供しうるのだという期待を抱かせてくれるのである。

　現在グローバリズムと自由経済という言葉は、マスコミの常套語と化している。これこそ国によって差異はあるにせよ、各国民経済において、工業化と都市化、それに外国貿易をはじめとする国際取引が急展開しつつあることを示すものである。しかしこのことは反面、放っておくと公害や自然環境破壊はおろか、農業と農村人口そして農村経済ひいては地域経済が衰退していくことは、現下のわが国経済が如実に示している通りである。このことの世界史的必然性については、トラストがイギリスで成立しなければならなかった歴史的背景とともに、是非とも明らかにしておかねばならない重要な課題である。ここではとりあえずその重要性だけを指摘するに留めて先に進むことにしよう。

　トラストが創立されたのは100年以上も前の1895年である。1884年には、すでに設立のための準備が開始されていた。トラストが設立される前の1873年には、1846年に穀物法が廃止され、いわゆる自由貿易が定着したのを直接原因として生じたあの「農業大不況」が当時、まだ進行中であった。それに同じころに生じた所謂「大不況」もまだ回復してはいなかった。農業の衰退と経済不況下、困窮化した地主たちが土地を手離しつつあった。トラストが有利に成立しえた理由の一つが、この点にあったことは間違いない。それにトラストが成立した頃の19世紀末と言えば、産業革命の勃発後すでに1世紀が経っており、各地で相当に自然破壊が進んでいた。ひと頃の鉄道建設ブーム（1830～50年）は収まっていたとはいえ、1851年のロンドン万国博や、1871年銀行休日（バンク・ホリデー）法に見られるように、大衆の「レジャー・ブーム」も現われつつあった。ロンドンから遠く離れた海浜地や谷あい、湖畔などへの鉄道敷設計画は跡を絶たなかった。入会地をはじめとするオープン・スペース[2]が次々と囲い込まれていった。このような歴史的背景の中で、ナショナル・トラストが成立するには、その前史があったことも十分に考えられる。1865年に設立された入会地保存協会がそれである。この頃は、未だイギリスが「世界の工場」を誇ると

ともに、自由主義段階にあり、大英帝国華やかなりし頃であった。それだけにこの頃は、すでに重工業の段階に達しており、鉄道敷設もまた盛んに行われていた。「世界の工場」のその裏で、自然破壊が確実に進んでいたのである。このような社会・経済的現象が、現代社会へ連なるものであることは、明白なところである。しかしこのことのもつ重大性を歴史的必然性として明確に把握しておくためには、少なくとも資本主義の成立期から説き起こさねばならない。わが国でもイギリス経済の歴史を研究したものは数多いが、このことの重大性に触れたものは皆無に等しい。したがって私自身、とうぜんこの重大性に触れるべきであったと思われるこれまでの研究の批判を含めつつ、この重大性の持つ意味を明確にしておかねばならない。論述の順序としては、トラストの成立に先んじて、この点を論じるべきであるとも考えたし、その努力を怠ることもなかったと考えている。しかしこの重大でかつ重要な論点をより明確に理解するためには、トラストの成立を含め、その理念と自然保護活動がいかなる現代史的意味と意義を持つものであるかを明らかにしたうえで、論じるほうがより効果的であり、かつ説得的であると考える。

　私のナショナル・トラスト研究の究極の目標は、先に記したところから明らかなようにトラストの活動がイギリス経済にとって、いかなる意義を有するものであるかを考えることにある。そこで本編においては、トラスト研究の手始めとして、まずトラストが成立した事情を明白にするとともに、その自然保護活動が、そもそもからカントリィサイドを基盤とする農業活動と結びついたものであったことを明らかにしておくことに焦点が絞られることになる。そしてこの仕事を経てこそ、トラストの成立以降も止むことなく打ち続いた「農業大不況」と工業化の過程で、トラストが自然保護活動と農業活動とを行っていく中で、それらがイギリス経済においていかなる位置と歴史的意義とを有するものであるかが自ずと明らかになっていくと思う。

　そしてかかる理解を深めてゆく過程でこそはじめて、われわれは工業化と都市化、そして「農業大不況」から今日に至る農業危機がイギリスばかりでなく、現代社会において、いかなる重大な意味を持つものであるかもまた自ずと理解できるのではないかと思われる。

(1) このトラストの実験農場については、拙稿「ナショナル・トラストとイギリス経済—望むべき国民経済を求めて—」(『日本の科学者』1997年2月号)、同じく「ナショナル・トラストと地域経済の活性化」(『武蔵野をどう保全するか』(財) トトロのふるさと財団、1999年10月)。その他トラストの援助を受けながらB&Bをも経営しつつ、生計を維持するのに成功している農場の例としては、Charlie Pye-Smith, "Living from the Land", *The National Trust Magazine,* No. 86, Spring, 1999, pp.30-33を参照されたい。なおB&Bについては、Bed and Breakfastの略で、宿泊のためのベッドと朝食を供することから、この言葉が出た。日本の民宿に相当する。なおトラストは現在、全国のトラストの借地農(＝農業経営者)の経営するB&Bを紹介するパンフレットを発行している。
(2) 入会地とオープン・スペースについては、第1章(1)の冒頭において説明を試みている。

第1章
オープン・スペース運動の開始

第1節　オープン・スペース

　次に述べる光景は、わざわざイギリスに行かなくとも、わが国においても地方（countryside）に行けば、数は少なくなったとはいえ、まだ十分に思い起こすことができるし、またその過ぎ来し様を思い描きそして堪能できるはずである。

　入会地（commons）は、通常集落地と農耕地の周囲に広がっている野原や森林地などであり、そこでは農民たちが家畜を放牧し、果実を摘み、薪、わらび、芝、そして泥炭などを持ち帰る権利をもっていた。これを入会権という。

　さらに入会地の外側には山岳地など家畜の近寄れないもっと広大な土地が広がっている。あるいは振り返れば、農耕地や牧場の向こう側には広大な海原が広がっているかもしれない。入会地を含めた広大な土地がオープン・スペース（open space）である。したがってオープン・スペースは入会地よりももっと広い概念を有するとともに、空間的にももっと広大な面積をもつのである。もちろんオープン・スペースは入会地を含め、未だ囲い込まれていない土地である。

　イギリス農村の囲い込みは歴史上古くから行われてきたが、とくに産業革命の勃発とともに行われた第2次囲い込み運動は、議会の立法手続きを経て個別的に認可されつつ、きわめて大規模に行われたことは余りにも有名である。これらの囲い込み法による大規模な囲い込みが停止されたのは19世紀後半になってからである。「1700年から土地の国勢調査が行われた1873～74年まで、議会はイングランドの450万エーカーの出入り自由な田野と共同放牧地、200万エーカーの原野や森林地、そしてウェールズでは、19世紀のあいだに100万エーカーと推定される高地（upland）を囲い込むためのほぼ5,000の法律と裁定書を認可した」[1]という。ここにまず工業化の先行条件として、農業の近代化、すな

21

わち農民からの土地収奪あるいは労働力の商品化が必要であったこと、そして産業革命とともに農業革命も進行していったことを、ここで再び確認しておくことは重要である[2]。さらに「農民からの土地収奪」が、国民の大部分をなす人々が自らの土地から切り離されたのだという歴史的事実を、ここで予め留意しておきたい。

とくに産業革命以降、農村から都市へ人口が移動したことに加えて、人口も急増し都市化が急速に進行した。その結果、貧困と欠乏そして都市の過密化が社会問題化した。このように考えると、都市貧民のためのレクリエーションときれいな空気のためにオープン・スペースが必要であることがまもなく理解され、オープン・スペースを救おうという要求が生じたことは容易に理解できる。

歴史家として高名なG.M.トレヴェリアンのナショナル・トラストに関する1929年の論説によると、鉄道の出現する前の1829年のイギリスは、いまだワーズワースやターナーやコーンスタブルの世界であり、かつまた人工物と自然とがうまく調和していたという[3]。

そうだとすれば、産業革命を経て鉄道時代が出現するとともに、イギリスでは重工業段階に移行してのちに、本格的に自然破壊が進み、それがいよいよ重大な社会問題へと化していったことが容易に理解できる。工業化と都市化そして自然環境破壊は、人間が地球上に生を営み続ける限り、決して避けることのできない定式化であることが、いまやまさに明白化したと言えよう。

この時期における鉄道敷設が、村落地や農耕地そしてオープン・スペースを次々と破壊しつつ、イングランド全土に鉄道網を拡げていったその凄まじさは、われわれ日本人にはなかなか想像しにくいものかもしれない[4]。そのうえに鉄道敷設を基軸にしつつ、石炭業、鉄鋼業、機械工業など重工業が急速に発展し、これを武器にイギリスが自由貿易政策のもとに、「世界の工場」としてパックス・ブリタニカを謳歌したことも巷間知られるとおりである。しかしイギリスが世界に君臨し、繁栄を誇ったその裏には、すでに国内においては、自然破壊が進み、環境問題が出現しつつあったのである。それとともに、われわれは、この時期のイギリス経済がすでに農業危機をも内に孕ませつつあったことに注意しておかねばならない。ここでは、農業危機が現実化したとき、農村経済が衰退するばかりか、農村社会の崩壊をも招くのだということも心に留めておこ

う。

　さて鉄道時代が出現して以降、ロンドンおよびその近辺の入会地を含むオープン・スペースが鉄道敷設のために次々と囲い込まれ、開発されていった。このような状況の中で、いわゆる「オープン・スペース運動」、すなわち自然豊かな広大な土地を不必要な開発行為から守ろうという運動が展開されることになる。これらの運動に参加した組織のうち最初の、かつ最も実力のある運動体が1865年に創立された入会地保存協会（The Commons Preservation Society）であった。ただこれは任意の団体であって、土地を持つことのできる法人格を持っていなかった。したがってこの団体は、主として法律を楯に入会地を含むオープン・スペースを守ることに力を注いだのであった。後述するように入会地保存協会は創立以来、数多くの実績を収め、かつ貴重な運動を展開していったけれども、国民のために必要な土地を後世に残すという点では、当然に限界を有していた。それにこの時までイギリスには、国民のために土地や建築物を持つことのできる法人団体は存在しなかった。だから土地所有のための法人団体たるナショナル・トラストの創立の必要性が痛感されたのは、自然環境保護運動という点からも、また時代的背景からみても、至極必然的な歴史的動きであったと言っても決して誤りではない。このように考えるとき、入会地保存協会は、本書の直接の研究対象ではないけれども、1895年のナショナル・トラストの成立に直接に連なる経緯を有している。したがって第2節においては、これとの関連で入会地保存協会について少し論じることにしよう。

第2節　入会地保存協会の創立

　入会地保存協会は1865年秋に創立され、現在はオープン・スペース協会と改称され、その本部はロンドン近郊のヘンリィ・オン・テムズにある。協会は上述の如く、ロンドン周辺の入会地を含むオープン・スペースの囲い込みに反対するために組織されたのであるが、その目的は主として次の2項目であった。(1)恣意的かつ不法な囲い込みの根拠となっている「マートン法」[5]を廃棄すること、(2)人々の健康とレクリエーションのために、入会地を含むオープン・スペースを不法に囲い込むことに反対し、その保全のための規制計画を確立することであった。そしてその運動の甲斐あって、1866年には「首都圏入会地法」

(The Metropolitan Commons Act)[6] が、そして1876年には、前者を質的に深め、かつ地域的にはロンドン以外にも拡大していった「入会地法」(The Commons Act)[7] が成立した。しかし「マートン法」の廃棄については、1893年の「入会地修正法」(The Commons Amendment Act) まで待たねばならなかった[8]。

このように協会の目的が、入会地を含むオープン・スペースを守ることにあったのは明らかだが、それでは協会は何を根拠にして、それらを保全しようとしたのだろうか。

協会の法律上のオープン・スペースに対する一貫した理念は次のとおりである。

まず狭義の入会地に対しては、そこに含まれる入会権を明らかにし、それを守ることにあった。それから入会地を取り巻くオープン・スペースには、当然に入会権者をも含み誰でもそこに自由に出入りできるはずである。したがって協会は入会地を含むオープン・スペースに対しては、誰でも自由に出入りできる、いわば国民のアクセス権を主張し、それを保全しようとした。かくして協会は、それらをめぐる紛争を解決するために、自らの実践活動と議会でのロビー活動を通じて、入会地を含むオープン・スペースを守るための法案の提出と自然環境保全のための理論的武装を構築していったのである[9]。

たとえば協会は、1865年のウィンブルドン・マナーの囲い込みをめぐる紛争を手始めに、エッピング・フォレスト、バーカムステッド、ニュー・フォレスト[10] の問題など次々と訴訟問題に関わっていった。かくして協会は年々、各地の入会地に関する紛争、訴訟にその指導的立場を発揮し、住民の要求と世論とを背景にオープン・スペースを守るための運動を展開していった。しかし事の性質上、すべての訴訟に勝利したわけではなかった。ここに運動体としての協会の限界を認めざるをえないけれども、協会の活動理念や協会の果たした有形無形の実績や貴重な体験が、ナショナル・トラストの成立とその後の活動に計り知れない教示と力を与えたことはまちがいない。自然破壊からイギリスを守るためには、土地を持つことが必須であることを教えたのは協会であった。まずここでは協会がその運動を展開するにあたって、実際に入会地とオープン・スペースをどのように考えていたかを見ておかねばならない。

第3節　オープン・スペース運動の開始

　協会は設立されてしばらくの間は、とくに入会地の保護については、たとえば入会地における放牧権や薪の採集など、そこに隣接する村落地の住民に専ら所属する入会権の場合、地域的な性格ひいては私益的な性格が濃厚に残っているので、その入会地を保護するために、訴訟を有利に起こすことが困難であると感じざるを得なかった。したがって協会は、入会地やオープン・スペースをめぐる紛争が社会的かつ公共的な性格と問題を有する限りにおいて、それらの紛争に積極的に関わっていったのである[11]。

　とはいえ協会はもともと、入会地をはじめとするオープン・スペースのもつ社会的かつ公共的性格を立法者に認めさせるために、政治的な圧力団体として組織されたのであった[12]。したがって入会地はおろか、その他のオープン・スペースでさえ囲い込まれていくなかで、協会は地域的性格ないし私益的性格をもつ入会地にまで、"waste land of manor"（荘園の荒蕪地）[13] や "recreation ground" そして "village green"（村の人々がレクリエーション用に共同して使う芝生地など）のもつ公共的性格を付与するために、入会地保全のための訴訟を闘い取るべく努力していった。このようにして協会が、上記の1866年の「首都圏入会地法」や1876年の「入会地法」を克ち取ったのだと考えることができる。そしてそれと同時に協会が、少なくともロンドン近辺の入会地すべてに公共的性格を付与するのにほぼ成功したという歴史的事実とその社会的影響力に、われわれは改めて注意を喚起すべきであろう。

　かくして協会は、協会の関係する入会地のすべてを公共化しない地主や鉄道会社などを相手に、彼らの囲い込みを不当なものとして阻止すべく闘っていった。ここに協会が入会地保全を望む住民の代弁者であり、かつ囲い込みを中止させることが、入会地の公共的性格を守ることであることを、一般国民に知らしめるのに相当程度の役割を果たしていったと考えることができる。

　最後に、協会の目的の一つであった「マートン法」の廃棄について、協会はどのように考えていたのだろうか。この法律は1235年以来、もともと、入会地の利益を損なわないで、放牧の改良を行なうことを意図するものであった。ところが、とりわけ19世紀後半以降になると、前述したような農業大不況が打ち続く中で、地主たちは自らの土地を大量に売却せざるをえなかった。その際、

彼らが可能ならば、自らの所領の範疇に属する入会地をも囲い込み、それを私有地化して売却することもたびたびあったのである。このとき、マートン法が無視されたかあるいはその法の網がくぐり抜けられたのは言うまでもない[14]。

　入会地を私的に囲い込むことは、公共的性格に明らかに反するのであるから、当然"囲い込みは不法なり"というのが協会の厳然たる理念であった。かくして協会の「マートン法」の廃棄の方針は、「都市部貧民のためにオープン・スペースそしてガーデンを」（W. H. スミス下院議員）、「マニュファクチュア優先に対抗してオープン・スペースを」（A. J. バルフォア下院議員）、「子供のためにオープン・スペースを」（W. E. フォースター下院議員）という声になる。これらは1883年の協会の総会での会員たちの声だったという。翌年1884年には、当時協会の弁護士（solicitor）であったロバート・ハンターがナショナル・トラストの創立を提唱している。社会経済史的背景から考えても、また自然環境問題という観点からも、ハンターの提言はまさに時宜を得たものであったと言うべきである。

　マートン法の廃棄については、上記のとおり1893年の「入会地修正法」によって実現された。しかしそれでも入会地を含むオープン・スペースの囲い込みは止むことはなかった。いやむしろオープン・スペースが存在する以上、社会および公共の利益に反する囲い込みは依然として続くのだと考えるのが妥当であろう。

　ナショナル・トラストが成立したのは、ロバート・ハンターが提唱してから10年を経た1894年のことであり、会社法のもとに土地所有のための法人団体として正式に登録されたのは1895年である。

　以上のような入会地保存協会の長期にわたる実践とオープン・スペースに対する理念とを踏まえつつ、ナショナル・トラストが1895年に成立し、今日に至っていることをわれわれは知るべきである。したがってトラストのルーツは、オープン・スペースを保全するための運動に見い出されるべきであり、そしてトラストは「入会地保存協会（1865年）の子供であった」[15]ということができるのである。それではトラストは具体的にいかなる経緯を経て成立したのだろうか。

第 1 章　オープン・スペース運動の開始

(1) Graham Murphy, *Founders of the National Trust*, (London,1987) p.4. 四元忠博訳『ナショナル・トラストの誕生』（緑風出版、1992年）21頁。
(2) 資本主義的生産様式の生産力を象徴的に表象するものは工業化であり、かつ都市化ということになる。そしてこの工業化と都市化を推進したものこそ、農業の近代化（＝「農民の土地からの収奪」）であった。しかし資本主義化が進むにつれて、国民経済において農業部門が矮小化し、ついには切り捨てられざるをえないという歴史的事実は、必然的であるとはいえ、なお歴史的皮肉と言ってもいいのかもしれない。
(3) G.M.Trevelyan, *Must England's Beauty Perish?* (London, 1929) p.14.
(4) リヴァプール―マンチェスター間にはじめて鉄道が開通した1830年から、1850年までのいわゆる「鉄道マニア」の時代に、およそ9,600キロメートルの鉄道がイギリスに敷設された。これは産業革命を象徴する綿業の勃興よりもさらに革命的なものであって、われわれ日本人にはその大きさと規模そのものは想像を絶するものであったと言っていい。たとえばヨークにある鉄道博物館所蔵の鉄道開通以降、イギリス全土に開通されていった鉄道地図を見れば、このことを実感できるはずである。とくに「世界の工場」以来、イギリスに蓄積されていった過剰な資本が、国内においてはその投資先を求めて、次々と鉄道敷設に向かっていったイギリスの歴史的事実は周知の通りである。したがって1850年までで鉄道投資への刺激がなくなったわけではないのであって、1880年代以降もますます鉄道敷設は大規模な形で続いていったのである。たとえばナショナル・トラストの記録によれば、1880年代後半から1890年代にかけて、とくに湖水地方におけるオープン・スペースが鉄道敷設やその他の開発によって脅威を受けつつあったことが記されている〔R.フェデン著、四元忠博訳『ナショナル・トラスト―その歴史と現状』（時潮社、1984年）221頁〕。
(5) マートン法（Statute of Merton）。近代的農法が開始されるまでは、入会地と耕作地とは一体となっていた。したがって農業の効率を高めるために、また農民たちの平等性を維持するためにも、入会地に放牧される家畜の数を制限しなければならなかった。そこで農民の家族の人数や保有地の規模によって、入会地に放牧される家畜の数を制限したのが1235年のマートン法である。したがって通常は、放牧を許された家畜は自由に入会地に放牧されていた。だから上述のところから明らかなように、この法律はもともといかなる点においても、入会地の囲い込みを認めないというものではなかった。すなわち入会地の利益を損なわないで、放牧地の改良を行うという意図をもって、入会地の囲い込みが行われるならば、その囲い込みは実行されえたのである。かかる「マートン法」の曖昧性故に、囲い込みが不当に行われ公共的な利益が害されているという事実をもって、協会としてはこの法律を廃棄すべきであるとしたのである。この点については、Graham Murphy, *op.cit.,* p.6. pp.25-26. 訳書22頁と48-49頁をも参照されたい。
(6) 首都圏入会地法（The Metropolitan Commons Act）。もし必要ならば、荘園領主の承認が得られなくても、政府の囲い込み委員の承認が得られれば、ロンドンの入会権

者および納税者に、入会地を管理する保存者委員を選任する力を与えるという法律。この法律はロンドンの中央部に位置するチェアリング・クロスの15マイル半径内の土地にのみ適用されたけれども、それは優に1万エーカー以上からなる180のオープン・スペースを含んだ（*Ibid.*, p.10,p.12,p.15,p.25. 訳書30,33,36,47頁）。

(7) 入会地法（The Commons Act）。これは首都圏入会地法を質的に深めるとともに、たとえばオープン・スペースとしての公共的性格だけを主張するのではなく、入会地における私益的性格をも自制的に考慮しながら、地域的にロンドン以外にも拡大していった。

(8) 平松 紘「イギリス「入会地保存協会」創成期における活動—入会の比較研究のための準備的考察—」『青山法学論集』第26巻、第3.4合併号、20頁。

(9) 平松 紘著『イギリス環境法の基礎研究—コモンズの史的変容とオープン・スペースの展開—』（敬文堂、1995年）326-328頁。

(10) ウィンブルドン・マナー：テニスで有名なロンドン南西部にあるウィンブルドン地区の一角にあった。

　　エッピング・フォレスト：ロンドン北東部にある広大な緑地帯。

　　バーカムステッド：ロンドン北西部に位置する緑豊かな田園地帯。ここは現在ナショナル・トラストの所有地であり、本書でもやや詳しく説明されている。

　　ニュー・フォレスト：イギリスの南西部ハンプシァに位置する広大な緑豊かな風光明媚の地帯。現在、特別科学研究対象地区（Sites of Special Scientific Interest, SSSI）に指定されている。

(11) 平松前掲書、322-323頁。

(12) Graham Murphy, *op.cit.*, pp.12-13. 訳書33頁。

(13) waste land（荒蕪地）のもつ公共的性格を歴史的事実を例に、明確に説明したものとして、*Ibid.*, p.7. 訳書23-24頁を参照されたい。

(14) 入会地とオープン・スペースとの関連について、入会地保存協会がどのように考えていたかについての説明は、平松前掲稿および前掲書から多くのことを学んだ。したがって引用文など多きにわたっているので、すべて省略したことを了解されたい。なおマートン法が無視されて囲い込みが行われていった実例については、*Ibid.*, pp.6-20. 訳書22-42頁を参照されたい。

(15) Robin Fedden, *The National Trust—Past and Present*（London, 1968）p.158. 四元忠博訳『ナショナル・トラスト—その歴史と現状』（時潮社、1984年）186頁。

第2章 ナショナル・トラストの成立

第1節 ナショナル・トラスト研究の視角

　最近に至り漸く、わが国でも自然環境問題の重大性に対する関心が高まりつつあるのだけは確かである。しかしイギリスのナショナル・トラストに関しては、マスコミでの報道が往時ほど多くはないこともあってか、学生たちの間に、しかも自然環境問題に関心をもつ学生たちにさえ、その名前を知らない者が多い。一方で、トラストをいくらかでも理解した学生たちが、自然環境問題とトラスト自体に強い関心を示すことだけはまちがいない。このような状況下において、わが国でのナショナル・トラスト研究もそれほど進んでいるとは言い難い[1]。

　それではイギリスではどうか。トラストの出版するパンフレット類や出版物は膨大であり、かつトラストが国民の間に確実に定着しつつあることは、私の何回にもわたる体験から言ってもまずまちがいない。しかしトラストに関する研究書となれば、それほど多くはない。代表的な著書と思われるものを私の知る限りで注記しておこう[2]。

　これらのうちグレアム・マーフィ氏のトラストの成立史に関する著書を除いて、全て概説書である。したがってイギリスでさえ、本書のように、トラストの成立に関して、直接の成立の要因を探るだけでなく、もっと深く掘り下げて、ナショナル・トラストが結果的にはイギリス社会の要請を受けて成立しなければならなかった事情を考えてみようとする研究は皆無に等しいと言っていい。それに、トラストの成立を含め、その自然保護活動を社会科学、ことに経済学の観点から、ないしは社会経済史の観点から考察しようという試みも皆無に等しい。

　もちろん自然環境問題が学際的な性格を有しているだけに、その考察範囲は

きわめて広い。ナショナル・トラストは自然保護団体である。したがってその自然保護活動が多岐にわたっていることももちろんである。しかし環境問題の重大性については、これまでわが国でも種々論じられてはきたが、自然環境を守ることが一体いかなる意味をもつのか、未だに明確にされているとは言い難い。むしろ自然環境を守ることが経済活動とは無関係であるか、あるいは経済活動を阻害するものであるかの如く考えられているのが現状であると言っても未だ過言ではあるまい。

　私のナショナル・トラスト研究は、上記のとおり社会経済史的研究視角に基づいて進められる。もちろんトラストを総合的に研究することは必要である。しかし本書での研究対象は、トラストの創立と草創期における自然保護活動を、とくにその農業活動を中心に据えながら、社会経済史的観点から究明していくことに焦点が絞られる。そしてその過程を経てはじめて、私のトラスト研究の方法が明らかにされるとともに、トラストの自然保護活動の将来への展望が、ひいてはわれわれ人間社会のこれから進むべき道が示されることを期待しうるものと考える。

第2節　ナショナル・トラストの発足

　ロバート・ハンター Robert Hunter（1844～1913年）が、1884年にナショナル・トラストの創立を構想したことはすでに述べた。実はこれに先立って次のようなことがあった。この年、当時住宅改良家として有名であるとともに、入会地保存協会でも働いていた女性のオクタヴィア・ヒル Octavia Hill（1838～1912年）とハンターに、ロンドン近郊のあるマナー・ハウス（manor house）とその周囲の土地を譲渡したいという旨の話が持ち込まれた。結局これは実現しなかったけれども、この時に、弁護士のハンターが大衆のために、土地を持つための法人組織をつくることを考え出したのである。

　そして翌月、彼は「オープン・スペースのより効果的な保存のための提言」と題する論文を、バーミンガムで開かれた社会科学国民協会の大会へ送った[3]。その中で、彼は上記の「首都圏入会地法」や「入会地法」そしてその他の法律をあげながら、入会地を含むオープン・スペースが、地方自治体によって買い上げられて公園や公立の庭園になっていることを指摘している。それと同時に

第2章　ナショナル・トラストの成立

ますます多くの土地が頻繁に売りに出されていることも指摘することを忘れてはいない。「農業大不況」の打ち続く中、貧窮化しつつあった地主たちが自己所領地ばかりでなく、自らの範疇に属する入会地をも不法に囲い込み、それらを売りに出していたこともすでに述べたところである。

したがってそれらの土地を購買する機会は数多くあるけれども、任意の団体では土地を買うことができない。土地を所有し、売買取引できるのは、個人と法人だけである。そこで彼によって考え出されたのが、次のような目的のために、会社法（the Companies Act of 1862）のもとに、法人組織をつくることであった。必要と思われる点を列挙すれば、次の通りである。

(1)入会権をもつ土地を獲得すること。
(2)大衆のために獲得されたすべてのオープン・スペースを管理すること。
(3)オープン・スペースを守るために購買された土地に付随する入会権を行使すること。

ここで予め注意しておきたいことは、まず第1に、入会地を含むオープン・スペースを獲得する場合、このオープン・スペースには、当然牧場であれ、穀物畑であれ、農業用地が付属することが多いということである。それから厳密に言って草創期には実現することはなかったけれども、ナショナル・トラスト運動が着実に進展していくにつれて、実際に地主貴族から広大な土地を譲渡あるいは遺贈されることがあった。この場合には、上記のようなオープン・スペースや農業用地ばかりでなく、それらに取り囲まれた村落地をも含むことになる。このように考えると、トラストは土地や建物を単に保護するばかりでなく、トラストが直接に責任を負っている田園地帯（countryside）のそれらの社会構造全体を、無傷のままに保っておくことを目的とするのだということがおのずと理解されるであろう。最後に、入会地保存協会の活動に見られたように、同保存協会は入会地を含むすべてのオープン・スペースに対していわゆる公共的性格を付与するのにほぼ成功した。したがってトラストも、所有する入会地を含むオープン・スペースに対して、当然それのもつ公共的性格を認めた。

このような法人組織ができれば、獲得された土地を管理・運用することによって、相当な収入を得ることができるはずである[4]。彼のこの着想は、イギリスにおいては前例がなく、それだけに法律家である彼は、入会地保存協会の仕

事と関連させながら、法律の状態を念入りに調べた。そして単にボランティア団体ではなくて、法人団体の必要性を痛感したのだった(5)。

このロバート・ハンターの考えは、もちろんオクタヴィア・ヒルの強い支持を得た。1885年2月には、彼女はこの「新しい団体」のための簡潔な表現力に富んだ名称を見つけることが困難であるとの手紙をハンターに寄こした。ただその中で、彼女としては「トラスト」という言葉が好きであると述べて、「私は、きっとあなたが営利を目的とするような性格よりも公共的な性格を打ち出すようにうまく取り計らってくださるものと信じております」と書いたという。ハンターはこの手紙の上欄に疑問符をつけて「ナショナル・トラスト」という言葉を鉛筆書きした(6)。

上記のとおり、自然保護のための土地所有団体を会社法のもとに法人組織としてつくることはもちろん、その団体の名称に「トラスト」という語を付することにも、両者の見解は一致した。それではなぜ、ハンターはヒルからの手紙の上欄に、「ナショナル・トラスト」という語句を付したのだろうか。ハンターは法律家であるとともに自然保護運動に長年の間挺身してきた実践家でもあった。'ナショナル' national という語には、実践上の体験から編み出された意味合いが込められていたにちがいない。'トラスト' trust という語にしてもそうである。ハンターにしろ、ヒルにしろ、それまで長年の間、自然保護運動に携わってきていたのだから、ナショナル・トラストのこれら二つの語にはそれぞれ深い意味合いが込められていたにちがいない。ところが今やわが国において、横文字が意味もなく氾濫している中で、'ナショナル' にしろ 'トラスト' にしろ、それらはわれわれにとってそれほど珍しい言葉ではない。しかしそれらの真の意味を問うとなれば、その答えを見い出すにはよほどの困難を伴うにちがいない。二つの語とも、イギリス的な意味合いを有するものだという他ないのであるが、だからといって、それで片付けるわけにはいかない。現在、トラストはイギリス最大の私的土地所有団体であるというより、世界で例を見ない最大の私的土地所有団体となっている。トラストは自然保護団体として、国内ではむろん、EU諸国ばかりでなく、世界へも発信を続けつつある。この点からも、「ナショナル・トラスト運動」を理解するために 'ナショナル' と 'トラスト' に込められた真の意味合いを探り、理解しなければならない。ここではこのこ

とだけを強調するにとどめて先へ進みたいのだが、ナショナルとトラストの概念的意味さえも明らかにしないで先へ進むことは許されまい。

　ハンターとヒルが入会地保存協会と深い関係にあったことは先に述べたとおりである。彼らが法廷闘争と開発阻止運動を進める過程で、政府、行政がいかなる性格のものであるかを知ったことはまず間違いない。それではハンターはなぜナショナルという語を考えついたのだろうか。もはや政府、行政に信頼を置けなくなった彼が、国民のためにナショナル・トラストを作るべきだと考えたことはごく自然の成り行きであっただろう。ナショナルの語に「国民のために」'for nation' という意味合いが込められていることは私たち日本人にも容易に理解できよう。しかしナショナル・トラストの場合、ナショナルの語に国家や政府、行政の意味は含まれないのだということに注意しなければならない。むしろ国家や政府、行政に頼れないからこそ、ナショナル・トラストができたのである。ナショナル・トラストは創立以来今日に至るまで、いや将来へ向かって会員一人一人に、ひいては国民一人一人に依拠しながら成長を続けていくことになろう。そのためには会員からの会費および国民からの寄付金を基金に、国民からの信託（trust）を受けて土地を購買し、所有し、その自然を守るとともに、その質をも高めていく努力を続けていかなければならない。それこそ会員および国民の信託にこたえ、かつ彼らから信頼を得る唯一の方法である。

　さて上述のとおり、「ナショナル・トラスト」という名称は見つかった。しかし新たな組織が具体化するには、その後数年を待たねばならなかった。当初は入会地保存協会の積極的な賛成を得られなかったし[7]、それにこの組織の成立は、なによりもハンターとヒルに依拠しており、両者とも他の公共的な活動にも深く関わっていた。

　ところが幸運にも、援助の手が北の方から差しのべられた。その人こそ、「湖水地方の番犬」と言われていた牧師のハードウィック・ローンズリィ Hardwick Rawnsley（1851〜1920年）[8]であった。彼はオクタヴィア・ヒルとは1875年以来、ジョン・ラスキン John Ruskin（1819〜1900年）[9]を通じて、すでに親しい間柄にあった。そしてロバート・ハンターとの出会いは、ローンズリィが入会地保存協会と直接に関係をもった1883年のことであった。

　この年に、遠隔地の湖水地方へも鉄道敷設法案が持ち込まれた。これがダー

ウェントウォーターとボローデイル[10]の景勝地を破壊するものだと考えたローンズリィが、ヒルとハンターに協力を求めたのは自然の成り行きであった。この計画はローンズリィら湖水地方の人々による強力な反対運動と入会地保存協会との協力によって、首尾よく廃案に追い込むことができた[11]。しかし彼は、この闘争は単なる前哨戦であり、これから湖水地方にも、再び新たな鉄道敷設法案が、そして他の開発計画が次々と打ち出されるであろうと考えた。このように考えるとき、彼がヒルとハンター、そして入会地保存協会との関係を持ったということは、なによりもナショナル・トラストの創立という関連からみて、きわめて象徴的なことだと言わねばならない。

ローンズリィは、湖水地方の自然美を汚す恐れのある開発計画が相次いで出されるたびに、それらを阻止すべく率先して先頭に立って闘った。彼が「湖水地方の番犬」と言われたゆえんである[12]。しかし鉄道法案を阻止したり、その他の開発計画をうまく解決できたにしても、それだけでは湖水地方そのものの保護という点からは不十分であった。

1893年になると、湖水地方のいくつかの重要な土地が売りに出された。またこの頃になると、別荘がすでにウィンダミアの湖畔にまで伸びていたし、また他の湖の周辺にも建物が建つ危険性が迫っていた。湖水地方は危険な状態にあったのである。彼がロンドンの2人の友人に相談をもちかけたのは当然であった。もちろんハンターにしろ、ヒルにしろ、ナショナル・トラストの設立の件について忘れていたわけでは決してなかった。それ以前から両者はトラストの評議会で働いてくれる人々のリストも作っていたのである[13]。

ここに至り、入会地保存協会もその態度を決せざるをえなかった。1893年11月16日、ロンドンの入会地保存協会の本部において、「ナショナル・トラスト」の創設を議論するための会合が、ハンター、ヒルおよびローンズリィによって招集された。この時に臨時評議会（Provisional Council）の構成員のリストとともに、トラストの目的が発表された。そして初代総裁にはウェストミンスター公爵が就任した。翌日には『タイムズ』紙が次のように報じた。

（新しい団体が）……一般国民の利用と楽しみのために意図されたあらゆる財産の一般的な管理者として行動するために生まれた。その機能は、財産の

私的所有者から名勝地あるいは景勝地の贈与を受けることである。そしてそれらの贈与は永久的な保管者および管理者が見い出されうる限りにおいてのみ、なされうるのである。

そして翌年、1894年7月16日に、ロンドンのハイド・パークのすぐそばにあるグロヴナー・ハウスで、ウェストミンスター公爵を議長に発会式のための臨時評議会が開催された[14]。この席上、まずトラストは会社法のもとに設立され、そして非営利的身分ゆえに、「リミテッド（Limited）」という語を付さない権原をもつということが明言された。それから次のような二つの決議案が満場一致で通過した。

(1) 土地所有者やその他の人々が、国民のために歴史的名勝地あるいは自然的景勝地を献呈することのできる手段を講じることは望ましいこと、そしてこの目的のために土地を持つことのできる、……法人組織を作ることは有益であること。

この決議案はヒルによって提議された。

(2) トラストを設立するという提議を承認し、そしてトラストの法人化を確保するために必要なステップを取ることを認めること。

この第二の決議案はハンターによって提議された。その他に、ヒルが、トラストは歴史的名勝地や自然的景勝地を所有するだけでなく、マナー・ハウスのような実質的に価値のある建築物をも所有すべきであると言ったことを付言しておく。
　ローンズリィの発会式での挨拶の言葉は次のとおりであった。

トラストが提案している仕事を行うことができる団体はこれまでどこにもなかった……。
　人々は自然のままの絵という偉大なナショナル・ギャラリィを本当につく

りあげつつある（喝采）。美しいものに対する眠っている感覚が、われわれの大部分のなかで目覚めつつある。そしてこの団体がみずからを行動に駆りたてるべく、多くのことを行うことが望まれる。もし意図されたような行動がなされないならば、多くのすばらしいイギリスの景色が取り返しのつかないほどに破壊されるであろう（喝采）[15]。

　新しいトラストのための基本定款と通常定款は同年12月12日の第2回の臨時評議会で承認された。そして1895年1月12日には、この生まれたばかりの団体は、「歴史的名勝地および自然的景勝地のためのナショナル・トラスト」(The National Trust for Places of Historic or Natural Beauty)として会社法のもとに滞りなく登録された[16]。この団体の将来性に強い期待を寄せた人たちでさえ、はじめのうちはナショナル・トラストが、いったいどのような意味をもつのかよくわからなかったという[17]。この気持は、トラストがはじめての土地を獲得したときに、オクタヴィア・ヒルが発した「これが初めで最後ではないかしら」といった言葉によく表われているのかもしれない。しかしウェストミンスター公爵はヒルに「これはきっと大きく育ちますよ」[18]と言ったというが、彼もトラストが、これ程までに大きく育つとは予想しえたであろうか。

第3節　ナショナル・トラストの意味

　近来、トラストがイギリス社会に大きなうねりを捲き起こしつつあるあの力強さは一体どこからくるのか。これこそがトラストが私に与えてきた疑問ともつかない一つの大きな感銘とも言うべきものである。

　'ナショナル・トラスト'という語句は、いずれの語にしても、いかにもイギリス的な言葉である。とくにトラストの場合、'ナショナル'という語にはいかなる意味においても、国家や政府、行政という概念は存在しえないのだということに注意しなければならない。この団体の名称は、1884年に決定され、1895年1月12日には、会社法のもとに正式名称として登録され、その後一字も変更されることなく今日に至っている。私に上記のような強い感銘を与え続けている秘密は、この二つの語のもつそれぞれの意味の中に隠されているかもしれない。

第2章　ナショナル・トラストの成立

なぜならば、ナショナル・トラストの運動理念と目的は、創立以来、今日まで一貫して変わっていない。したがって今日のように、あらゆるものが急速に変動しつつある状況の中にあって、その目的を達成していくためには、その運動理念をしっかりと守りつつ、激動する変化に敏速にかつ効率的に対応していかなければならない。かかる趣旨のことが、トラストによって強調されているからである[19]。

それではトラストの運動理念はどこに求められるのか。まずなによりもわれわれは、1894年に開催された臨時評議会の報告書の冒頭に掲げられた次の文章の意味するところを正確に理解し、そして把握

1894年に開催された、ナショナル・トラストの臨時評議会の報告書

しておかなければならない。「地方自治体は、最近の法律によってレクリエーションのための入会地や他の土地を所有することができる。しかしこのような地方自治体の行為は、必ずしも国民的な財産（national treasures）を守ることを良しとしない地元の利害関係者たちによって、必ず影響を受けるものである。……（だから）この欠陥を補うためにナショナル・トラストが設立されたのである」[20]。

ここでは政府、行政については一言も触れられていない。しかし事情は地方自治体の場合と全く同じである。いやむしろ、国民一人一人に接触することが少ない政府、行政の場合、上記引用文の事情はそれ以上に妥当するのだと言っ

ても決して過言ではない。事実、今日トラストの資産を、それが美しい山や谷、森林、そして川や湖、海岸それから農場や村落地、そして歴史的建造物や城など、いずれにしても、そこを訪ねると、必ずトラストの掲げる標示板に出会う。そしてそこには必ず、「ナショナル・トラストは私的な社会事業団体であり、かつ政府から独立している」との説明文を眼にすることができる。ここにナショナル・トラストを理解するための一環として、トラストが地方自治体からはもとより政府、行政からも独立しているのだということをしっかりと把握しておかねばならない。トラストは、あくまでも会員に、そして国民一人一人に依拠しながら、彼らの差し出す基金をもとに土地を購買し、その自然を守るとともにその質を高めていかなければならない。そのことこそが国民の信託にこたえる唯一の方法である。そして国民からの信託をより確実なものにするためには、トラストは地方自治体はもとより国家からも独立していることが必須であることを、十分に理解しているのである。

　ナショナル・トラストが基本的に中央・地方に限らず政府、行政から独立し、自立している限り、その理念に基づいて、その目的を成就していくためには、当然会員や国民の支持と援助に依拠しなければならない。このように考えると、トラストの獲得する土地やその他の資産は、トラストの会員と国民からの会費や寄付金によって購買されたものか、あるいは譲渡および遺贈によるものであることも自ずと明らかとなる。かくしてナショナル・トラストと会員および国民とその資産すなわち土地ないし大地とは三位一体であるということも自明のこととなる。しかしわれわれはトラストと会員および国民と土地ないし大地との三位一体の関係が、自動的に三位一体となるわけでは決してないことも理解しておかねばならない。というのはナショナル・トラストがかかる三位一体の関係を維持し続けるためには、つねにナショナルであり続けねばならないばかりか、トラストの意味するところをつねに実行し続けねばならないからである。

　それではトラストとはいったいいかなる意味をもつのか。その意味を探るために、まずわれわれはトラストの基本定款と通常定款の意味するところを正しく理解しておかねばならない。そしてそれらを検討するなかで、われわれはトラストの意味を探り当てるとともに、ナショナル・トラストの理念や目的そして組織など、その概念をも把握することができるはずである。

第4節　ナショナル・トラストの目的

　まずトラストの基本定款には次の条項が掲げられている。トラストの主たる目的は、「国民のために自然的景勝地や歴史的名勝地を永久に保存し、かつその質を高め、土地については、(実行可能なかぎり)自然のままの状態、特徴そして動物および植物の生命を保全すること」にある。そしてこの目的を履行するために、「土地や家屋(建造物を含む)そしてそれらに付随する採取権や地役権などの諸権利を贈与あるいは売買によって取得し所有すること」そして「それらを大衆にレクリエーションあるいは教育のために供すること」である。もちろんそのためには、それらの土地や建物などを維持・管理しなければならない。そのためには、

(1) 大衆が、トラストの土地や建物を享有(エンジョイ)できるように、トラストの判断で必要なレストハウスやレストランその他の建物を建て、そこで飲食物などを販売できること。

(2) トラストの土地や建物へアクセスするための(トラストの資産を適正に維持・管理するために、トラストが必要だと判断する適度な金額の)料金を徴収すること。

(3) トラストの土地や建物に関連して、それらを国民のために適正に管理し保存するために、それらに付随する必要なあらゆる権限(リースあるいはその他の形で貸し出す権限を含めて)を行使すること。

(4) 土地やその他の財産(金銭を含めて)の贈与あるいは遺贈をトラストに信託されたものとして受領し、かつかかる信託に確実に応えること。

(5) 会費(subscriptions)および寄付金(donations)を受け、そしてそれらをトラストの一般目的あるいは特定の目的のために使用すること。

　次に将来、①トラストがその目的をより有効に遂行するために、さらに法的権限を得ることが必要となった場合、あるいはトラストの組織内容を変更する必要が生じた場合、トラストの評議会はそのための法案を議会へ提出すること。および②トラストの目的をさらに推し進めるために必要と思われる場合、トラストは院外活動をも行うことができることが定められている。

　同じ基本定款に記載された次の条項は、トラストが社会事業団体としてかつ

非営利団体として、会社法のもとに登録された条件が示されたものである。す
なわち「トラストの収入および資産はいずれからのものであれ、トラストの目
的を推進するためにのみ用いられるのであって、いく分たりとも配当金あるい
はその他の形で、トラストの会員あるいは会員のいずれにも、直接的であれ間
接的であれ、支払われたり、手渡されたりしてはならない」。

　それから同じ基本定款に記載された次の条項もきわめて重要である。「国民の
ために、永久に保存するという目的でトラストの資産となる自然的景勝地およ
び歴史的名勝地は、トラストが解散するか消滅するかあるいは他のいずれの場
合にも、トラストの目的と合致しない方法で売却されたりあるいはその他の方
法で処分されてはならない」。不幸にもトラストが消滅することになった場合の
負債および資産の処分の方法についても詳細に記述されている。

　上記にみられる諸論点は、本編の論旨に沿ってトラストの基本定款を整理し
てみたものである[21]。このように、ナショナル・トラストのそれぞれの語の持
つ意味合いが、きわめてイギリス的な性格を持つが故に、私たち日本人にはそ
れらの意味するところを正しく理解することは大変難しいと言わざるを得ない。
しかしこれまで種々説明を試みたところから一応満足すべき理解は得られたの
ではないかと考える[22]。それからトラストの理念と活動については、その具体
的な動きを本編および次編以下で詳細に紹介していく過程で、より鮮明に理解
しうるものと思う。

　通常定款をみると、会員や組織そして財政などに関する規定がある。いずれ
もトラストの活動や運営上のことを知るのに重要である。しかし詳細について
は他の機会にゆずることにしてここでは次のことを記しておく。トラストの行
う事業は評議会（the Council）によって管理・統轄される。したがってトラスト
に対する最終的な責任は評議会にある。トラストの初代総裁にはウェストミン
スター公爵が就任することが臨時評議会によって決定された。この臨時評議会
は第1回年次大会（1895年5月1日）までその職務を行うことになっていたが、
臨時評議員の数は50名からなっており、いずれも指名された人たちだけであっ
た。しかし次回からの評議員はその半数の25名は年次大会での選挙によって選
出され、あとの25名はブリティッシュ・ミュージアムやナショナル・ギャラリ
ィそして入会地保存協会、オックスフォード大学、ケンブリッジ大学などから

第2章 ナショナル・トラストの成立

2名あるいは1名が指名されることになった。それから評議会は評議員の中から執行委員会（the Executive Committee）を任命することができる。トラストの第1回年次大会は、トラストが法人化された4ヵ月以内の1895年5月1日に開かれた。これ以降の年次大会は毎年1回開催されているが、評議会あるいは執行委員会が必要だと認めるときには、臨時大会が開催されることになっている[23]。

---

(1) 最近ナショナル・トラストの成立をめぐって研究したものとして、次の労作がある。水野祥子「世紀転換期イギリスの環境保護活動―ナショナル・トラスト創設をめぐる新たな展開―」『西洋史学』（日本西洋史学会、191号、1998年）22-41頁。同上稿「ナショナル・トラスト――景勝地保護と国民統合」指 昭博編『「イギリス」であること―アイデンティティ探求の歴史―』（刀水書房、1999年）186-206頁。

(2) J.L.Milne, ed., *The National Trust — A Record of Fifty Years' Achievement* (London, 1945).
B.L.Thompson, *The Lake District and the National Trust* (Kendal, 1946).
Robin Fedden, *The National Trust — Past and Present* (London, 1974). 四元忠博 訳『ナショナル・トラスト―その歴史と現状』（時潮社、1984年）。
Graham Murphy, *Founders of the National Trust* (London, 1987). 四元忠博訳『ナショナル・トラストの誕生』（緑風出版、1992年）。
Elizabeth Battrick, *Guardian of the Lakes — A History of the National Trust in the Lake District from 1946* (Kendal, 1987).
John Gaze, *Figures in a Landscape — A History of the National Trust* (London, 1988).
Charlie Pye-Smith, *In Search of Neptune — A Celebration of the National Trust's Coastline* (London, 1990).
Jennifer Jenkins & Patrick James, *From Acorn to Oak Tree — The Growth of the National Trust 1895-1994* (London, 1994).
Merlin Waterson, *The National Trust — The First Hundred Years* (London, 1995).
Howard Newby ed., *The National Trust — the Next Hundred Years* (London,1995).

(3) Robin Fedden, *op.cit.,* p.17. 訳書9頁。Graham Murphy, *op.cit.,* p.104. 訳書157頁。

(4) 以上、*Transactions of the National Association for the Promotion of Social Science,* 17-24 Sept. 1884 (London, 1885) pp.753-754. この史料はG.マーフィ氏の好意により、そのコピーをリヴァプールから送付していただいたものである。記して謝意を表したい。

(5) Robin Fedden, *op.cit.,* p.17. 訳書9頁。

(6) Graham Murphy, *op.cit.,* p.104. 訳書159頁。

(7) *Ibid.,* pp.104-105. 訳書159頁。

(8) ハードウィック・ローンズリィについては、邦文では筆者稿「湖水地方の番犬——ナショナル・トラストとローンズリィ」浜林・神武編『社会的異端者の系譜——イギリス史上の人々』(三省堂、1989年) がある。オクタヴィア・ヒルについては、井上洋子「オクタヴィア・ヒルの生涯(1)～(5)」『精華女子短大紀要』第11巻 (昭58.3)、第12巻 (昭和59.3)、第16巻 (1989.3)、第21巻 (平7.3)、第24巻 (平10.3) および「オクタヴィア・ヒルの住宅改良運動」『精華女子短大紀要』第10巻 (昭57.3) がある。

(9) ジョン・ラスキンとナショナル・トラストとの関係については、とりあえず Michael Wheeler, ed., *Ruskin and Environment*, pp.144-164. を参照されたい。

(10) ダーウェント・ウォーター：湖水地方の代表的な中継地の一つであるケジックの町の南側に位置する湖水地方を代表する名湖の一つ。
ボローデイル：ダーウェント・ウォーターの南側に位置する村落地。

(11) Graham Murphy, *op.cit.*, pp.82-87. 訳書127-132頁。

(12) 浜林・神武編、前掲書256頁。

(13) Graham Murphy, *op.cit.*, pp.105-107. 訳書160-163頁。

(14) Robin Fedden, *op.cit.*, pp.19-20. 訳書11-12頁。

(15) *The Times*, 17 July 1894.

(16) *The National Trust Report of the Provisional Council, for the year ending April 30th, 1895*, pp.3-4.

(17) Robin Fedden, *op.cit.*, p.20. 訳書12頁。

(18) *The National Trust : The Year in Brief* 1993-4, p.1.

(19) たとえば、*The National Trust 1998/99 Annual Report to Members*, p.5. を参照されたい。

(20) *The National Trust Report of the Provisional Council, for the year ending April 30th, 1895*, p.3.

(21) 以上、The Companies Acts, 1862 to 1890 — Memorandum of Association of the National Trust for Places of Historic Interest or Natural Beauty, pp.5-9.

(22) トラストの英米法上の「信託」の概念については、とりあえず田中英夫 (編集代表)『英米法辞典』(東大出版会、1991年) 865頁、trust の項を参照されたい。

(23) 以上、Articles of Association of the National Trust, pp.11-20. なお以下に臨時評議会の評議員50名と参考までに1895～1995年までのトラストの組織図を掲げておく。

◇臨時評議会 (Provisional Council, 1894) 評議員
　○デヴォンシャ公爵 (ガーター勲爵士)
　＊ウェストミンスター公爵 (ガーター勲爵士、ナショナル・トラスト総裁)
　○ダファリン・アンド・アーヴァ侯爵　　○リポン侯爵
　＊カーライル伯爵　　　　　　　　　　　○ローズベリー伯爵 (ガーター勲爵士)
　○ホブハウス卿　　　　　　　　　　　　○テニスン卿

第2章　ナショナル・トラストの成立

○サー・ジョン・ラボック（准男爵、国会議員）
○G. ショウ・ルフェーヴル（国会議員）
○ジェイムズ・ブライス（国会議員）　　○レオナード・コートニィ（国会議員）
○（Right Hon.）T. H. ハクスレー
○トマス・バート（エスクヮイア、国会議員）
○サー・フレドリック・レイトン（准男爵、ロイアル・アカデミー総裁）
○サー・ジョージ・リード（ロイアル・スコットランド・アカデミー総裁）
○ケンブリッジ大学 トリニティ学寮長
○オックスフォード大学 ベイリオル学寮長
○オックスフォード大学 モードリン学寮長　○イートン校校長
○マンチェスター大学 オウインズ学寮長
○サー・ヘンリィ・アクランド（准男爵）　○サー・ウィリアム・フォアウッド
○W. ホルマン・ハント（エスクヮイア）
○G. F. ウォッツ（エスクヮイア、ロイアル・アカデミー会員）
○A. ウォーターハウス（エスクヮイア、ロイアル・アカデミー会員）
○W. B. リッチモンド（エスクヮイア、ロイアル・アカデミー準会員）
○ハーコマー教授（ロイアル・アカデミー会員）
○R. C. ジェップ教授（国会議員）
○（Hon.）T. C. ファラァ　　　　　　○ダウデン教授
○ナイト教授　　　　　　　　　　　　○ボールドウィン・ブラウン教授
○ウォルター・ベサント（エスクヮイア）　○フォーセット夫人
○ジェイムズ・ブリテン（エスクヮイア、リンネ協会会員）
＊G. E. ブリスコウ・エア（エスクヮイア、治安判事）
＊フィリップ・リトルトン・ゲル（エスクヮイア）
○アルバート・グドウィン（エスクヮイア）
○W. H. ヒルズ（エスクヮイア）　　　　＊C. E. モーリス（エスクヮイア）
○G. B. ロングスタフ（エスクヮイア、ロンドン州会議員）
＊ハーバート・フィリップス（エスクヮイア）○R. W. レイパー（エスクヮイア）
＊J. St. ルー・ストレイチィ（エスクヮイア）○ハンフリィ・ウォード夫人
＊ミス・ハリオット・ヨーク（会計係）
＊サー・ロバート・ハンター（執行委員会議長）
＊ミス・オクタヴィア・ヒル
＊キャノン・ローンズリィ（名誉書記）

＊のついている人々は執行委員会（the Executive Committee）の委員を兼任。出典：
The National Trust Report of the Provisional Council, for the year ending April 30th, 1895.

第1編　ナショナル・トラストの成立

ナショナル・トラスト主要委員会組織図　1895〜1995年

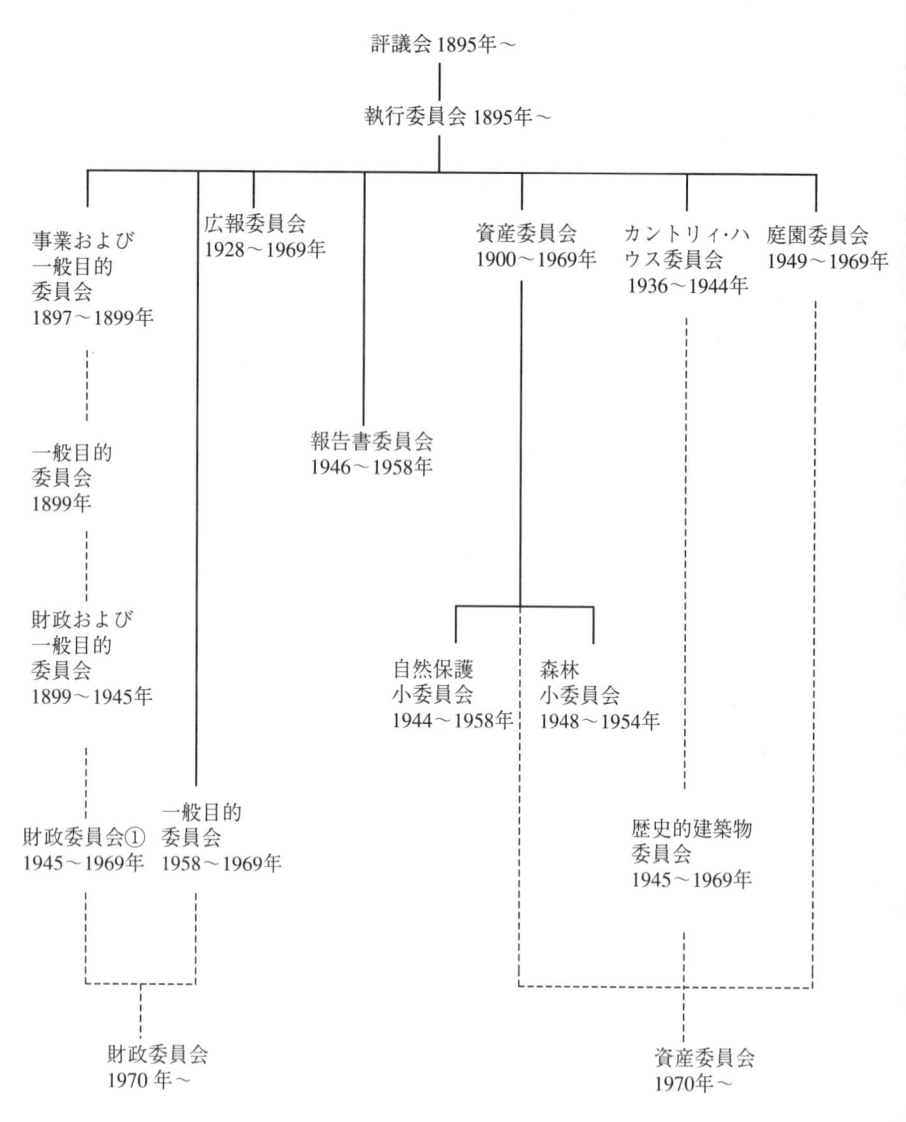

評議会 1895年〜

執行委員会 1895年〜

- 事業および一般目的委員会 1897〜1899年
- 広報委員会 1928〜1969年
- 資産委員会 1900〜1969年
- カントリィ・ハウス委員会 1936〜1944年
- 庭園委員会 1949〜1969年

一般目的委員会 1899年

報告書委員会 1946〜1958年

財政および一般目的委員会 1899〜1945年

自然保護小委員会 1944〜1958年　森林小委員会 1948〜1954年

財政委員会① 1945〜1969年　一般目的委員会 1958〜1969年

歴史的建築物委員会 1945〜1969年

財政委員会 1970年〜

資産委員会 1970年〜

------ 前委員会を継承

①多くの機能が一般目的によって引き継がれた1958年に再構成された。

＊Merlin Woterson, *op.cit.*, p.280 より転載。

第3章
ナショナル・トラスト運動の開始

第1節　ナショナル・トラスト運動の開始

　ナショナル・トラストは、1895年1月12日に社会事業団体（Charitable Association）として正式に法人化された。いよいよロバート・ハンター、オクタヴィア・ヒルそしてハードウィック・ローンズリィの3名の創立者のもとに、トラストが活動を開始することになる。最初の執行委員会の会議が同年2月に開かれた。ハンターが議長になった。ヒルはアピールの責任をとりながら執行委員会の会議には毎回出席していた。ローンズリィは1920年の死去に至るまで26年間名誉書記を務めた。

　ハンターについて言えば、トラストは彼の着想によるものであって、彼の生涯の最高の記念碑として残るものである。彼自身、用心深くて控えめで、大変に粘り強い人だったという。創立の年から1913年の死去に至るまで、彼は執行委員会の議長として、トラストの活動方針を指導し、そして首尾よく調整していった。

　ヒルは、すでにナイチンゲールと並び称されるほどに有名となっており、交友の範囲もきわめて広かった。ウェストミンスター公爵を紹介したのも彼女であった。彼女は自らの大義を果たすために献身的な努力を惜しまなかった[1]。

　湖水地方の牧師であったローンズリィは詩人であるとともに、情熱家であり、常に多彩な人物であった。湖水地方にも、トラストにもこれほどの活発な唱導者はいなかった。彼が説教壇に立っていないときには、彼の雄弁と敏速なペンは、トラストのために絶えず奉仕していた。異常なまでのエネルギーを備えたローンズリィは、一種のプロパガンダの機械であった。彼は力を尽くしてトラストの福音を広めていった。

　3名の創立者たちの紹介はこれだけに留めておく。ナショナル・トラスト運

動の初期の志が、これからのトラストの活動へも引き継がれていくのだということも含めて、グレアム・マーフィ氏の研究書の次の結論部分だけを掲げておく。「ナショナル・トラストはその発展に平等に寄与した3人の創立者たちのヴィジョンとエネルギーがなかったとすれば、考えられないのだということは明白である」[2]。

　イギリスで最大の地主ともいうべきウェストミンスター公爵が、創立に際して多大の援助の手を差しのべたこと、そして総裁職に就くことを承諾してくれたことは先に述べた。それから第2章注（23）に示されるように、臨時評議会の50名の評議員の中には、芸術家および大学教授など知識層はもちろんのこと、ウェストミンスター公爵をはじめ、多くの地主貴族が見い出される[3]。この傾向はその後も続くのだが、このことはトラストへこれから土地や遺産を寄贈しようとする人々に信頼の念を起こさせるに違いない。そればかりではない。これから国民のために、イギリスの国土を守るために組織されたボランティア団体であるナショナル・トラストに対して国民一人一人が支持の輪を広げていくことが期待されるのである。

第2節　何を、いかにして守るのか

　トラストは議会の認可を得て、会社法によって法人としての地位を得た。だからトラストはわが国の公益法人では考えられないほどの広い権限を認められている。もちろんトラストは非営利団体でかつ社会事業団体である。トラストが100周年祭（1995年）を機に、国民からの信頼を失わないためにも、コマーシャライズ化しないように戒めているのは当然である[4]。

　オープン・スペースであれ、歴史的建造物であれ、トラストの資産を訪れると、必ずトラストの標示板を眼にする。ほとんどの標示板には、トラストが「政府から独立した」私的団体であることが謳われている。今日ほど政府や自治体が公害を抑えそして自然環境を守らねばならない時はない。しかし政府や自治体の行為が依然として、自然環境保護の重要性を必ずしも認めようとしない利害関係者たちによって影響されていることは、われわれの日常見聞するところである。このような事情は、トラストの成立の頃においても同様であった。

　たとえば入会地保存協会は1865年の創立以降、ロンドンをはじめとする各地

第3章　ナショナル・トラスト運動の開始

サー・ロバート・ハンター
（1844〜1913年）

キャノン・H・Cローンズリィ
（1851〜1920年）

オクタヴィア・ヒル（1838〜1912年）

写真はロビン・フェデン著、四元忠博訳『ナショナル・トラスト──その歴史と現状』
（時潮社、1984年）より転載。

の入会地の公共的性格を主張しつつ、それらのオープン・スペース化を克ち取るべく法律闘争を展開していった。しかし必ずしもそれらすべての闘争に勝利したわけではなかった。法廷闘争の性格上、法律的に権利を主張し得ても、それが必ずしも勝利を得られないことは、今日にあってもしばしば見られるとおりである[5]。このことがナショナル・トラストの法人化を導いた一つの動機であった。

ここにトラストがこのような歴史的現実を前にして、かかる欠陥を克服するために純粋な民間団体として設立されたことは、トラストの臨時評議会の席上報告されているとおりである。ここでも忘れてはならない点をG.マーフィ氏の研究書から引用しておく。「地域社会へのボランタリーの奉仕精神が、そしてこれこそが創立者たちを突き動かしたのであるけれども、いぜんとしてナショナル・トラストの組織の欠くことのできない特徴なのである。ボランティアの案内人や見張人が資産の日々の運営に重要な役割を演じ、またヤング・ナショナル・トラスト[6]が数多くの保存計画や復旧計画を実行してきた。そしてこれらのことが、トラストがいかにして次の世代において、この奉仕精神によって支えられるべきなのかということに関心を持たせ、かつ意識させてきた。トラストの相次ぐ成功は、この大群の無給の支援者たちに多くを負っている。そして彼らの愛他精神が正しい方向に向けられているのだということを検証する場合には、彼らにとって創立者たちの広い哲学が重要であるに違いない」[7]。

最近に至り、地球の自然環境問題の重大性と深刻の度合いはますます高まりつつある。しかし自然環境を守ることが、一体いかなる意味を有するものであるか、未だに明確にされているとは言い難い。そこでここでは社会科学、とくに社会経済史的研究視角のもとに、トラストの創立者3名を含めトラストに結集した人々が、何を所有し、そしてそれをいかにしたら守ることができると考えたのか。このことをまず第一に明らかにしておこうと思う。これこそが「創立者たちの広い哲学」の真髄をなすものだと考えるからである。

ここでは、もう一度ナショナル・トラストの意味を踏まえながら、彼らが何を所有し、そしていかにして守ろうとしたのかをもっと深く考えることにしよう。

トラストが所有し、そして永久に守ろうとしたのはトラストのフルネームか

らも明らかなように、「自然的景勝地」と「歴史的名勝地」である。「自然的景勝地」については、入会地を含めたオープン・スペースである。しかしトラストのいうオープン・スペースについては、本論で説明したような狭義の意味にとらえる必要はない。なぜならばトラストがオープン・スペースを獲得する場合、そこには必ずと言っていいほど、農業用地を含むし、また場合によっては村落地さえも含むことがあったからである。事実トラストは現在60の村やそれ自身の教会を持たない小村（hamlet）を持っている。したがってトラストは現在オープン・スペースという言葉を使わず、オープン・カントリィサイド（いわば開かれた田園地帯）という表現を用いている。具体的に表現すればこうである。トラストは地域社会のもつ「動植物、農業、森林、歴史、建物そして大衆のレクリエーションなどに注意を凝らしながら、それら全体の均衡を保つことに重点を置いている」[8]。トラストの草創期には、これほどの広大なオープン・カントリィサイドは獲得できなかった。しかし創立後まもなく、一世代も経ずにこのようなオープン・カントリィサイドを手に入れることになる。トラストの目指した「自然的景勝地」とはこのようなものだったのだ。一般的に言って、自然に醜い自然はない。だから自然を無益なものに放擲するいわれもないはずである。このように考えると、トラストのいう「自然的景勝地」は土であり、大地であるということになる。

　それではトラストのいう「歴史的名勝地」とは何を指すのか。古くは考古学上重要な意味をもつ遺物や遺跡であり、また歴史的に由緒ある建築物などを指す。現在、イギリスでナショナル・トラストの資産のうち人気の高いものにカントリィ・ハウスがある。これらのカントリィ・ハウスは本書の直接の研究対象ではないが、本編の考察期間の最後の年の1907年に、トラストでは最初のバリントン・コートという大きなカントリィ・ハウスが獲得された。このサマセット州にあるバリントン・コートについては、第2編で詳述するところであるけれども、ここではこれをも含めた「歴史的名勝地」がいかなる意味をもつのかをしばらく考えてみたい。

　考古学上重要な研究対象であれ、歴史的建造物であれ、それらはすべて大地と一体となっている。このことをまず強調しておきたい。そしてそこは人々の生活の場であるから、そこが形（景）勝の地であり、かつまたそこで人々の生

活が営まれ、そしてさまざまな文化が形成されていったことも自ずと理解できよう。文化という語がカルチャー（culture）という文字で表わされ、耕す（cultivate）という語に通じることをもう一度思い起こしてみたい。ここで織りなされてきた人類の歴史こそ、われわれがこれから歩んでゆかねばならない生活上の指針を示してくれるはずのものである。もしそれらを失えば、将来われわれはどのようにして生活していけるのだろうか。われわれは糸の切れた凧と化してしまうだろう。

　ナショナル・トラストはこのようなものを所有し、永久に守るために設立されたのである。それではだれのために、そしてどのようにして自然的景勝地と歴史的名勝地を守ろうとしているのか。その解答はすでにトラストの基本定款と通常定款の中で見たとおりであるが、ここでもう一度その答えを敷衍しておくのも無駄ではあるまい。

　'ナショナル'の語には、トラストの場合、国家や政府、行政という概念はない。したがってナショナル・トラストは「国民のために」こそあるのである。今やわれわれ日本人も、政府や行政はあてにならない、それどころか彼らが国民を裏切ることさえあることも知っている。だから今こそわれわれ日本人も、トラストが設立当初から、政府から独立すべきことを掲げた理由を十分に理解できるはずである。

　それからわが国では、神話にも等しかった銀行の信用さえも失墜してしまっている。トラストという語はそれほど安易に用いられるべき言葉ではない。それでもトラストの定款に記されたトラストの意味では抽象的過ぎようか。通常、われわれが他人によって信頼を受けた以上、それに命がけで応えようとするのは当然のことだが、われわれ日本人には、やはりトラストという語は、なじみの薄いものだろうか。

　そうであるならば、イギリスに渡って、トラストがオープン・カントリィサイドといっている地域を訪ね、実際にそこを歩いてみてほしい。その地域が渾然一体となって息づいているのがわかるはずである。トラストは自然的景勝地であれ、歴史的名勝地であれ、そこを国民のために守るように信託された以上、そこを単に守り続けるだけでなく、その質を高めるために努力していかねばならない。そのことを実感できるはずである[9]。

第3章　ナショナル・トラスト運動の開始

　ナショナル・トラストとその会員および国民と大地とは三位一体となるべきものである。そしてトラストが現在、そのように努力しつつあるのは、上記の如く簡潔に記したところからも明らかなとおりである。それから創立以降の「ナショナル・トラスト運動」については、次節以下において具体的かつ詳細に明らかにされるはずである。このように考えると、ナショナル・トラストはその所有する大地を媒介にしてイギリス国民の間に国民としての自覚を樹立できるという展望を持ちうるのではないか[10]。人間は大地の上に生まれ育ち、そして大地へと帰っていく。人間をはじめ生きとし生けるものすべての生きるための糧は大地から与えられる。人間と大地との関係は、あまりにも深い。しかし資本主義社会の成立以降、「農民からの土地収奪」すなわち「労働力の商品化」とともに工業化社会が本格化したことは周知の事実である。このように考えるとき、資本主義経済のもと、国民の大部分が土地から切り離されているという歴史的状況の中で、私たちが一国において、独立した個人でありえても、私たちがそのなかで本当の意味での国民としての自覚を育てうるかどうか、はなはだ疑問である。しかし、そうだとしても、私たちは「ナショナル・トラスト運動」に参加することによって、私たちと大地との関係を取り戻し、一国のなかで国民としての自覚を育てうるのではないか。
　それではナショナル・トラストは創成期においていかなる活動を展開していくのだろうか。

第3節　創成期のナショナル・トラストの自然保護活動
――主として年次報告書から

　「トラストの会員たちは、トラストを産み出した3名の人々に敬意を払うように教えられてきた。……というのは彼らはすばらしかったからである。この3人組の人々を区別するのに、順位をつけることは不必要である。3人とも異常なまでに、理想と常識、ビジョンと決断力を併せもっていた。……（ただ）彼らは他の点では異なっていた。しかし相互に補充し合ったということが実りある協力を保証したのである」[11]。それからトラストは歴史的背景から言っても、また用意周到のうちに準備されたという点からみても、きわめて有利な状況の中で運動を開始することができた。

トラストの成立前後、19世紀末から20世紀にかけて、イギリスの資産階級たる地主階級にとって、この頃は必ずしも恵まれた時代ではなかった。一方では「農業大不況」はいつまでも続き、またいわゆる大不況も並行していた。すでに産業資本家たる中産階級は社会的勢力を強めつつあったから、イギリス特有の資本制農業下、三分割制の頂点にたつ地主階級に対する風当たりは強まらざるをえなかった。ここに見られる歴史的事情については、第2次大戦後のナショナル・トラスト運動を追究する続刊の補章で詳述するけれども、1873年にイギリスを襲ったあの「農業大不況」は前にも簡単に述べたように、構造的なものであった。だからこの「農業大不況」がいつ果てるともなく、回復しないまま打ち続く中で、地主階級としては、彼らの土地所領の一部でも売却せざるをえなかった。しかし他方では、彼らには金融資産家としてイギリス社会の支配階級として留まる道も残されていた。土地売却を積極的に進めるべき契機も与えられていたのである。

臨時評議会およびその後の評議会の会員リストを一瞥して欲しい。ウェストミンスター公爵やデヴォンシァ公爵、ウェストミンスター公爵の総裁職を継いだダフェリン・アンド・アーヴァ侯爵それにローズベリィ伯爵などの錚々たる巨大地主の名前を見ることができる。だからと言って、彼らがイギリス地主社会の主流を占めていたわけではなかった。あくまでも少数派であり、マイナーであった。当時「世界の工場」としてのイギリスにかげりが見えつつあったとはいえ、大英帝国はいまだパックス・ブリタニカを謳歌していた。この頃にあって、「ナショナル・トラスト運動」を目指す人々がマイナーであり、あるいは異端とさえ見られたのは不思議ではなかった。しかしそれがイギリス社会にとって望ましい運動であれば、ついにはそれは正統な運動と見なされ、国民の支持と支援を受けることになろう。

最初の執行委員会が、1895年2月に、ロンドンのウェストミンスター大寺院に沿ったグレート・カレッジ・ストリート1番地にあったトラストの事務所で開かれた。事務所の賃料は年6ポンド15シリングであった。この時、ハードウィック・ローンズリィが、トラストの初めての土地が寄贈されたことを報告した。これはウェールズのバーマスの町を見おろすところにある4.5エーカーの崖

第3章 ナショナル・トラスト運動の開始

ディナス・オライから見たバーマスの海岸（1995.7 著者撮影）

地であるディナス・オライ（Dinas Olei）である。ここからはカーディガン湾を一望に見渡すことができる。ここはローンズリィの古くからの友人であったファニィ・タルボット夫人からの寄贈地で、彼は以前ここを訪ねたこともあり、すっかりこの地に魅せられていたのである。この土地は海辺の町のすぐ近くにあったから、いつでも別荘や住宅が建てられる危険があった。これ以上の幸運な獲得物はなかったのである。オクタヴィア・ヒルが「初めて私たちの土地を手に入れました。でもこれが最後ではないかしら」と手紙に書いたというが、これは当たらなかった。トラストは無事に出帆を果たしたのである[12]。西ウェールズの海を一望できる絶好の地であるこのディナス・オライの一帯は、南の方からバーマスへ向かう列車から眺めると、海とディナス・オライを含む山々が織りなす自然の醸し出す美しさを存分に満喫できる。そしてハリエニシダなどの低木で覆われ、また大小の岩石で囲まれたディナス・オライというウェールズ語の地名は、光の要塞'Fortress of Light'を意味するそうだが[13]、ここは観光地として役立っているばかりではなく、羊も放牧されているし、農業用地としての役割も果たしている。

トラストの最初の歴史的建築物は翌年の1896年に獲得された。この建物を獲得する用意のあることは、ディナス・オライが寄贈された記事と一緒に、1895年の臨時評議会の報告書に載っている。これはイギリス南部では、その建築様式からみて、最も古い14世紀の頃のものと思われる牧師館であった。このサセックス州のアルフリストン村にある牧師館は、骨組みが木でできており、屋根はかやぶきの建物であったが、ほとんど壊れかかっていた。購買価格はわずか10ポンドで譲渡に近かったが、修復作業に350ポンドが必要であった。オクタヴィア・ヒルが修復費を集めるためのアピールの先頭に立った。このアピールこそ、トラストがこれから発する多くのアピールのうちの最初のものであった。寄付金は集められ、この牧師館はほとんど当時のままの建物に復元された。今でも、この村は当時のままの面影と静かなたたずまいを残しているが、この教区牧師の館には、周囲の田園風景の散策を楽しむ人々が数多く訪れている。

トラストは土地や建造物を譲渡または購買によって獲得できるように、独特な形で構成されたものだから、基本的には土地所有団体であると規定できる。しかしトラストが当初から、トラストに属していない資産や、決してトラストのものにはならないような資産に対する脅威にも、国民の番犬としてそれらを救うために、不断にかつエネルギッシュに介入していたことには注意しておかねばならない。

もちろんトラストは自然保護団体であるから自然破壊や公害問題に関心を払うことは当然のことである。自然科学が発展するとともに、工業化と都市化は避けられそうもない。少なくともその危機から、われわれが解放されることは決してないのだということだけは、改めて確認しておく必要がある。

1895年の臨時評議会の報告書からも明らかなように、トラストは、ただディナス・オライのようにタナからボタ餅式の贈り物だけを待っていたわけではなかった。オープン・スペースと同じように、考古学上重要な遺跡や歴史的に由緒ある建造物などに多大の関心が払われるとともに、次々と計画され、敷設されていく鉄道やその他の開発にも反対を続けている。たとえば1895年には、スコットランドのネス湖の湖畔にあるフォイアーズの滝を工業開発から救うために努力したけれども、結局は失敗した[14]。それから1900年には、これも失敗したけれども、同じスコットランドのフォース湾の渚に沿って鉄道を敷設する計

第3章　ナショナル・トラスト運動の開始

復元されたアルフリストン村の牧師館（clergy house）(1994.7　著者撮影)

画にも反対した。トラストは、その後もイングランド、アイルランド（1919年以降北アイルランド）、そしてウェールズと同じように、スコットランドにも関心を持ち続けた。1908年にはエディンバラで集会が開かれ、1914年にもハードウィック・ローンズリィがスコットランドを訪ねている[15]。しかし結局、1931年にスコットランド・ナショナル・トラスト（the National Trust for Scotland）が創設され、今日に及んでいる。

　トラストは上述のとおり、創成期の間、その関心と保護の対象をイギリス全土に向けていた。かくしてトラストが次のような計画を創立に際して、すでに表明していることにもわれわれは注目しておかねばならない。

　すなわち、緊急に保護しなければならない場所の一覧表を作成しなければならないということに気づき、そのためには地方在住の通信員が必要であると考えた。情報の発信源をまず第1に地元に求めたのである[16]。そして明らかにこのことは、地域のことは地元の人間が最も良く知っていることを評議会は理解していたのである。このことはとても大事なことである。

55

第1編　ナショナル・トラストの成立

　同じ臨時評議会の報告書の最後の部分で、トラストに遺贈される土地に対する相続税は免除されるべきことが評議会で決議され、その決議文が大蔵大臣ハーコートに送付されたことが記されている。この頃イギリスにおいては、大不況期から第1次世界大戦にかけて、帝国主義段階へ移行するなかで、内外の対立も激化し、国家経費が膨脹するのを避けられなかった。社会政策費と軍事費の膨脹に直面していたのである。むろんこのような国家経費の膨脹は、租税収入の自然増加だけで賄いうるものではなかった。詳細については、続刊の補章に譲るしかないが、要するに「税制改革」を断行する以外に方途がなかったのである。

　1894年のハーコートによる相続税の改革以来、不動産にも相続税が課され、しかも累進制が採用された。これはアスキスの1907年の歳入法および1909～10年のロイド・ジョージのいわゆる「人民予算」によっても加重されたのであった。というのは当時、労働者階級の租税負担力が極めて弱かったので、地主階級に対する相続税が加重されざるをえなかったのである。このような状況の中で、地主階級に対する相続税の負担がきわめて高くなったことは、地主階級にとって重大なことであり、またナショナル・トラストの成立およびその後の成長にとっても大変重要な意味をもつ。このことのもつナショナル・トラスト運動に対する歴史的意義については、すでに触れた。トラストが実質的に成立したのは1894年であった。だからこの頃すでにハーコートによる相続税改革が取り沙汰されていたのである。

　かくしてトラストは発会式の日に、トラストを通じて国民に献呈される資産に対しては、相続税が免除されるべきであるという決議を通し、その趣旨の決議文を大蔵大臣ハーコートに送付した[17]。これに対するハーコートからナショナル・トラストの総裁ウェストミンスター公爵への返書は次のとおりであった。

　　昨日のあなたがたの会議の目的に私はおおいに賛同しております。しかしながら、あなたがたの決議文は予算案の報告審議が終了したあとの今朝届きました。したがって当予算案の中に、そのために必要な措置を取ることができませんでした。しかしこれは将来、必ず議論されるべき問題であります。

第3章 ナショナル・トラスト運動の開始

敬具

1894.7.17　　　　　　　　　　　　　　　　　W.V.ハーコート [18]

　自由貿易体制のもと、いまや太陽がイギリス帝国に沈まなくなりつつあったとはいえ、いまだイギリスはヴィクトリア女王の治世下、パックス・ブリタニカを謳歌していた。しかし国内では、工業化と都市化ひいては農村社会の衰退が進む中で、自然が破壊されつつあった。そのうえに土地の売却も進んでいた。イギリス特有の農村の美しさが失われていくのを懸念する声も聞かれていたのである。オープン・スペースのもつ社会的かつ公共的性格を入会地に包括化することによって、入会地をオープン・スペースとして理念化した入会地保存協会の精神を継承したナショナル・トラストを思い起こして欲しい。トラストに遺贈された資産は公共的性格をもつ。このような土地および建造物に対して相続税を課すのは不合理であろう。このことをトラストは発会式の日に決議したのである。この相続税の免除が実現するには、それから30余年を要した [19]。トラストの目的を成就するために、必要な法的権限を得るために議会に働きかけていくことが、基本定款にはっきりと記されている。

　次に獲得されたトラストの資産は、北コーンウォールのティンタジェル村の海岸にある15エーカーの面積をもつバラス・ヘッドという崖地の先端部分であった。ここはバラス・ノーズともいうが、左手にはアーサー王の城址のある印象的な岩肌を見ることができる。前方には広大な大西洋がどこまでも広がっている。この土地はウォーンクリフ伯爵の好意により、彼の買い値と同額の505ポンドで譲り受けたものである。ここを買うためのアピールが1896年に開始された。これはアーサー王物語のおかげで5ヵ月以内になし遂げられた [20]。
　ところでバラス・ヘッドを獲得するには次のような事情があった。ホテルがバラス・ヘッドそのものに建てられなくとも、その近辺に建てられることは十分にありうる。その場合には、とうぜん一般大衆がそこから排除されるのだ [21]。だからウォーンクリフ卿がこの土地を売る場合には、まずトラストに先買い権を与えて欲しい。そしてそれはかなえられた。
　バラス・ヘッドがトラストへ最終的に手渡されたのは1897年3月であった。

バラス・ヘッドへ歩いて行くには、ウォーンクリフ氏の所有地を通らねばならないが、幸いにそこの歩行権（a right of way）を認めてくれた。

かくしてこの海に面した美しい小高い丘陵地も、かつては投機的な建築業者によって開発される危険にさらされていたが、いまやトラストを通じて永久に国民のために守られることになったのである[22]。

翌年の報告書によると、この15エーカーの土地は牧草地として貸し出されるとある[23]。

ナショナル・トラスト運動の基本原則は、自然的景勝地であれ、歴史的名勝地であれ、それらが壊されるのを防ぐことであり、そしてそれらを買い取る場合には、それ相応の投資的価値をもつべきであるということである。これらの基本原則を果たすためにこそ、トラストは地方通信員を地元に置いているのだが、歴史的建造物を採算に見合うように所有している例としては、旧市街地やエディンバラで行っているゲディス教授や彼の友人たちの仕事があるという[24]。トラストの仕事は、その仕事が世間で旨く知られるようになってこそ、広く認められるようになる。それ故仕事が最も難しいのは最初の段階である。そこで良い仕事を国民に示すことができてこそ、トラストは内外の人々から有効な支持を得られるのだ。ここでは外国人は、当面イギリス本国から北米大陸へ渡った人たちを指しているが、早くもトラストの関心が外国へも向けられていることに注目したい。もちろんトラストの仕事は後世のためにこそあるのだ。イギリスが、もし現在脅威にさらされ続けている歴史的名勝地や自然的景勝地を失うようなことがあれば、より貧弱な国となり、もはやこの国の人たちの愛情をつなぎとめておくことはできなくなるだろう。トラストは、本当の愛国心（patriotism）を育てるためにこそ仕事を行っているのだ。言うまでもないことだが、ここで言う愛国心は、ショーヴィニズム chauvinism（盲目的愛国心、国粋主義）を指しているのでは決してない。トラストの言う愛国心とは、自然＝大地を慈しみ、郷土を愛し、国土を大切にするということであって、これこそはついには人類愛へとつながっていくはずのものである。

ナショナル・トラストが政府から独立し、国民一人一人に依拠していることについては、何度も述べた。トラストは次のようにも言っている。トラストの

第3章 ナショナル・トラスト運動の開始

ティンタジェル村のバラス・ヘッド、左側にアーサー王の城跡がある（1985.9　著者撮影）

ような仕事をする者は、結局は国民の資力（purse）に頼らねばならないし、またそうするだけの根拠もある。このことを政府はしっかりと認識してほしい。ナショナル・トラストと国民と大地、この三位一体の関係は、いかにしても維持し続けなければならない。この関係を維持してこそ、ナショナル・トラスト運動は正しく展開されうるのである。それから次のことも付言しておこう。

　トラストがより広い支持を得ることができればできるほど、トラストは国民にとってより役に立つものとなろう。そしてより大多数の人々からの少額の寄付金こそ、少数の人々からの多額の寄付金よりも大切であると[25]。

　上記のとおり、1896年から1897年にかけてのトラストの資産の獲得は、面積については記されていないが、トラストの最初の資産であるウェールズのディナス・オライがさらに買い足されたことを含めて、成功のうちに終わった[26]。それから開発計画を修正させたり、あるいは放棄させたりする仕事においても、満足のいくものであったことが記されている。

第1編　ナショナル・トラストの成立

　1898年の報告書によると、会員数も増加し、副総裁にルイーズ王女を迎えることができた。会員数については、1985年、100名であったものが、この年には150名に増加した。資産については、これまでの3つの資産の他に、ケント州にあるオープン・スペースのトイズ・ヒルと2つの歴史的建造物がトラストの資産に加えられた。その他にいくつかの開発計画や鉄道敷設計画に対して積極的に反対運動に加わったけれども、必ずしも成功しなかった。そのうえに資金不足その他の理由によって、獲得すべきものを取得できず、それらを見過ごさざるをえない事情が具体的な例をあげて記されている。そして最後にフォイアーズの滝が、開発によって破壊されることを憂えるウェストミンスター公爵の予言が的中したことを報告している。そしてこれまでよりもますます自然を守ることが必要になったことを告げている。ところで私は2000年3月、上記のロンドン近郊にあるトイズ・ヒルを歩いてみた。ここは創立者の1人、オクタヴィア・ヒルゆかりの地である。静寂の中、存分に思索を深めることができた。昼時に立ち寄ったパブでは、土地の人たちとの話が弾んだ。都市化が進み、緑豊かな郊外地が壊されていくこと、civilizationとcultureとは本質的に違うことなど意見は一致した。大地とは何かを考えさせられた一瞬であった。

　1899年の報告書では、トラストがこれまで着実に成長してきたこと、そして将来に向けてますます自らの活動を広げていかねばならないとの覚悟と期待が読み取れる。
　この年には、ウィッケン・フェンの小さな部分をなす湿地帯が、寄付金も含めてほんの僅かな値段で購買された。ここはケンブリッジから北東へ10マイルほどのところにあって、ほとんど太古の沼沢地がそのままに残された最後の場所だとこの報告書では記されている。その後トラストはウィッケン・フェンの土地を次々と買っていき、現在では700エーカーを占めるに至り、イギリスでは最初の自然保存地（nature reserve）として指定されている。
　同じこの年、トラストはケントとサセックス両州にまたがるウィールド地方を見下ろすことのできる約15エーカーのイード・ヒルを1,750ポンドで取得できるオプションを得ている。ここはロンドンの郊外地が広がる中でいかにしても獲得しておきたい土地であった。それにこの土地はトイズ・ヒルと隣接して

いる。6月に、評議会は、この自然的景勝地を得るためのアピールを発する決議を全会一致で可決した。

　湖水地方でも土地取得の機会はあった。ここはアンブルサイド寄りにあるウィンダミア湖畔にある22エーカーのボランズ・フィールドで、その中央には古代ローマの遺跡がある。このことからもローンズリィとしてはどうしても購買したかったのだが、この時は不可能となった。ごく近くまでホテルの建物が押し寄せて来ていたが、幸いに1913年に一般大衆からの寄付金で手に入れることができた[27]。

　それからローンズリィはラスキンの着想が、トラストの創立者たちの自然と建造物に対する認識を高めてくれたので、彼の記念碑を建てるように提案し、そして彼の集めた寄付金で、これを建てた。このラスキンの記念碑は、ダーウェントウォーターからあがったところにあるフライアーズ・クラッグにあり、すぐそばにはこの湖を眺めるのに絶好の場所がある。そしてこの場所はのちにローンズリィの死後、彼自身を記念するものとして、寄付金によって購買された[28]。彼の記念碑もここにある。

　ジョン・ラスキン（1819～1900年）について言えば、彼は母校のオックスフォード大学で美術史を講じた高名な美術史家であり、かつ文明批評家でもあった。また晩年には社会問題・経済問題にも関心を向け、ロマン主義的な社会主義へと傾斜していった。特にヒルとローンズリィとは深い関係にあり、彼らに対する影響はきわめて深かったと思われる。

　同じ1899年の報告書で、評議会はダーウェントウォーターの土地を購買する機会が生じたことを特別に報じている。この約108エーカーにのぼるブランデルハウ・パーク・エステートは、このダーウェントウォーターの西岸に広がっており、その背後は道を隔てて広大な入会地であるキャッツベルズの丘陵地へと連なっている。そしてそこからはこの湖を眼下に湖水地方の山なみを存分に眺望でき、南の方にはボローデイルの村落地が開けている。このとき、この湖畔はすべて私有地であった。もしこの土地がトラストの所有地になれば、ここを訪れる人たちは私有地を通らないで、ここを自由に歩くことができるであろ

う。ここを獲得するには7,000ポンドが必要であった。幸いにこの土地の所有者がトラストの目的に共鳴しており、この購買資金を集めるのに6ヵ月間を待ってもよいとの心からの申し出をしてくれた。その結果、購買資金を集めるためのアピールを開始するとの宣言が発せられた。

　アメリカとの協力関係については既に述べた。今度はカナダとの協力関係が進みつつあることが報告されている。それから国内での全国規模での類似した諸団体との協力関係は創立当初から始められている。それに地方のボランティア団体との協力関係も樹立すべきことが謳われている。これまで14団体が正式にトラストに加盟してくれており [29]、そうしていない団体でも近隣に何か問題が生じた場合には、トラストと協力すべきことを約束してくれている。ナショナル・トラスト運動と地域との関係はそもそもトラストの創立上の必須要因をなすものである。

　1900年の年次報告書（第5回年次報告書）では、トラストは草創期から総裁職にあったウェストミンスター公爵の死去（1899年）を告げねばならなかった。その際、トラストが、彼なくしてはこれまでの実績をあげえなかっただろうと会員に告げたのは、真意からのものであった。彼が臨時評議会のとき、そしてその後の年次大会の議場に、いつも心よく、彼のグロブナー・ハウス [30] を使わせてくれたのは、やはり彼のトラストへの個人的な貢献だと言ってよいだろう。
　この年に、前記の約15エーカーのイード・ヒルがオクタヴィア・ヒルや姉のミランダ・ヒルなどの努力によって獲得された。
　トラストは草創期にあって着実に成長しつつある。あるいはトレヴェリアンの言うように、静かな前進をしつつあったと言ったほうがいいのだろうか [31]。それはとにかくトラストの成長に比べて、望ましくない開発のほうはそれ以上に進んでいる。しかしトラストと会員そして国民一人一人が手を携えていけば、必ずわれわれ国民の財宝（our national treasures）を次の世代へ引き継いでいけるのだと言って最後を締めくくっている。

　1901年の第6回年次報告書では、改めて更なる発展への望みが託される。す

第3章　ナショナル・トラスト運動の開始

なわち時が経つにつれて、トラストの存在はますます広くかつ正しく知られるようになり、アピールの数も多くなる。そうすれば前進の見通しもますます広がっていくことになる。トラストの本来の仕事である資産獲得については、この年度には2件が実現した。一つは歴史的建築物であり、もう一つは前年度にローンズリィの募金活動によって建てられたダーウェント湖畔のラスキンの記念碑がトラストに正式に手渡されることになった。その他近い将来、トラストの資産になるはずの物件についてもいくつか記されている。

　この他に、この報告書では、トラストが議会内外で自然破壊の恐れのある開発計画に積極的に反対してきた事例を数多くあげている。その中でも鉄道敷設計画への反対運動についての記述が多い。計画を破棄させたもの、あるいは係争中のものなどの例があげられている。スコットランドのハイランドでの水力発電計画については、フォイアーズの滝の開発の苦い体験とともに語られている。幸いにこの発電計画法案は破棄された。しかし次期議会で再び上程されるかもしれない。警戒するようにとトラストは会員に注意を呼びかけている。サリー州での水力発電計画では、トラストと入会地保存協会そして地元住民たちとの強い反対運動によって、その計画案を撤回させることに成功した。とにかく自然破壊は産業の進歩の名のもとに強行されるのだから、これを阻止するためには最大の注意が払われねばならない。そしてこのような考えに立って行動しようとする人々が頼りにできるのはトラストのような団体である。このようにトラストは考えているのである。世論を背景に運動を進めること、そして世論形成がなによりも重要であることを、トラストの評議員たちは知っていたのである。

　ローンズリィは1894年11月6日のタイムズ紙上で、イギリスでは国民のあいだで自然美への愛情が育てられてほぼ100年の歴史が経っていると言う[32]。このことは産業革命が勃発してからほぼ100年以上が経過していることと一致している。このような国民による自然保護思想が徐々にではあるが、着実に形成されつつあったからこそ、ナショナル・トラストが成立しえたのである。この報告書では次のように記されている。「世論は強力になりつつあるが、この動きを大きなうねりにするにはもう少し時間がかかる」と。歴史の重さを感じざるをえない。

第1編　ナショナル・トラストの成立

　第7回年次報告書（1902年）では、前記のブランデルハウ・パーク・エステートが首尾よく獲得されたことをまず第一に報告している。この土地を獲得するための運動は、これまでのいかなる試みよりも大きなものであった。そしてこの運動の成功は、その仕事の内容がきわめて理想的な形でやり遂げられた結果である。このように評議会は、この運動を高く評価している。このブランデルハウ・パークはダーウェントウォーターの西岸に位置し、牧場や森林地などがあり、きわめて変化に富んだ景勝の地である。これまでこの湖の湖畔は、アイルランドのキラーニィ湖[33]と同じように、所有者の好意によって開放されてきたが、これからはここでは、一般大衆は自由に出入りでき、エンジョイ（享有）できるのだ。集められた7,000ポンドは、国中にいる多くの心ある支持者たちの援助がなかったならば、このような短期間で実現することはなかったであろう。マンチェスター、リヴァプール、リーズ、バーミンガムそしてケジックでは、強力な地元の委員会もできた。すべての人たちに感謝しなければならない。ブランデルハウは正式には、トラストのもとに、国民の使用と楽しみのために、1902年10月16日に、所有されることが宣言された[34]。

　1903年の第8回年次報告書によると、トラストはウェールズのモンマス州にあるキミン（Kymin）の山頂部分の約9エーカーの土地を取得した。これには、購買価格300ポンドに維持費その他を含めて計400ポンドが必要であったが、すべて寄付金でまかなえた。その他に、近いうちに取得予定のある歴史的建物や土地に関する記述もある。それからこの報告書でも、トラストは資産の獲得に加えて、歴史的名勝地や自然の景勝地が壊される危険のある場合には、それらに常に注意を傾けてきたし、また行動に移してきたとある。これと関連してわが国でも有名な巨大石柱群であるストーンヘンジ（Stonehenge）が、地主によって囲い込まれ、国民の歩行権が奪われている。この不当性を解決するためには、むしろ入会地および歩道保存協会the Commons and Footpaths Preservation Society（入会地保存協会の改称名、1899年に改称）の法廷闘争に委ねるべきである。それと同時にアイルランドで最も歴史的に由緒のある遺跡の一つであるタラの丘（Hill of Tara）が破壊される危機に瀕している。この歴史的にきわめて重

64

第3章 ナショナル・トラスト運動の開始

ブランデルハウにて、著者のトラスト研究を当初から支えてくれているバトリック夫妻
（1991.9 著者撮影）

要な遺跡も、ストーンヘンジと同じく、古代記念物（an ancient monument）として指定され、保存されるべきである。だが当面、この丘を守るためにトラストとしては、あらゆる利用できる手段を講じるつもりであると記されている。ここで注意すべきは歴史的名勝地であれ、自然的景勝地であれ、それらがイングランドであれ、アイルランドであれ、どこにあろうとも、それらにはいかなる差異もありえないということである。このことを理解し、把握することは大変重要である。ただタラの丘はアイルランドの南部にあり、1919年アイルランド共和国になって以降、トラストの守備範囲から離れた。

第9回年次報告書（1904年）になると、冒頭から資産獲得の報告からはじまる。コーンウォールのティンタジェル村にある14世紀のきわめてユニークな建物であるオールド・ポスト・オフィス（the Old Post Office）が購買された。ここから数分歩いて降りたところにバラス・ヘッドがある。今ではもうここからボスカースルまで約5マイルほどの連続した海岸地がトラストの所有地となっている。もうずいぶん前になるが、この海岸地の強烈な印象とオールド・ポスト・オフ

65

第1編　ナショナル・トラストの成立

ィスの小さな裏庭がとてもきれいだったのが今でも鮮明に思い起こされる。

　あと2件は土地の贈与であった。一つはケント州にある3.5エーカーのクロッカム・ヒルである。ここはトイズ・ヒルとイード・ヒルに連なっている。これもオクタヴィア・ヒルの努力によるものであった。この辺りもこれからトラストの土地が次々と広がっていくであろう。もう一つはエクセターから数マイルのところにある約21エーカーのロックビア・ヒルであった。

　次は湖水地方のアルスウォーター湖畔にあるエアラ・フォース（Aira Force）とガウバロウ・フェル（Gowbarrow Fell）を購買するための話し合いが、地主のヘンリィ・ホワード氏と進んでいることの報告である。エアラ・フォースとは小さな滝の名前である。以前、この滝の上の方にかかっている古い木の橋を鉄製の橋に取り換える話が持ちあがった。このときトラストが鉄の橋ではなく、やはり木の橋で取り換えるように要請したところ、ヘンリィ・ホワード氏はこれを快く受け入れてくれたことがある[35]。ワーズワスの詩にも歌われているこの約750エーカーのガウバロウ・フェルには、もし必要なお金が集まれば、これからは誰でもここに自由に出入りできるようになる。それだけではない。ここには建物も作られないので、この土地の自然のままの美しさが保たれることになる。購買価格は1万2,000ポンドだが、その他の経費を考えると、もう少し余計にお金も集めねばならない。

　その他にトラストはこれまで以上に、自然破壊に反対してきたし、また世論の形成にも努めてきた。自然環境破壊は止むことなく続いているのだ。

　トラストがオープン・スペースの他にも、歴史的記念物や建築物に関心を示してきたことをわれわれはすでに知っている。しかしいずれにしてもそれほど大規模なものではなかった。それにイギリス社会の一つの特色をなす地主貴族のカントリィ・ハウスについてはこれまでほとんど記録されてこなかった。ついに1903年に、16世紀のカントリィ・ハウスで、"サマセットの誉れ"the Glory of Somersetとも言われるバリントン・コート（Barrington Court）が売りに出された。報告書によれば、この建物は放置され壊れかかっている。そこで評議会としては、この建物の保存をトラストに信託してくれるならば、売買の件の話に応じてもよいことを所有主に告げたという。このバリントン・コートこそが、トラストへもたらされた最初のカントリィ・ハウスなのであるが、こ

れがトラストの資産になるにはあと数年が必要であった。トラストの会員数は、急速にではないが、着実に増加し続けている。トラストの仕事が次第に国民の共感を呼びつつあることは喜ばしいことである。トラストに実力がつき、仕事の量もふえていくことを読み取ることができる。

いよいよ第10回年次報告書（1905年）である。ガウバロウ・フェルの募金額の1万2,000ポンドのうち7,300ポンド以上が集まった。目的達成は間近である。勤労者階級（working people）からの少額の寄付金が集められるとともに、この計画があらゆる階級からの支持を得られるのだとの評議会の予想は的中した。もう一度'ナショナル'の意味を嚙みしめたい。ナショナル・トラストは大地を守るためにつくられたのである。だから'national'は'local'に通じ、また'international'にも通じるのだ。繰り返すけれども、ここでのインターナショナルという語には、いささかも国家間という意味は含まれない。それからもう一つここで注意し、確認しておくべきことは、トラストがなによりも勤労者階級を重視していたということである。彼らこそがこの国の中心部分をなすものであり、そしてまたこの国の国民としての自覚を形成する中核部分であるということをトラストが認識しつつあったということである。

バリントン・コートの取得の交渉についても進捗が見られる。購買価格1万500ポンドに、あと1,000ポンドが必要経費として見積もられた。幸いに1万ポンドを提供してくれる匿名の寄付者がいた。あと1,500ポンドが得られればこのカントリィ・ハウスはトラストの資産になる。それにこの建物には220エーカーの土地が付いている。これは貴重である。

1906年（第11回年次報告書）になると、トラストは国民のために1,500エーカーもの土地を獲得することになる。湖水地方のガウバロウ・フェルとロンドン南部のサリー州にあるハインドヘッドがそれぞれ750エーカーずつ手に入ったのである。

ガウバロウ・フェルの獲得に必要な1万2,000ポンドは、大多数の国民からの献金によって得られた。さしものイギリス帝国もかげりを見せつつあったあの景気の悪いときに、よくもこれほどのお金が集まったものだ。トラストの大義

への国民の熱意と決意に対する評議会の評価はきわめて高かった。支持者はあらゆる階級に、そしてこの国のあちこちに、いや世界中のあちこちに見られるのだ。恐らくこのような運動（＝ナショナル・トラスト運動）の満足すべき点は、ブランデルハウにもみられたように、この運動を少額の寄付者、特に勤労者階級が幅広く支持してくれたことである[36]。

デヴィルズ・パンチ・ボウル（Devil's Punch Bowl）とロンドンの南部一帯を見渡すことのできるギベット・ヒルを含むハインドヘッド・コモンが3,625ポンドで取得されたのは、ガウバロウ・フェルに劣らず貴重なことである。ハインドヘッドのようなロンドン近郊にある土地は、いつなんどき壊されるかわからない。この土地が公開競売にかけられたとき、地元の人たちが、ロバート・ハンターの指導のもとに、土地取得のための委員会をつくった。首尾よく土地取得のためのアピールも果たされた。この土地は、もちろんトラストの保有下にあって、最終的にはトラストが全面的に責任を負うものであるが、この土地の管理運営は主として地元住民からなる地方委員会によって行われることになった。

ところでトラストは、この年の1906年までに24の資産と約1,700エーカーの土地を獲得できた。この実績をもとに、トラストを法のもとに再構成し、その土地管理能力により大きな法的権限を与えることが必要である。「ロバート・ハンターが必要な法律制定のための準備にとりかかった。彼ほどトラストの必要としている事柄をよく知っている人はいなかったし、あるいはそれらをうまく公式化する用意をしている人もいなかった」[37]からである。

ついに1907年（第12回年次報告書）に、これまでのトラストを解散し、法人団体として再構成するための最初のナショナル・トラスト法が議会を通過した。この法律によって、トラストはこれまで付与されていなかった資産に関する管理能力を与えられることになった。重要な点の一つは、トラストの土地での秩序を保つための付属定款（Byelaws）をつくること。これはハインドヘッドやブランデルハウのような国民がよく訪れるオープン・スペースを効率よく管理するために必須のものである[38]。

二つ目は、トラストの所有資産（土地と建造物）が「譲渡不能である

(inalienable)」と宣言する権限を付与されたことである。これまではトラストの基本定款によって、国民のためにトラストによって獲得された資産は、いかなる場合であれ、売却されたり、処分されたりしてはならないことが基本的事項の一つになっていた。このことが法律により、改めて譲渡不能と定められたことによって、これからはこれまで以上に、国民のトラストへの信頼度が増すことになった。「譲渡不能はトラストにとって決定的に重要なものであり、かつトラストの発展にとっても基本的な要因をなすものであった。……〔土地と建造物〕が譲渡不能であると宣言されれば、それらは決して販売されえないし、譲り渡すこともできない。すなわちどんな方法を用いても〔譲渡され〕えないのである。……譲渡不能な土地と建造物は政府部門によっても、地方自治体によっても、……特別の議会を経ないでは、強制的に獲得されえないのである」[39]。かくしてトラストへの信頼度が高まり、更なる発展の条件が備わったと言うべきである。ナショナル・トラスト法がトラストに付与されたこの年に所有資産は28となり、土地面積は2,000エーカーにまで広がった。いよいよトラストは飛躍へ向け、次の段階へ入ることになる。

　幸いにバリントン・コートが、この年にようやくトラストの資産となった。トラストのカントリィ・ハウス自体は、1937年の第2次ナショナル・トラスト法の施行後開始された「カントリィ・ハウス保存計画」によって脚光を浴びることになるが、この年のバリントン・コートがトラストへもたらされた最初の大きなカントリィ・ハウスである。カントリィ・ハウスのもつ歴史的建築物としての重要性については、トラストの認めるところであり、いまさら述べるまでもない。本書でのカントリィ・ハウスについての関心は次の事実にある。
　知られるように、壮大な建築物であるカントリィ・ハウスは、例外なく自然に恵まれた風景の中に包まれ、そこには広大ないくつかの農場や森林、私園(park)そして湖沼などがある。たしかにカントリィ・ハウスは歴史的建築物として重要な意味をもつ。しかし私の中では、カントリィ・ハウスは自然と大地あるいは農業と一体のものとして、心の中に刻まれているのである。
　次編では、まずバリントン・コートについて述べることから始める。記述を追う過程で、トラストのカントリィ・ハウスの保存活動がいかなる意味と意義

第1編　ナショナル・トラストの成立

を有するものであるかを、私の問題意識にしたがって、整理してみたい。

　それからこれまでの草創期においても、次第に広大な土地が獲得されるようになってきてはいたが、それでもそれらには今日トラストの言うオープン・カントリィサイドに匹敵するものはなかった。しかしついに1918年に、トラストヘリース（500年間）に出されたハニコト・エステート（Holnicote Estate, Somerset, Exmoor）は、まさにオープン・カントリィサイドと言うにふさわしい広大な土地であった。それから湖水地方のヒル・トップ・ファームとトラウトベック・パーク・ファームそしてモンク・コニストン・エステートも、いずれもオープン・カントリィサイドとも言うべき土地であった。これらはいずれもビアトリクス・ポターの死後（1943年）、モンク・コニストン・エステートを除いてすべてトラストへ遺贈されたものである。次編以降においては、バリントン・コートを含め、上記のそれぞれのトラストの資産を、トラストがいかにして守ろうとしたのかをその自然保護活動と農業活動とを中心にしながら描いてみたい。

　トラストが成立し、活動を開始した頃、「農業大不況」は未だ続行中であった。工業化と都市化による郊外のスプロール化（suburban sprawl）が進んでいたばかりではない。農村社会の崩壊も進行していたのである。それでも農業は放置されたままであった。なるほど第1次大戦のときには、遅ればせながら食料増産運動が打ち出されたし、また1930年代には保護貿易も復活した。しかしいずれにしても付け焼き刃的なものにすぎなかった。したがってイギリスでは第2次大戦まで、農業部門は放置されたままであったと言っても過言ではない。

　このような状況の中で、ナショナル・トラストはイギリスの自然を、そして農業を守っていたのである。1995年に、トラストは100周年祭を祝った。今日のトラストを知るためにも、また将来の「ナショナル・トラスト運動」を占ううえでも、ナショナル・トラストの歴史研究はきわめて重要である。

---

　(1) トラストの創立者3名については、Graham Murphy, *op.cit.*, pp.3-136. 訳書16-205頁。ヒルがウェストミンスター公爵をトラストに紹介したことについては、Robin Fedden, *op.cit.*, p.21. 訳書14頁を参照されたい。

第3章　ナショナル・トラスト運動の開始

(2) Graham Murphy, *op.cit.*, p.133. 訳書196頁。
(3) 草創期のナショナル・トラストの活動を援助しあるいは支持してくれた地主貴族が多くいたと言っても、彼らがイギリスの地主社会で主流を占めていたなどと言っているわけでは決してない。歴史が正しくも教えているように、のちに正統とみなされるかあるいは社会で存在価値を認められるものは、はじめのうちは異端と考えられたか、もしくは少数派であったことだけは忘れてはなるまい。例えば、Howard Newby ed., *The National Trust — The Next Hundred Years*（London, 1995）pp.12-15 をも参照されたい。
(4) *The National Trust : 1994/95 Annual Report and Accounts*, p.14.
(5) 入会地保存協会創成期における代表的な訴訟と訴訟外のケースを具体的に説明しているものとして平松 紘前掲稿、24-47頁を参照されたい。
(6) ヤング・ナショナル・トラスト（Young National Trust）。ナショナル・トラストに属する若者たちのボランティア活動。若者たちは学校の休暇を利用して、トラストの所有地でキャンプをしながら（これをエイコーン・キャンプAcorn Campという）、ボランティア活動を行うのである。たとえばトラストの所有地にある歩道を修繕したり、ゴミを片付けたり、あるいは海辺や川や溝などを掃除したりする。またヤング・ナショナル・トラスト・シアターもある。
(7) Graham Murphy, *op.cit.*, p.133. 訳書196頁。
(8) たとえば、拙稿「ナショナル・トラストとイギリス経済—望むべき国民経済を求めて—」『日本の科学者』1997年2月号（Vol.32. No.2 通巻349号）41頁。
(9) このことを具体的に理解するために、著者のトラストでの体験を交えて説明したものとして、著者前掲訳書の訳者あとがき（三）を参照されたい。
(10) 水野祥子前掲稿は、ナショナル・トラストの自然保護活動がイギリスにおいて、イギリス人としての国民の自覚を形成しうるものだということを考察しようとしたものである。これは卓見である。しかし国民としての自覚を形成するものがいかなるものであるかを明らかにし得なかったために、この2論稿を読みづらいものにしているのは残念である。
(11) Robin Fedden, *op.cit.*, p.20. 訳書13頁。
(12) *Ibid.*, p.24. 訳書17頁。
(13) Merlin Waterson, *The National Trust — the First Hundred Years*（London, 1995）p.38.
(14) *The National Trust Report of the Provisional Council, op.cit.*, pp.6-7. *The National Trust Interim Report of the Executive Committee, from May, 1895, to March, 1896*, p.7. *The National Trust Report of the Council, from March, 1896, to July, 1896*, pp.3-4.
(15) Robin Fedden, *op.cit.*, p.28. 訳書22頁。
(16) *The National Trust Report of the Provisional Council, op.cit.*, p.7.
(17) *Ibid.*, p.7.
(18) *Ibid.*, p.8.

71

(19) 1931年の歳入法によって、トラストに与えられた土地や建造物が譲渡不能 (inalienable) であると宣言されるならば、それらに対する相続税は免除されることになった。譲渡不能の権限については、1907年のナショナル・トラスト法によって付与された。1931年の歳入法については次編において述べる。
(20) *The National Trust Report of the Council, from July, 1896, to July, 1897*, p.3.
(21) *The National Trust Report of the Council, from March, 1896, to July, 1896*, p.5.
(22) *The National Trust Report of the Council, from July, 1896, to July, 1897*, p.4.
(23) *The National Trust Report of the Council, from July, 1897, to July, 1898*, p.5.
(24) *The National Trust Interim Report of the Executive Committee, from May, 1895, to March, 1896*, p.10. わが国のパトリック・ゲデス研究については、とりあえず安藤聡彦『イギリスにおける環境教育の成立―パトリック・ゲデスとエディンバラ、1880～1904』（一橋大学大学院社会学研究科博士課程単位修得論文・1987年度）を参照されたい。
(25) 以上、*Ibid.*, pp.11-13.
(26) *The National Trust Report of the Council, from July, 1896, to July, 1897*, p.5
(27) Merlin Waterson, *op.cit.*, p.49.
(28) Graham Murphy, *op.cit.*, pp.113-116. 訳書170-171頁。
G. M. Trevelyan, *Must England's Beauty Perish?* (London, 1929) p.45. p.61.
(29) 団体名については、*The National Trust Report of the Council, from July, 1898, to June, 1899, Appendix A*, pp.26-27 を参照されたい。
(30) 現在、ここはグロブナー・ハウス・ホテルとなっており、ロンドンのメイフェアとハイド・パークの間を走るパーク・レーン沿いにある。元のグロブナー・ハウスの絵がレセプションのところに掲げてある。なお1995年に、トラストの100周年祭の午餐会がこのホテルで行われた。（注）著者が、以前コピーした第5回年次報告書にはウェストミンスター公爵へのトラストの惜別の言葉が消えていた。この部分をトラスト本部のArchivistのJ. L. ハーリー女史に探してくれるようにと要請したところ、早速著者の要請に応じていただいた。記してお礼を申し上げたい。
(31) G. M. Trevelyan, *op.cit.*, p.9.
(32) 浜林・神武編『社会的異端者の系譜―イギリス史上の人々―』（三省堂、1989年）第10章「湖水地方の番犬―ナショナル・トラストとローンズリィ―」246-247頁。
(33) 1899年、この湖畔の土地が売りに出されたとき、トラストもこの土地を購買するための決議を行った。しかし結局アーディローン卿が購買することになった(*The National Trust Report of the Council, from June, 1899, to July, 1900*, pp.12-14.)。
(34) ブランデルハウ・パーク・エステートの獲得のためのアピールとその結果に関する詳細については、Graham Murphy, *op.cit.*, pp.116-119. 訳書171-174頁を参照されたい。
(35) *The National Trust Report of the Council, 1901-1902*, p.9.
(36) ブランデルハウ・パーク・エステートやガウバロウ・フェルの獲得に際して、国

民各層が、とくに労働者たちが、重要な役割を演じた様子については、その他に Graham Murphy, *op.cit.,* pp.116-121.訳書171-175頁。および浜林・神武編、前掲書、第10章を参照されたい。

(37) Robin Fedden, *op.cit.,* p.169. 訳書199頁。
(38) 現在施行されているByelawsのフルネームは、The National Trust for Places of Historic Interest or Natural Beauty － Byelaws 1965である。このByelawsの全文は、トラストの資産にある標示板の裏面に必ず掲示されている。
(39) 上記のナショナル・トラスト1907年法の概要については、Robin Fedden, *op.cit.,* p.170. 訳書200頁がきわめて簡潔で要領を得ているのでこれに従った。この法律のフルネームは、National Trust Act 1907 － An Act to incorporate and confer powers upon the National Trust for Places of Historic Interest or Natural Beauty〔21st AUGUST, 1907〕である。

第2編
ナショナル・トラスト運動の展開
（1907〜1945年）

序章

はじめに

　ナショナル・トラストが草創期から着実な成長を、あるいはトレヴェリアンの言うように静かな前進 (quiet progress) を遂げつつあったことは第1編「ナショナル・トラストの成立 (1895年)」で見たとおりである。かくして1907年には、最初のナショナル・トラスト法が議会を通過し、同時にトラストは自らの所有資産(土地と建造物)を「譲渡不能である (inalienable)」と宣言する権限を付与された。この年にトラストの所有資産は28となり、土地面積は2,000エーカー(約800ヘクタール)にまで広がった。いよいよトラストは飛躍へ向けて次の段階に入ることになる。その具体的な動きを客観的にかつできるだけ説得的に追ってゆくことが本編および次編以下の主たる課題となる。しかしその前に、これ以降イギリスが世界史上いかなる状況に置かれていったのかをごく簡単に確認しておくことは必要である。

　ナショナル・トラストの成立 (1895年) 前後に見られたイギリスの歴史的背景については、前編で簡略ながら記述した。この頃は未だ大英帝国華やかなりし頃ではあったが、20世紀に入ると、いよいよイギリスを含めて国際的に激動の時代へと入っていく。早くも1914年には第1次世界大戦が勃発し、1917年にはロシア革命の衝撃が世界を駆け抜け、世界を二分させることになる。これを工業化という観点から考えるならば、資本主義経済と社会主義経済という二元論的な対立関係を描くことができるだろう。そのうちに1929年にはかつて例のないほどに深刻な世界大恐慌が勃発し、すでに世界で最強の資本主義国となっていたアメリカでさえもその苦境に喘がざるを得なかった。世界経済は不振に陥り、ついでドイツを中心とするファシズムが登場し、またも世界を震撼させるに至る。第2次世界大戦である。このように見てくると、第1次世界大戦か

ら第2次世界大戦の終結に至る約30年間は、世界史上「破局の時代」であったということができるだろう。第2次世界大戦後になるとアメリカとソ連が資本主義と社会主義のそれぞれの陣営を代表する、いわゆる二つの超大国間の問題対決の時代がはじまる。冷戦である。

　それはさておき、第2次世界大戦後の資本主義社会が、1947年から73年にかけて前例のない、かつ異常というほどまでの経済成長を遂げたことは誰もが認めるところであろう。この過程で生じた経済的、社会的、文化的な転換が異様なまでに大きな規模と凄まじさをもってわれわれに迫ったものであったことは、まだ記憶に新しい。

　1980年代に入ると、今度はソ連社会主義の崩壊という劇的な事件が世界中を駆けめぐった。

　このように見てくると、とくに1970年代以降に生じた諸々の危機は少なくとも普遍的、あるいは地球的な危機の様相を帯びていると言っていい。これらの危機は世界各地域に、それぞれの政治的、社会的、経済的構成の差異に関わりなく、それぞれ異なった形と強さで深刻な影響を及ぼしつつある。私たちの時代は長期的な困難の時代に入ったといってよいだろう[1]。

　いわゆるグローバリズムについては前編で述べたとおりである。ただ今日のマス・メディアにおいては、必ずしもグローバル化あるいはグローバリゼーションとグローバリズムとが明確に区別されているとは言い難い。グローバル化が特に産業革命後、工業化と都市化が推し進められるにつれて、明確になってきたことは誰の眼にも明らかなところであろう。それに最近IT革命が叫ばれるにつれて、ますますグローバル化が明白になってきた。それに世界経済が不安定化しつつある中、自由市場が金科玉条とされ、自由経済をさらに推し進めようとする動きが明確化しつつあることも説明を要すまい。すでに農産物取引の自由化も既定方針となってしまったと言っていい。今やグローバリズムが進行中なのである。このままでは自然環境問題を解決できそうもないし、また一国における国民経済を安定化させ、かつ健全なものにすることも期待できそうにない。このように考えるとき、もしグローバリズムがこのまま続行されるとすれば、それは「人類の破滅への道だ」と言っても、あながち誇張ともいえまい。しかし最初の工業国イギリスで、すでに19世紀にナショナル・トラスト運動が

開始され、今日では私たちに希望を深め、そして拡大しつつあることは大きな励みである。

　イギリスをはじめ、日本を含めた世界の動きは時を経るにつれてその動きを増幅させつつ変動してゆく。しかしナショナル・トラストは誕生以来100有余年、試行錯誤を経つつも、その運動理念を貫徹しつつ今日に至り、今ではイギリス国民の中に一つの胎動ともいうべきものを生みだしつつある。この変転極まりない世界史の動きとナショナル・トラストの歴史の動きとの大きな差異を私たちはいかに解釈し、そして把握しておかねばならないのだろうか。

　地球環境規模での危機が叫ばれてもう久しい。ナショナル・トラストが、今や100年を超えた貴重な歴史的教訓と体験を踏まえつつ、「ナショナル・トラスト」運動の核心部分とも言うべきものを、理論化しつつ、かつ行動に移しつつあることは、私たちが将来に向けて、否、今や行動に移すべき指針を与えてくれているのだと言っていい。

　そこでまず本編に入る前に、現段階での「ナショナル・トラスト運動」の中核部分とも言うべきものが、一体いかなるものであるかを簡略に示しておくことは、決して無駄ではないと考える。以下の(1)持続可能な発展を求めてChoosing to be Sustainableと、(2)農村活動と自然環境保護の表題とを掲げて、トラストの中核部分たる活動を示しておこうと思う。なぜならば以下の節に掲げられた表題の内容を正しく理解したうえで、そこまで到達していく「ナショナル・トラスト運動」を追っていくことが肝要だと考えるからである。

第1節　持続可能な発展を求めて（Choosing to be Sustainable）

　'持続可能な' sustainableという言葉も使われはじめてからもう久しい。しかしこの言葉から、私たちがなにか科学的な指針を学びとっているかというとそうではない。そうではなくて、私たちがどの点でこの言葉の持つ意味内容を受け入れ、そしてそれを実践していくかという選択の問題を、今つきつけられているのだと言っていい。そしてこれこそは人類共通の問題であり、私たちを含めて生きとし生けるものが、将来世代にわたってこの地球上に生存し続けられる条件を探し求めているのだということである。イギリス人にしろ日本人にしろ、その生活姿勢を量的な富の追求から質的な富の追求へと変えていかねばな

らない時期に来ていることは間違いない。

　現在のわが国の農村社会を見れば一目瞭然であるが、農村社会が衰退し疲弊していることは程度の差はあれ、イギリスにおいても同じである[2]。ところでつい見過ごしがちなのだが、今なお国土に占める地域あるいは農村の占める空間域はきわめて広い。この点から言っても、今日の農村社会あるいは地域社会の衰退と疲弊は深刻であるといわざるをえない。しかし都市化の激しい今日、農村あるいは地域の持つ空間域が荒廃しつつあるとはいえ、私たちの社会経済活動をむしろ健全な方向へ転じることによって、そこが蘇生しうるという可能性が十分にあるということは、私たちにとって大きな励みとなるものである。

　事実トラストは、農業活動と自然保護活動とを両立させるばかりでなく、清浄な土、水、空気そして生物多様性や歴史的、文化的な価値を維持し育成するとともに、自然景観豊かな農村社会を作りあげるために、現在努力しつつある。トラストは広大な土地を有している。前編で明示したように、トラストは2002年末現在、会員数は300万人以上、所有面積は約67万エーカー以上（約27万ヘクタール）、獲得した海岸線は約960km、それに60の村を持っている。トラストの場合、スコットランドは別組織である。もちろん友好関係にある。それに現在も、トラストの会員数および所有面積ともに着実に増加しつつあることにもわれわれは着目すべきである。このように考えるとき、トラストが農村社会における‘sustainable developments’を作りあげるだけの歴史的に鍛えられた理念や技術とそれらを実際に練り上げるだけの必要かつ十分な‘場’をもっていることは自ずと理解されるであろう。それに本書において各年次報告書を追っていく中で、トラストが自然保護活動と農村活動とを両立させていくべきことを学び、かつ実践に移すべき契機をも持ちつつあったことも自ら理解しうることになろう。したがって、これらのトラストによって得られた農村社会における‘sustainable developments’のモデルが、単なるその場限りの出来合いのモデルではなく、真にわれわれ人間社会の再生を示すモデルを提供しうるのだと言っても決して言い過ぎではない。そのうえ、トラストが‘sustainable developments’に関して、イギリス政府に対してアドバイザーとしての役割を増しつつあることにも注目しておこう。トラストは地域社会の健全化のためのモデルを提供しつつあるのである[3]。

それではトラストは、実際に'sustainable developments'を目指して、農村社会でいかなる活動を行いつつあるのか。

第2節　農村活動と自然環境保護

　資本主義経済下、農村社会が衰退しそして疲弊しつつあるというきびしい社会経済的環境の中にあって、ナショナル・トラストが農業活動をトラストの仕事の中心に据えながら、これまでの自然的景勝地および歴史的名勝地を保護していくという重要な仕事をより一層高めていきつつある事実を、私たちは決して見落としてはならないと思う。

(1) Sustainable Developmentsとその効果

　1次産業部門たる農業こそが農村地帯において雇用の決定的な役割を演じなければならないことは言うまでもない。しかし現実には、イギリスにおいては1960年代以降20世紀末に至るまでに、フル・タイムの農業雇用人口は80％以上減少したという[4]。それから農業所得は1996年以降、1999年までに実質的に58％低下した[5]。イギリスの場合、その国土のほぼ80％が農業活動と深く関わっている。このこと自体、先に記したように決して悲観すべきことではない。

　しかし悪いことに、イギリスでは2001年2月から4月にかけて口蹄疫（foot and mouth epidemic）が猖獗を極めた。ちょうど私自身、この時期に、ナショナル・トラスト研究の準備のために1カ月余りをイギリスで過ごした。イギリスのほとんどの農村地帯が閉鎖されている中、私はトラストの農場であれ、他の農場であれ、時間と体力の許す限り、多くの農場を見て歩いた。このときの体験については、他の機会に譲らねばならないが[6]、私にはただでさえ、農村地帯が危機的状況にあるのに、この危機はさらに追い打ちをかけたとさえ思えたのである。しかしそれは必ずしも真実ではなかったようだ。何回かにわたるトラストの人々とのインタビューを重ねるにつれて、将来への期待を抱くことができたのである。

　とはいえ、農業部門がすでに危機的状況にあること自体、間違いないのであって、そういう意味では、農業が将来への不安に直面しているのだと言っていい。イギリスでは、このような認識のもとに、農業の将来について、農業のも

つ広範な経済的意味や効果そして自然環境や社会との間に占める重要な役割について、国民的な論議が始まったという[7]。

イギリス自体、1973年にEC（現在EU）に加盟した後は、イギリスの農業政策はEUの共通農業政策（CAP）に包摂され、現在では徐々にではあるが、EUにおいても、イギリスにおいても、これまでの価格保障を主とした農業保護政策から農業環境政策へと移行しつつある[8]。このようなイギリスの経済社会の置かれた状況の中で、トラストの果たすべき役割は極めて大きくなりつつあると言ってよい。今やトラストは上に記した'sustainable agriculture'を基礎とした'sustainable developments'のための長期的展望を提示するとともに、その具体例を紹介することができるのである。これらは、トラストの長期間にわたる体験と理論に基づいて実践されつつある2,000名にのぼる借地農とのパートナーシップによって得られたものである[9]。

トラストは次のように言っている。「われわれは、（これからの）発展はわれわれが持っている各種のパートナーシップを強め、またこれからも生み出されるパートナーシップを発展させることによって実現されうると信じている。われわれはすでにトラストの借地農たち、地域の人々、国民、政府および政府機関、その他のチャリティ団体や企業との強いつながりを享受している」[10]。

ここで念のために、パートナーシップという言葉について説明しておこうである。すなわちこの言葉は私たちがしばしば使う行政指導を意味する「リーダーシップ」では決してなく、各人がそれぞれ独立した個人として尊重され、相互に責任をもって協力し合うということである[11]。したがって上記引用文中の最後の'つながり'という言葉をパートナーシップと置き換えることもできるのである。上記の状況から十分に察せられるように、トラストの借地農の経営状態はイギリスの農業部門の衰退傾向に比べて、それほど悪くはない。幸いにトラストは1998年にはじめて、南西部諸州（コーンウォール、デヴォン、ドーセット、グロースターシァ、サマセット・アンド・ブリストル、ウィルトシァ）におけるトラストの活動による経済効果をまとめることができた[12]。その詳細については同書に依拠する他ないけれども、トラストの活動の主たる舞台である農村地帯（カントリィサイド）で展開される農業部門を中軸にしつつ、その経済効果を割り出したものである。南西部諸州の占める人口は、ほぼ500万人で、そ

のうち約半分が農村地帯で生活している。

　以下は、南西部諸州におけるトラストの経済効果を割り出すために、トラスト自体による雇用効果をごく簡単に見たものである。1997年における南西部諸州のトラスト自体による直接の雇用人口は1,156名であった。その中にはトラストの農業用地での借地農をはじめとする農業労働者数がほぼ746名、85の売店やレストランなど商業施設での雇用者が216名、それにこの地域にあるトラストの132のホリデー・コテッジ（holiday cottages）での雇用者56名などが数えられるという。同書での分析はより詳細であるけれども、上記の雇用者数および諸施設から生じた経済波及効果から生じたフル・タイムの雇用者数を概算すると、実際に働いた人々は合計10,913名であったという[13]。このように考えると、この地域でのトラストのフル・タイム雇用者1名に対して、ほぼ9.5名の雇用者が生み出されることがわかる。上記の数字を前年の数字と比較したいのだが、初めての試算であり、その資料が提供されておらず、不可能である。ただ次のことだけはほぼ間違いなく推定することができる。会員数や支持者そして所有面積は現在でも確実に増加しつつある。それに以下に記すことから推定しても、トラストの農村地帯での雇用者数は確実に増加するに違いない。したがってトラストの活動を通じて農村地帯の国民経済に占める役割も見直されるに違いない。

　それでは南西部諸州を地理的に見るとどうか。まず大部分が自然景勝に秀れた海岸を有した半島からなっているのがわかる。それにこの地域の3分の1が、国立公園など政府指定の重要な自然景観地や歴史的名勝地として多くのツーリストをひきつけているのがわかる。東の方は耕地や牧場、そして雑木林で織りなされる美しいパッチワークを思わせる田園地帯で有名なコッツウォルズから、西へはこれまた秀れた自然海岸に囲まれたコーンウォールへと連なっている。その他の諸州も農業地帯のもつ色彩豊かな自然美によって特徴づけられている。因みにこの地域でのトラストの所有地は約11万5,000エーカーであり、所有する海岸線は約430kmである。もはやこの地域でのトラストの農業活動がグリーン・ツーリズムとか農業体験ツーリズム（agricultural tourism）と言われるものと一体だということは説明するまでもないと思う。このことはトラストの他の地域でも同じだと言ってもよい。しかしトラストのもつ土地でも地理学的およ

び地質学的に、そして遠隔地の程度の差異などにより自ら相異が生じるであろう。したがってトラストのもつ土地はすべて同じ条件にあるのだと言うことは危険である。しかしトラストは、今後他の地域でもその持つ自然の質を高める努力を続けるとともに、自らの活動の経済効果について定量化のための研究をも進めていくはずだ。そのときこそ、トラストの自然保護活動のもつ貴重な社会経済的意義が真に評価される時が来るに違いない。なぜならば自然は生産の場であると同時に癒しの場でもあるからである。

(2) ナショナル・トラストと農業環境政策

トラストは農業、自然環境そして田園地帯から得られる国民のための種々の利益を、これまで以上に総合的に統一した形でまとめあげ、それらをきわめて自然豊かな村落地帯につくりあげることによって、現在の農業危機を克服できる[14]と考えている。すなわちトラストのいうオープン・カントリィサイドをつくりだそうというのである。それらは現在ではイギリスの各地で実現しつつある。それらすべてのオープン・カントリィサイドを紹介することは至難のわざであるが、いくつかは本編および次編以下で描写できるであろう。

周知の通り、現下の農業危機は構造的なものである。自然環境破壊もその通りである。資本主義経済、否、人間社会がこの地球上に存続する限り、上記二つの危機は避けられそうもない。それらを回避するためには、トラストとイギリス国民とが一丸となるだけでも足りるまい。幸いに、今やEUにおいてもイギリスにおいても、これまでの価格保障を主とした農業保護政策から農業環境政策へと移行しつつある。たとえばイギリスにおいては、環境保全地域事業 (Environmentally Sensitive Areas Scheme) やカントリィサイド・スチュワードシップ事業 (Countryside Stewardship Scheme) など多岐にわたる農業環境政策が採られている。

因みに後者について説明すれば、湖水地方などのように、指定された地域を定めて行われる環境保全地域事業とは異なり、ヒース地や白亜質の草地、海岸地、沼沢地、そして川辺の牧草地のように、特殊な生息地や景勝地を有した個々の農用地を対象として行われる環境保全事業である。それにこれらはいずれも限られたところだけが対象地であり、かつ任意性である。したがって現在

83

のところ予算も限られており、その効果については、やはり限界があると言わざるをえない。しかしトラストの経験によれば、政府が農業政策を農業環境政策へと転換していくことを、多くの農民が支持しつつあるという。ここに農業危機にしろ、自然環境破壊にしろ、それらを乗り切るためには、トラストと政府、行政とがパートナーシップを組まねばならないことも明らかになったことと思う。これからの「ナショナル・トラスト運動」については、常に政府による農業環境政策が前提とされている。そしてこの政策も将来にわたって質量ともに改善されることが望まれる。

(3) Sustainable Agricultureの発展を求めて

それではトラストの持続可能な農業、ひいては持続可能な農村社会を実現するためには、いかなる条件が必要だろうか。その土地で生活している人々とそこにある自然資源とが十分に活用されることが必須条件である。その土地の人々と自然資源を壊すのではなく、それを保全し、活用することこそが地域社会の活性化を促す有効な方策である。トラストは政府の予算配分について、それが正当に行われるべきことを要請するとともに、今でも依然として都市のニーズのほうが不当に優先されていると厳しく批判する[15]。

他方ではトラストは、農業保護について、農産物への補助金を段階的に廃止し、それを農業環境政策へ充当していくべきだというイギリス政府の方針を評価するとともに、EUの共通農業政策（CAP）の予算のうち50％（現在は3〜4％）を農業環境政策へ向けるべきだと主張している[16]。私はかつてトラストの紹介によって、農業水産食料省（MAFF）を訪ねたことがある。このとき、私は政府、行政、トラストそしてその借地農との関係が、相互に自立し、相互に責任を負うという意味での「パートナーシップ」のもとに保たれていることをはっきりと知った。戦略的に重要な国家的な目標と資金を、都市と農村に配分する場合、その配分が両者に対して公正にかつ公明正大に行われなければならない。トラストは自ら保有する土地から、考えられうる限りの持続可能な農業活動を通じて、国民にその成果を還元しようとしている。しかし現実に、トラストの農業もイギリスの農業の衰退と無関係というわけにはいかない。だから「トラストの農場も、もはや単独でトラストのための収入源としては考えられないの

であって、それらは食料生産の他に、国民のために、そして野生生物の生息地のために農村風景を管理運営しながら、採算可能な農村社会を目指していくのだと考えなければならない」[17]。かくしてトラストの方針が、トラストの農場の自然環境を最大限に守ることにある限り、トラストはその農業活動を注意深く規制しなければならない。無農薬・有機農法といった持続可能な農業を目指すかぎり、借地農の農業生産力が低下し、農業収入が減ることは避けられない。なぜならば、農産物取引の自由化が定着しつつある現在、イギリスでも近代農法が主要部分であり続けることは、当面避けられそうもないからである。かくてその収入減を補塡するために、トラストは地代の減額を行なわなければならない。上述したところからも明らかなように、トラストに要する費用はそればかりではない。このように考えただけでも、トラストが単独に持続可能な農業を実行できると考えることは難しい。このことに関連して、トラストから来た私への手紙を紹介しておこう。「補助金を提供する政府の農業環境政策は、トラストにとって極めて有益です。もしそれがなければ、トラストがその資金を借地農に提供しなければならないからです。私たちはこれまで補助金の増額を求めるために、ロビー活動を行ってきました。所期の目的は達成されていません」[18]。事実、トラストはあらゆる機会をとらえて、イギリス政府およびEU本部へ、現在各種ある農業環境政策を整備するとともに、できるだけ多くの資金が与えられるようにと働きかけている。それから農業の本当の重要性を国民に理解してもらうように努めねばならない。そのためには都市と農村および消費者と生産者の間の相互理解と相互扶助が必要である。農業部門のもつ重要性は多面的であり、人間を含め生きとし生けるものにとってかけがえのないものである。農業危機と自然環境破壊は、今や人間存亡に関わる危機なのだと言っても決して言い過ぎではない。今や私たちには住みよい地球を次の世代へ引き継ぐべき努力と義務が課せられているのだと考えねばならない。

　それではトラストはいったい、いつ頃から持続可能な農業に着手したのか。トラストは「20年前には、農場を効率的に運営しそして地代を間違いなく支払ってくれる借地農を求めたものだ」[19]と言っている。トラストが持続可能な農業を開始したのは決して古い話ではない。前編で記したように、コッツウォルズのシャーボン村の農場で、実験農場が始められたのは1993年である。決して

シャーボン農場の水門の前に立つR.ジョーンズ氏。手前の水門は今は使われている。
(1999.3　著者撮影)

古い話ではないのである。トラストの歴史はすでに100年を超えている。首尾一貫した運動理念のもとに重い年輪を重ねながら到達したのが'sustainable agriculture'であり'sustainable open countryside'であることを私たちは知らなければならない。それでは以下、1907年、ナショナル・トラスト法が施行されて以降のトラストの動きはいかなる展開を示すのであろうか。

ただ本文に入る前に、以下の事だけは記しておこう。ナショナル・トラストが、わが国のマスコミに取り上げられ始めたのは1960年代末から1970年代にかけてであった。ちょうどこの頃は水俣病をはじめとする公害反対運動が全国各地に拡がり、それとほぼ時を同じくして日本でもいわゆる「ナショナル・トラスト運動」が全国に展開されるようになった。

公害反対運動とナショナル・トラスト運動とはその運動の形態に相違はあるにしても、そのよって立つ根拠は全く同じであると言っていい。公害反対運動が現在においても、決して衰えるどころか、状況如何によっては、さらに燃えあがるに違いないと言っても決して言い過ぎではない。それではいったいわが国のナショナル・トラスト運動は、現在いかなる状況にあるのだろうか。「社団

ジョン・ヤング氏と著者。氏はMAFF(現在DEFRA、農水省)と借地農のR.ジョーンズ氏も紹介してくれた。　　(1995.8.3 撮影)

法人」日本ナショナル・トラスト協会編『ナショナル・トラスト　ガイドブック2000』によると、この協会に加盟している団体は47団体である。それにこの協会には、わが国の有力な団体を含めて加盟していない団体が他にもある。このように考えると、わが国のナショナル・トラスト運動が、わが国の置かれた現状からして極めて低調であると言わざるをえない。それは何故か。まず考えられることは、この協会が「財団法人」ではなく、「社団法人」であることだ。社団法人のもとに、土地所有を標榜する日本の財団法人たるべき団体が包摂される限り、それらが強固に結集し、わが国のナショナル・トラスト運動を高揚させることを期待することは困難であるとしか言いようがない。むしろ全国の各地で運動を展開しつつある土地所有団体が結集し、話し合える場と機会を見つけ、相互に協力し合うことが肝要であろう。それと同時にイギリスのナショナル・トラスト運動を正しく学び、その成果をわが国の運動に正しく適用すべきである。わが国の自然環境を守り育てることこそ緊急の課題である。わが国にも「ナショナル・トラスト運動」を掲げて、積極的に運動を展開しつつある有力な団体もある。これらの団体が一刻も早く率先して、協力体制を整えるべ

きであろう。その時こそ、わが国でも状況が変わることによって、「ナショナル・トラスト運動」が飛躍的に発展しうるのだということを強調しておきたい。

---

(1) 以上 Eric Hobsbawm, *Age of Extremes-the Short Twentieth Century 1914-1991*, pp.1-17.エリック・ホブズボーム著、河合秀和訳『極端な時代—20世紀の歴史上巻』(三省堂、1996年) 2-28頁を参照されたい。

(2) 「ナショナル・トラストを訪ねて—望むべき国民経済をもとめて—」『日本の科学者』2001年2月号、26-27頁。

(3) 以上、David Russel, "Choosing to be Sustainable" (the National Trust, 1999).

(4) David Riddle, "The National Trust and Agriculture - an Overview", (the National Trust, August 2000), p.5.

(5) The National Trust ed., "Guidance Note: Farm Assessments and Whole Farm Plans", (the National Trust, June 1999), p.3.

(6) 拙稿「口蹄疫 (Foot and Mouth Disease) のなか、ナショナル・トラストをゆく」(日本環境学会『人間と環境』、2001.VOL.27,NO.3)。

(7) The National Trust ed., "Farming Forward" (the National Trust, 7.2001) Introduction.

(8) このことについては、福士正博『環境保護とイギリス農業』(日本経済評論社、1995年) 第二編「イギリス農業環境政策の実態」を参照されたい。

(9) David Riddle, Head of Land Agency, Rob Macklin, Agricultural Advisor, *Agriculture - 2000 and Beyond - Agricultural Policy for the National Trust* (the National Trust, August 2000).

(10) The National Trust ed., op. cit. Introduction.

(11) パートナーシップの意味を具体例でもって説明したものとして、拙稿「第6章ナショナル・トラストと地域経済の活性化—ナショナル・トラスト (イギリス) の農業活動と将来への展望—」『武蔵野をどう保全するか』((財) トトロのふるさと財団編及び発行、1999年10月) 77-79頁を参照されたい。

(12) The National Trust, *Valuing Our Environment - A Study of the economic impact of conserved landscapes and, of the National Trust in the South West 1998* (February 1999).

(13) *Ibid.*, p.25.

(14) The National Trust ed., "Farm tenants have their say on new agriculture blueprint" (the National Trust, November 1999) p.2.

(15) The National Trust ed., "Position Statement - Rural Policy", (the National Trust, 1999) p.2.

(16) David Riddle & Rob Macklin, "Agenda 2000 - CAP Reform - ' Towards a New

Direction for UK Agriculture'", (the National Trust, November 2000), p.3, p.7.
(17) The National Trust ed., "A Guidance Note - Farm Assessments and Whole Farm Plans", (the National Trust, June 1999), p.3.
(18) この手紙は、ナショナル・トラストのAgricultural Adviserの前任者であるジョン・ヤング氏からの1998年7月19日付の私宛ての質問に答えたものである。
(19) Charlie Pye - Smith, "Living from the Land", (*the National Trust Magazine*, No.86, Spring 1999), p.30.

第1章
第1次ナショナル・トラスト法の付与
（1907～1910年）

序説

　現在のトラストの資産が膨大でかつその種類が多彩を極めていることは周知のとおりだが、この方向性は当初から敷かれていたと言っていいし、これからもますます明らかになるはずだ。このことは、トラストの目的が大地と歴史的に由緒ある建造物などを守ることにあることから当然のことである。そして歴史的建造物が大地と一体であることももはや明白なところだ。このことは歴史的建造物が大地の上にあるということのみを指しているのではない。そこには人間が住み、かつ関係してきた。そこは大地と人間の織り成す生活が刻み込まれているのである。特に地方特有の建物などが、そのことを象徴的に表わしていると言えよう。このように考えるときトラストの自然保護活動と農業活動とは一体のものであり、かつまたそこはツーリズムの対象地ともなるはずだ。今やトラストが自然の息吹きを湛えたオープン・カントリィサイドを全国各地に作り出しつつあることは明らかだ[1]。

　それから重ねて言えば、私は2000年3月から1ヵ月余りイギリスに滞在した。帰国の前日、トラストの本部で当時の理事長のマーティン・ドルアリィ氏と会った。この時、理事長とはナショナルと大地との関係について語ってみた。私たちは大地の上に生まれ、育ってきた。私たちと大地とは切り離せない。私たちの間には国境線すらもない。私たちの意見は一致したが、私の理解はまだまだ浅いと感じざるを得なかった。不運にも、21世紀に入ってまもなくイギリスは口蹄疫に見舞われた[2]。これに弾みがついたと言っては言い過ぎだが、2001年の年次報告書の会長の巻頭文は大変興味深い。「トラストはこれまで、すべての借地農の人々と共に働いてきました。……評議会はあらゆる機会に農業や農村問題に関する希望に満ちた前向きの報告書を受け取っています。したがって

第1章　第1次ナショナル・トラスト法の付与

旧ナショナル・トラスト本部（ロンドン）（1999.4著者撮影）

カントリィサイドの将来が私たちの目標の最前線にあるのです」。それからドルアリィ氏の跡を継いだ新理事長のフィオナ・レイノルズ夫人は、トラストは、今や将来に向けて持続可能な'sustainable'農業を実現すべく、その努力を傾注しつつあると表明している[3]。このようなナショナル・トラスト運動の本質にトラストが迫るには100年を要した。

　それでは、トラスト運動の第2段階ともいうべき1907年の年次報告書を改めて検討してみることにしよう。
　1907年に、はじめてのナショナル・トラスト法が施行され、トラストは法人団体として再構成された。このとき、トラストの名称と性格も変わらないことが確認された[4]。この年ウィッケン・フェンから南へ5kmほどのところにあるバーウェル・フェン（30エーカー）が、そしてロンドン郊外では、ウィンブルドンの東にあるウォンドル・パークがトラストへ贈与された。このパークの開所式にあたり、トラストの第3代目総裁になっていたルイーズ王女が、このような静かなオープン・スペースを一般大衆のために確保する必要性があること

91

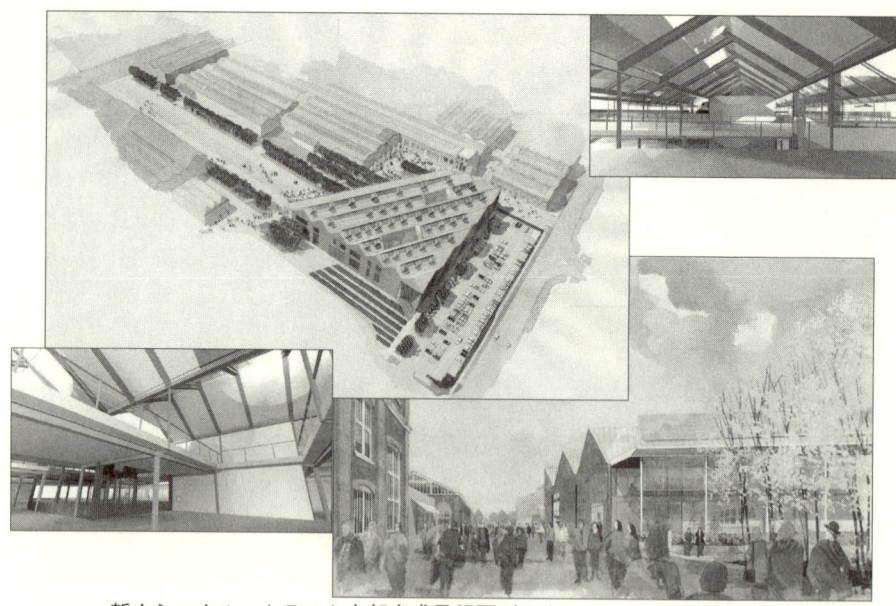

第2編　ナショナル・トラスト運動の展開

新ナショナル・トラスト本部完成予想図（スウィンドン、ウィルトシア）
（2003.6 ナショナル・トラスト本部提供）

ナショナル・トラスト理事長アンガス・スターリング氏（1983〜1995年）と著者。本章注（1）を参照。
（1991.9 撮影）

第1章　第1次ナショナル・トラスト法の付与

ナショナル・トラスト理事長マーティン・ドルアリィ氏（1995〜2000年）と著者。
（1997.9 撮影）

ナショナル・トラスト現理事長フィオナ・レイノルズ夫人（2001年〜）と著者。
（2001.4 撮影）

を繰り返し強調したという(5)。それから1906年に、湖水地方のガウバロウ・フェルとロンドン南部のハインドヘッドがそれぞれ750エーカーずつ獲得されたことは前編で述べた。1907年の年次報告書に、ガウバロウ・フェルが1906年8月9日に、下院議長のJ.W.ラウザー氏によって、大衆に公開されたことがやや詳しく記されている。その時の模様を紹介しておこう。このとき彼は「……われわれはみな、これまで大山鳴動してねずみ一匹であったけれども、こんどはねずみたちが陣痛を起こして、山を産み出した」と言ったという。ナショナル・トラストの仕事は、すべて人々の協力によってなされているのだ。山を産み出すためには、ねずみたちが熱心にかつエネルギッシュに努力していかなければならないというわけである(6)。

ダーウェントウォーターでは、西岸のブランデルハウ・パーク・エステート（108エーカー）が、1902年に大衆の寄付金によって購買されており、すでにその発展の足場は築かれたと言って差し支えあるまい。しかし未だ点を形成するのみで、線を形成しそしてそれが次々と大きな面となるにはもう少し時を待たねばなるまい。しかし次の報告は注目に価する。それによると、この湖のすぐ南端のところに、古い鉛鉱山からもってきた残滓の山があったが、これが長年の間、この湖の美しい風景を汚してきた。そこでこの山をならし、土で覆い、草を生やし、一部は植林をして、今では残骸の塊というよりも自然の山を思わせるほどになっている。このたいへんな仕事をしたのはトラストではなくて、トラストの支持者たちの幾人かが自らの力で、それにこの地域の地主たちの助けを借りてやり遂げたものである(7)。トラストの発展の足場が築かれつつあったことを思わせる光景である。他では歴史的な建築物を壊すことに対する抗議や公共の名による自然の破壊に対する強い批判もある(8)。

それからハインドヘッド地域では、もし購買資金が集められれば、まだ他の重要な土地を手に入れることができることを支持者たちに呼びかけている。それにこれまで広大な入会地やきわめて美しい土地が得られたが、これらの土地の価格はそれほど高いものではない。やはりこれは今やイギリスにおいて構造的なものとなってきた農業不振によるものと考えてほぼ間違いあるまい。これを受けてトラストが、今や土地を購買することに金銭上の支援をすることが価値あることと考え、トラストの支持者たちに支援を呼びかけている(9)のはやは

り慧眼によるものと考えるが、あるいはもはやトラストとしては当然のことだったと言っていいだろう。

　トラストは今や12年の歳月を重ねてきた。獲得された28の資産はこの年の法律によって譲渡不能 'inalienable' と宣言され、まさに国民の所有物となった。獲得された土地は2,000エーカーにのぼり、建物は12である。ブランデルハウとガウバロウは湖水地方にあり、ハインドヘッドの土地はロンドン近郊にあって、ロンドンっ子をはじめ多くの人がエンジョイ（享有）できるものとなった。

　この年漸くトラストのものとなったバリントン・コートをはじめ、アルフリストン村の牧師館などは、急速に崩壊してゆくのを食い止めるために購買され、獲得されたものである。これらの建物はこの国の歴史を物語るものである。無論建物が刻んできた歴史だけが大切なのではない。それらには人間が歩んできた歴史が彫り込まれているのだ。それらは大地のうえに立つ建物と人間との歴史とが相俟ってできた歴史的所産であることを理解しなければならない。

　トラストはこの国に豊かにある自然的景勝地ばかりでなく、先祖たちがこれまで培ってきた歴史的名勝地や建物のもつ価値を、国民に向かって、機会ある度毎に強調してきた。今やそれが認められて、トラストは議会によって明確な社会的地位を付与されることになった。このことは、トラストが今後活動を有効に続けていくためには、ますます国民からの支持と支援が必要になったことを示すものである。トラストが果たすべき仕事は余りにも多い。したがってトラストの目的に共鳴してくれる人々が、個人的な支援や金銭上の援助によってトラストの果たすべき義務を効果的に履行できるようにしてくれることを期待したい[10]。このようにしてトラストは1907年の年次報告書を閉じている。

　やはりこの年はトラストにとってひとつの画期をなすものであったと言っていい。それにこの年に、1904年の第9回年次報告書に報告されて以来の、トラストの懸案であったバリントン・コートがついに確保された。これこそが、トラストへもたらされた最初のカントリィ・ハウスである。カントリィ・ハウスは、今ではトラストの活動のうち脚光を浴びている大きな一翼をなすものである。そういう意味でも、バリントン・コートがトラストにとっていかなる意義を有するものであるかを、本書において取り上げることは価値あるものと考える。

第2編　ナショナル・トラスト運動の展開

第1節　バリントン・コートの獲得

　バリントン・コートがトラストによって獲得されたからには、もうこれ以上破壊されることはない。購買価格1万500ポンドのうち1万ポンドは匿名者による寄付によって得られたことが1905年の第10回年次報告書で報告された。そこで必要経費を含めて、あと1,500ポンドが必要だが、それも1906年の年次報告書ではあと1,000ポンドであると報告された。1907年の第12回年次報告書ではあと500ポンドだと報告されている[11]。修復工事を遅れさせないためには、この残された金額を一刻も早く集めたい。

　それではまず匿名希望者のミス・ジュリア・ルーシィ・ウッドワードとナショナル・トラストの間に交わされた1905年8月11日の合意書（Articles of Agreement）と1907年の2通の契約書（Indentures）に従って、バリントン・コートがいかにしてトラストへ譲渡されたかを見てみることにしよう。

　合意書によると、まずミス・ウッドワードがバリントン・コート・エステートを買い取る。そしてこの日から3年以内に、トラストがその購買費用とその他の諸経費を彼女に支払うならば、バリントン・コート・エステートはトラストに譲渡されることになる。その他にもう一つの条件が付されている。それはトラストが彼女（1850年出生）とその後継人（1859年出生）に年金（annuity）400ポンドを年4回に分けて支払うということであった。1907年7月8日、トラストがいよいよバリントン・コート・エステートを譲渡される日が来た。この日に彼女とトラストとの間に交わされた2通の契約書から次のことが確認される。最初の証書によれば、バリントン・コートを取り巻く220エーカーのうち、200エーカーはこの邸宅を歴史的に由緒ある建築物として保存しておくためには必ずしも必要ではないから、トラストが自由に処分しうることが明記されている。それからこれは当然のことだが、このバリントン・コート・エステートに、どのようなものであれ、新しい建物を建ててはならないことも記されている。

　後者の証書には、日付が消えており、正確な日付は特定できないが、次のようなことが記述されている。トラストが基本定款第8条にしたがって、今後バリントン・コート・エステートを歴史的名勝地として保護していくことを考慮に入れて、この邸宅を600ポンドでトラストへ譲ることにした。それから上記

第1章　第1次ナショナル・トラスト法の付与

　3つの証書のいずれにも記されていないが、年400ポンドの年金をトラストが支払うという契約は、あとになってミス・ウッドワードが後継人に先立って死亡した場合200ポンドに減額されたという。このような諸般の事情を考えるとき、やはりトラストとしてはバリントン・コートを有利に獲得したのだと考えることができる[12]。

　第1次ナショナル・トラスト法が付与された翌年の1908年の第13回年次報告書によると、バリントン・コートの修復工事が開始されたことが記されている。もちろん、集められた寄付金に限度があるために、緊急を要する基本的な部分だけに限られた。前年度に発せられた500ポンドのアピールが実現すれば、当面この邸宅の安全のために緊急に必要とされる修復工事の大部分が実現するのだから、是非金銭上の援助をお願いしたいと結んでいる[13]。ところでこの年次報告書の巻末の資産目録を見てみると、「バリントン・コートを取り巻く200エーカーは、必要が生じた場合は自由に処分しうる」[14]ことが記されている。トラストにナショナル・トラスト法が付与された今、この土地が譲渡不能'inalienable'に属する資産ではないことは明らかである。実はこの土地の大部分は借地として1人の借地農に貸し出されていたのである。それにもかかわらず、何故この土地を農業用地として保存する必要がないのか。具体的にその理由が前記の証書に書かれていないので、その詳細は不明である。ただ1905年の第10回年次報告書では、この邸宅に付属する220エーカーは価値あるものとなる[15]と記されていることに注目したい。なぜならば農業不況が依然として続行しているなかで、トラストとしては大地であれ、歴史的建造物であれ、それらを獲得し、保護しなければならない以上、農業と関わらざるを得なかったし、またそれらを価値あるものにしなければならなかったと考えざるをえないからである。1909年の第14回年次報告書では、利用できる資金の許す範囲でバリントン・コートの修復工事が行なわれたことを報告すると同時に、今後の修復工事を続けるために、更なる資金が必要であることを告げている[16]。巻末の資産目録を見ると、修復工事のための費用を捻出するために寄付金が必要であることと、この資産が年当り400ポンドの生涯年金を支払っていることも記されている[17]。この年の報告を境に1922年の第27回年次報告書まで、資産目録以外にバリントン・コートについての記載はない。この間バリントン・コート・エ

97

ステートがどのような変化を遂げたのか。その他の資料に依拠しながら検討してみることにしよう。

　幸いにトラストの創立者の1人である牧師のキャノン（聖堂参事会員）・ローンズリィが夫妻で、1918年にウェールズおよびイギリスの西部にあるトラストの資産を旅行して回ったときの記録が『国民の遺産』（*A Nation's Heritage, London, 1920*）として残されている。この本の中でバリントン・コートを訪れたときのことが書かれている。この建物について、その様子が描かれているが、未だ修復中であることが分かる。彼によれば、トラストはこの建物をエリザベス1世時代のユニークな建物として維持していくという故ミス・ウッドワードの条件を受け入れた。したがってトラストとしては一刻も早く、この建物の修復を完成し、元の威厳ある邸宅に戻したいのだと強調している。それではこの邸宅に付属する220エーカーの土地はどうなっているのか。

　夫妻がバリントン・コートを訪ねて、玄関先に立ったときは昼時であった。この時はもうトラストの借地農となっていたジェイコブズ氏は、折あしく農場で昼食中であった。第1次世界大戦中故に人手不足の時代であったから、彼は長時間働かねばならなかったのである。牧場やこの邸宅の一方の端から広がっている大きな果樹園についての描写もある。220エーカーのうち200エーカーも売られていなかったのである。そして最後のところで次のように書いている。「過去1世紀の間、このバリントン・コート農場を耕し、そしてこの館に住んでいる家族をトラストの借地農として持っていることは、トラストとしては幸いなことである。そしてジェイコブズ夫妻はこの古い館を保存し、そしてここを訪ねてくる人々を丁重に扱っていることに当然ながら彼ら夫妻は誇りをもっている」[18]。トラストがバリントン・コート・エステートを獲得し、保護し続けていることに、ローンズリィが満足している様子をうかがうことができよう。

　しかし反面、大がかりな修復工事を行うのに十分な資金が得られないために、工事が思うように進んでいないことに気を遣っている様子がうかがえないわけでもない。事実このエリザベス時代の館がトラストの資産になったときには、きわめて貧弱で荒れたままになっており、地階の大広間はりんご酒の貯蔵庫として使われていたくらいである[19]。それにもかかわらずこの館をトラストが獲得するようにと奨めたローンズリィ[20]としては、一刻も早く修復工事を本格化

第1章　第1次ナショナル・トラスト法の付与

サマセットのカントリィサイドに佇むバリントン・コート（2000.4　著者撮影）

したかったにちがいない。

　幸いに1920年になると、このバリントン・コートの99年間のリースを引き受ける人物が現われた。陸軍大佐のアーサー・ライルであった。この時彼はバリントン・コート・エステートのうち譲渡不能'inalienable'ではない土地のうち約181エーカーを買い取った。かくして彼はこれ以降本格的に、このバリントン・コートを自らの邸宅にするとともに、修復工事を進めていった。結局彼はこのバリントン・コートが完全に修復されるのを見ることなく1931年に亡くなった。しかし彼の子息であるサー・イーアン・ライルが父を引き継いで、バリントン・コートの修復に努めた。1978年、彼が亡くなってからはその子息のアンドリューが跡を引き継ぎ、彼の祖父の夢を果たすべく努力した。しかし1991年までに、バリントン・コートの維持費が高く、ついに彼はバリントン・コートのリース権を手放さざるをえなくなった[21]。このとき、トラストがバリントン・コートのリース権を取り戻し、今ではトラストが直接に管理・運営している。

　このように見てくると、現在のバリントン・コートについて言えば、こうで

99

ある。1920年以降のバリントン・コートは、この邸宅に付属した農場はすべてライル家に属したのであって、それらもすべて1991年に売却されてしまい、現在ではバリントン・コートは農場をもっていない。ただ、現在は使用されなくなった往時の厩や納屋、そしてコテッジなどが保存されており、この邸宅の一帯がかつては付属の農場であったことを偲ばせるに十分である。それからバリントン・コートには現在、時代もののイギリスのオーク材のインテリアや家具を複製する会社のショールームがあり、一定の家賃の収入もあり、また年間ほぼ5万人の人々が訪れている。

　私自身、1995年6月6日にはじめてバリントン・コートを訪ねてみた。イギリス特有の美しいカントリィサイドの中に佇むこのカントリィ・ハウスに近づくにつれて、すぐにトラストがこの館を当時獲得した以上に、質の高いものにしていることが見て取れた。建物の中では、復元部分と当時のままの部分とがあり、それらの差異などの説明も受けた。レストランでは、ここの果樹園でとれたばかりの自然のままのジュースも賞味できた。実はこのとき私はバリントン・コートには当然農場が付属していると考えていた。恥ずかしいことだが、私には邸内に囲まれたかなり広い果樹園が農場だと思われ、それ以上に詮索することはなかった。

　2000年4月6日にも再びここを訪ねた。説明役をしてくれた1人の婦人によれば、バリントン・コートがトラストの資産になる以前は、この邸宅の周囲がすべて農場だったそうだ。私自身、これまでここを2度訪ね、そして邸内外を歩いた。この館がこの村のマナー・ハウス[22]としての風格を有しているばかりでなく、今でもこの村全体の共同社会と一体となっているのだということを実感することができた。

　トラストの説明によれば、この館は16世紀以来、たびたび所有者を変えてきたけれども、結局は1870年代にイギリスを襲った農業大不況が大きなダメージを与えることになった[23]。1907年にトラストがこの館を手に入れたとき、農場は一つだけ残っていた。それもトラストによってではなかったが、ついには売却せざるをえなかった。今はバリントン・コートはトラストの手元に戻り、再び'The Glory of Somerset'としての役割を十分に果たしている。それからここでナショナル・トラストを真に理解するために、次のことを付言しておく。

第1章　第1次ナショナル・トラスト法の付与

バリントン・コートは農場をもっていないけれども、地域社会の中に溶け込んでいる。そしてトラストは地域社会の人々と協力し合い、パートナーシップを組んでいく努力を続けている。カントリィサイドの中にある歴史的建造物は、自然＝大地そして農業活動と一体化して息づいている。これこそはトラストのオープン・カントリィサイドであり、そこにこそ文化が生まれ、そしてそこにいてこそ、私たちの心が癒されるのだ。1907年の第12回年次報告書で、トラストはごく控えめながらも、最終ページのところで、いくらかでも国民の役に立てたのではとの言葉を残している。かくしてトラストは、このバリントン・コートがトラストによってもたらされた最初の大きなカントリィ・ハウス[24]であると言っている[25]。

トラストは次の段階へ向かって、再び歩きはじめたのである。

第2節　前進へ向けて

1907年には結局、バリントン・コートを含め4つがトラストの資産となった。1908年以降になるとそれ以上に資産が増えることになるが、すべてを扱うわけにはいかない。本論の目的に沿った地域と獲得された土地に限らざるをえないが、必要に応じて他の事柄に触れることもあることを予め断わっておこう。

実は、1907年の年次報告書にはロンドン近郊のハインドヘッドちかくのラドショット・コモンとワゴナーズ・ウェルズ（ここは後年、トラストの創立者の1人であるロバート・ハンターを記念して、大衆の寄付金によって購買された。後記）に隣接する森林地の合計550エーカー以上が競売に付されたのだが、買い値が合わず、失敗に終わったことが報告されていた[26]。幸いに1908年には買い値の募金額が順調に集まり、ほぼ購買に漕ぎつけたことが報告されている。その他この近くに住んでいる未婚女性がヒース地と丘の斜面地（合計約65エーカー）の2つの地所を献呈するとの申し出があったことも報告している。それからやはりロンドン近郊のケント州にあり、すでにトラストの所有地となっているクロッカム・ヒル（35エーカー）に8エーカーが加えられたが、これもオクタヴィア・ヒルの努力のおかげである。ここは今はトイズ・ヒルとイード・ヒルに連なっているのだが、このときトラストは静寂な憩いの場とも言うべきこの土地が広がっていくことを期待している[27]。私自身、2000年3月にトイズ・ヒルの

静寂を存分に楽しんだことを記しておこう(28)。

　早くも湖水地方でもあらたな展開が見られる。周知のようにダーウェントウォーターの西岸のブランデルハウはすでにトラストの資産である。この湖の南岸の辺りにはマネスティ・コピスと言われる雑木林があるが、この湖の南岸部分が建物用地として売りに出された。幸いにこの地域の数名の名士が、この土地とこの湖をめぐるアメニティ、いわばこの湖とそこをめぐる自然の美しさと人々の生活、それにその他の生きとし生けるものが一体となって息づくことのできる憩いの場として十分な価値を有しているのだということを理解してくれて、この土地を購買するために、トラストと行動をともにすべく一役買ってくれることを申し出てくれた。そこでトラストとしては、まず500ポンドを拠出して、湖の地先部分をオープン・スペースとして保存することで話がまとまった。実はこの500ポンドはブランデルハウの維持費として貯めていたお金だが、この拠出額はこのブランデルハウを広げるために使われるのだから、寄付してくれた人たちの意図と希望に一番沿うはずであると判断されたのである。それはまた一般大衆がダーウェントウォーターの湖畔を自由に歩けるようにしたいというトラストの夢を実現するための更なる一歩となるはずである。しかしこの夢を実現するためには、あともう600ポンドが必要だ(29)。この夢が一刻も早く実現されることを期待したい。

　1909年の第14回年次報告書の巻頭文によれば、1908年中に成就されたトラストの進展は、これまでになく大きなものであった。

　まず最初にあげられたトラストの資産は、1908年の報告書にも記されていたラドショット・コモンで、これはワゴナーズ・ウェルズに隣接する森林地と一緒にハインドヘッドの西側に所在する土地として紹介されていたのだが、これらは主として地方委員会の努力によって、一般大衆の寄付金によって集められた1,675ポンドで購買された。それから同じページのところで紹介されていた未婚女性による2つの地所たるバラムショット・チョイスとナッツクーム・ダウンが正式に寄贈されたことが報告されている。これらはみなハインドヘッドの近在にあり、これらの資産をより有効に管理するために、これまでのハインドヘッド管理委員会が再構成され、ハインドヘッド・コモンズと一緒に管理・運営されることになった。この年には、この同じ地区で他の地所も地元の人々の

第1章　第1次ナショナル・トラスト法の付与

集めた寄付金によって得られた[30]。

　ダーウェントウォーターの西岸から南岸のほうへトラストの資産を広げる夢も叶えられる時が来た。すでにトラストの資産となっている108エーカーのブランデルハウ・エステートの南の端からダーウェント川までの92エーカーがつながったのだ。合計200エーカーである。これでこの湖のほぼ4分の1の湖畔が、一般大衆が陸地からも湖面からも自由にアクセスすることが出来るようになる。ブランデルハウ・エステートが手に入る前には、一般の利用に2，3か所しか上陸地点が開かれておらず、湖水地方を訪れる人は、当然の権利として考えられていいのに、どこの岸辺にも降りられず、またどこにもピクニックに行けなかったのだ。これからは東の方からは公道を通ってダーウェント川を渡って、グレート湾にあるトラストの土地を自由に歩ける歩行権（a right of way）が得られるのだ。これまではこの湖を一周するには誰でも、南の端の湖畔から1km以上も奥まったところにあるグレンジへ行き、そこにある橋を渡らねばならなかったのだが、これからはそうする必要もなくなるのだし、それにダーウェントウォーター湖畔を自由に一周できるようになるのも時間の問題になった。

　それからここの重要な土地を確保するのに際して、トラストの創立者の1人であるキャノン・ローンズリィと他の2名の有志の名前を挙げて深い謝意を述べている。これはかれらが寄付者であるとともに募金活動など他の重要な役割を引き受けてくれたことを表わしていることは間違いない。事実この土地の獲得に際して、この湖に付随している領主権[31]と漁業権をもつ9エーカーがこの土地に含まれていることも付け加えているのである。それに続いて次のことも書き添えられている。煩を厭わず紹介しておこう。ダーウェントウォーターにおいて、この湖の航路権（a right of navigation）やそれと関連した事柄の諸権利をも確保しておこうというわけである。すなわちレコンフィールド卿がこの湖に対して所有している3分の1の持ち分である航路権と、彼が領主権として所有している土地に桟橋や船着き場を作る権利を、トラストが彼から200ポンドで買い取るための契約をした。もちろん、この200ポンドは今後集めなければならないものであった。それにケジック町会（Town Council of Keswick）がこの湖のさらに3分の1の航路権を買い取ろうとしていた。これらのトラストとケジ

103

ック町会の購買が完成すれば、この湖の航路権に関連した問題はすべて解決することになる。そうなればボートを漕ぐ人々に大きな便宜を与えることになる[32]。

それればかりではない。今はジョン・ラスキンの記念碑とキャノン・ローンズリィの記念碑のある東湖畔のフライアーズ・クラッグから眺める素晴らしいダーウェント湖畔の美しさとダーウェントウォーターを取り巻く自然のままの落ち着いた山脈(やまなみ)に圧倒される人ならば、出来るならば一度だけでもこの湖を一周したいと願うはずだ。私自身、1988年6月16日、ケジックの町から午前10時頃、ダーウェントウォーターの西岸に沿って歩きはじめた。先に記した南岸伝いを歩いてフライアーズ・クラッグに着いたのが、夕方の6時を過ぎていた。その間いくつかの体験をしたのだが、次のことだけを記しておこう。静寂な西岸に沿って歩いているうちに会った1人の青年に私は尋ねてみた。「もしここにモーターボートが走ったら、ナショナル・トラストは……？」。彼は即座に「ストップ！」と私に言った。そうなのだ。トラストは1907年のナショナル・トラスト法で付属定款(Bye-laws)を作る権限も与えられているのだ。先に記したように、トラストはこの湖で航路権も持っている。それにトラストの資産内で他人に迷惑行為をする者には、それをトラストが停止する権限を付属定款によって付与されている。

1991年7月19日に、私はウィンダミアのフェリィの渡し場から西岸に渡り、そこから湖畔を歩きながらアンブルサイドへ向かった。その日の手帳をみると、湖―モータリングと書かれている。また同じページに「科学は人間を大地から切り離す」とも書いている。確かにあの日のウィンダミアの西岸での期待されたEnglish meditation（イギリス人の瞑想）はモーターボートの騒音で半減させられたようだ。ウィンダミアでのナショナル・トラストの航路権はどうなっているのだろうか。その日の疑問は未だそのままだ。怠慢としかいいようがないが、これを機会にその疑問を払拭しなければならない。

ただ、もしこの時の光景をローンズリィが知ったならば、彼はどうしただろうかとも考えた。彼は湖水地方の番犬と言われた人物だ。一つだけこれに類した事実を紹介しておこう。先のダーウェントウォーターでの彼の功績の3年後のことである。1912年、ウィンダミアで水上飛行機を飛ばそうという計画がも

フライアーズ・クラッグから見た名湖ダーウェントウォーターの夕闇迫る風景
(1995.8 著者撮影)

ちあがった。これは危険であるばかりか騒音と醜悪さをもたらすものである。それ故に保養地であるこの地方の生業をも危うくするものであると彼は怒りにふるえたのである。少し長いが彼の言った言葉に耳を傾けて欲しい。「私は人の楽しみを邪魔したり、国民のために役立つ科学を妨げたりするのを望んでいるのではない。人々の安寧と休養に役立っているこの景勝の地に軽率にも無分別に襲いかかるのではなくて、このような実験をするのにふさわしい場所が他にあるはずである。……イギリスの湖を平穏に保つために闘っていることが、利己主義であるというのならば、すすんでその非難を受けよう」と。幸いにこの計画は、ローンズリィをはじめ住民たちの反対によって実現されなかった。しかし当時この地をトラストのものにする機会に恵まれなかった彼は、この国に絶対に必要なものが公共団体や私企業の思うままに次々と壊されていくのにいらだちを覚えざるをえなかったのである[33]。今日、ウィンダミアの西岸は、湖畔ばかりでなく、その内陸部に至るまで大部分がトラストの資産となっており、内陸部に入れば間違いなくその静寂を享有できる。上記の例は現実のイギリス

とナショナル・トラストとを比較考量するのに好適かも知れない。

　ところでダーウェントウォーターの件については次回報告書で解決することを期待して次の問題に移ろう。

　この同じ年、すなわち1909年にトラストにやって来たのはデヴォンシァ北部の岬であるモート・ポイントの突端をなす52エーカーの贈り物であった。これはミス・ティチェスターが亡くなった両親を記念するためにトラストへ信託したものであった。彼女の願いは、ここをできるだけ自然のままの状態で保存して欲しいということであった。ここはまたローンズリィの *A Nation's Heritage* (London, 1920) の中でも紹介されているとおり、古い歴史と深い関係にあるところでもあり、それ自体多くの魅力を備えているところである[34]。ローンズリィも言っているように、ここは遠隔の地である。まして異国人である私にとってはさらに隔った土地である。しかし一度はこの足で立ってみたかったところだ。

　ついにその機会が来た。1996年8月6日だった。ロンドン・パディントン駅から列車でエクセターへ。そしてそこで乗り換えてバーンスタプル (Barnstaple) 駅へ。それからこの町のバス・ステーションからイルフラクーム (Ilfracombe) へ向かう。翌朝イルフラクームからバスでモート・ポイント近くのバス停で降りた時は強風と雨だった。強風をものともせず、モート・ポイントの突端へ。なんとしてでも突端を突き止めたい。先端辺りであまりの強風に岩石に抱きついたが、これで満足することにした。ようやく戻りついたバス停近くの店で休ませてもらって、次はウラクームの浜を目指す。強風と強い雨に煽られたとは言え、モート・ポイントの突端からウラクームの弓形をなす砂浜とバギー・ポイントは眼にした。ウラクームへ行きたい気持は少しも衰えない。それはともかくこの報告書の説明には、モート・ポイントは冬は吹きさらしで、その名が意味するように、船人には死の危険さえもあるところだと記されているが、私は夏にこれに似たような体験をしたのだろうか。しかし他方では、晴朗の日には、モート・ポイントはとても穏やかだとも書かれている。そう言えば、帰り際、数名の釣り人に会ったが、彼らが「今日は（波が）マイルドではない」といっていたのを思い出す。私は幸運にも両者の体験をしたというべきだろう。

第1章　第1次ナショナル・トラスト法の付与

フォアランド・ポイントを前に。手前にはトラストの要領を
得た歩行者に対する注意書きがある。　　（1996.8　著者撮影）

　ミス・ティチェスターはモート・ポイントをゆったりとした気持で寛げるようなところにしたいと希望しており、むしろ近在から誰でもしばしば来れる場所にしたいと希望している。トラストとしても、彼女のこのような先見の明のある考えに大賛成であることを強調していたことは、ここに記しておく価値があると思う[35]。私自身、ウラクームの砂浜を踏みしめ、その後イラフラクーム行きのバスに乗り、そこで北サマセットの保養地であるマインヘッド行きのバスに乗り換えた。この日はあいにく悪天候で、時たま強い雨に打たれたバス旅行であった。リントンを経てリンマスで降りた。バスを降りたときは雨は止んでいたが、私が泊まるホテルを運転手氏が何度も教えてくれたのを思い出すのは懐かしいものだ。翌日は晴朗の日。この日はここから数キロメートル山奥にあるウォータースミートに行く日だった。ここにお昼頃着き、それからサマセットとの境界近くにあるデヴォンシア北部の最北端にある急峻な岬であるフォアランド・ポイントを目指し、無事そこに立つことが出来、そこを経てリンマスに到着したのはもう夕方だった。この時の体験については後でまた書くこと

もあるはずだ。
　再び1909年に戻ると、ブリストルのあの有名なクリフトン・サスペンション・ブリッジを渡ったところにある素晴らしい森林地である約70エーカーのリー・ウッズ（Leigh Woods）がトラストへ贈与された[36]。現在、ここはもっと面積が増えて、国指定のエイヴォン・ゴージ自然保存地（The Avon Gorge Nature Reserve）となっている。私自身、1985年に、ここをはじめて訪れ、強い印象を受けたことを今でも忘れられず、2000年3月、1907年トラストが管理することになったWestbury College Gatehouseを見た後に、再びここを訪ねてみた。私が目指した当時狭く囲まれた自然保存地を見つけることはできなかったが、ここも決して私のあの時の強い印象を裏切ることはなかった。それと同時にこの自然のままのエイヴォン・ゴージ自然保存地が現在、ブリストルの郊外の肥大化（suburban sprawl）を食い止めていることも書き留めておこう。
　さて1910年の第15回年次報告書の冒頭文を要約すれば次のとおりである。「トラストの影響力とトラストおよび類似の団体の活動成果が、多くの方面で成長しつつある」。因みにトラストに加盟している友好団体の数は27団体である。それからトラストの資産目録に従って獲得資産数をあげると、1908年に6、1909年に4、1910年に6となっている。
　ここではまず、われわれにとっては極めてユニークと思われる例から始めよう。1909年はじめ、ウィンザー城とイートン校の間に所在するゴスウェルズ（Goswells）の一部をなす牧場が住宅用地として売りに出された。これが実現されたらテムズ川からのウィンザー城の有名な景色を壊すことは必至であった。幸いにも、この時は未だ存命中であったエドワード7世が、この牧場の保護に強い関心を示し、このことがトラストへ伝えられた。即ちこの牧場の購買費の募金活動が始まれば、内廷費（Privy Purse）から500ポンドを寄付するとのことであった。募金活動が開始されたのは勿論のことである。ウィンザー市長も一役買ったし、ジョージ王（当時皇太子Prince of Wales）や、ルイーズ王女（アーガイル公爵夫人）、その他の人々も寄付金を施してくれた。皇室は国王領収入から下賜金も与えてくれた。土地購買に要する費用の約3,000ポンドが集まり、1910年無事この土地はナショナル・トラストへ贈与された[37]。
　ロンドン近郊のハインドヘッドでは、ハインドヘッド・コモンに隣接する土

地約36エーカーが、近隣の人々の寄付金によって購買され、その守備範囲をさらに広げることになった。

　次は同じくロンドン近郊トイズ・ヒル一帯について少し述べねばならない。これまでトイズ・ヒルの保護に献身してくれた1婦人が亡くなった。しかし彼女はトラストの目標とする大義を忘れてはいなかった。彼女の遺言によって約18エーカーのブラステッド・チャートが残された。そしてトラストが、ここは、トラストの目的に共鳴してくれる彼女の永遠の記念の地になるのだと明言している[38]。

　次はいよいよ前回の年次報告書で報告しておいたダーウェントウォーターの件に、再び戻ることにしよう。前記レコンフィールド卿の有する航路権や彼が領主権として所有している土地に桟橋や船着場をつくる権利の購買については、無事解決したこと、そして購買費200ポンドの募金も無事果たされたことが報告されている。勿論かかる問題を解決するためには、法律による解決という方法もあるけれども、これには費用もかかるし、時間もかかる。それに当事者間の友好関係が失われる危険性もある。このように考えると、このような方法に訴えることは賢明ではない。それよりも時間をかけて、慎重に交渉を続けて、友好的な話し合いをもつほうが賢明であろう。このような判断によって続けられたトラスト側の真摯な努力によって、この問題は無事解決されたというわけである。そしてケジック町会がもう一方の航路権を購買する件も無事解決した。それからこの湖のあと3分の1の航路権についても、注(32)で触れるように、これも無事解決された。このようにしてダーウェントウォーターは事実上、国民の資産として、今や一般大衆はイギリスで最も美しい湖のひとつを十分にかつ自由に享有できる権利を保証されたのである。

　それにまたこの頃、トラストは村落地のボローデイルを獲得するために主要なエネルギーを注ぎつつあった。ダーウェントウォーターとボローデイルは相互に連なっており、両者が相俟ってこそ本当の魅力が醸し出されるのである。ダーウェントウォーターは確保できた。今度はボローディルを確保する番だ。ここはグレンジ橋からロスウェイトの村落が開けるところまでで、距離にして1マイル以上でダーウェント川の右岸に位置する。公道はダーウェント川に沿って走っており、アクセスはいずれの側にも容易である。道と川のそばには豊

かな緑濃い放牧地があり、またこの土地はボローデイルの名と関係のあるカバの木（birches）が繁っており、山の上の方は岩石が多く、ヒースやワラビやカラマツなどで色彩豊かに彩られている。ボローデイルの村落地の東側に位置する山岳地帯であるグレンジ・フェル（Grange Fell）から見る光景は周囲の山々や谷あいの素晴らしいパノラマに満ち、すぐ眼の下にはダーウェントウォーターの水がキラキラと光っているのが見える。いつだっただろうか。私たち夫婦がバトリック夫妻に連れられてこの頂上に立ったのは。とてもよく晴れた日だった。ダーウェントウォーターを眼下に見ながら、今は亡きバトリック夫人の御主人と湖水地方やナショナル・トラストのことなどを話し合ったことが偲ばれる。やがて私たちはボローデイルの村落地へと降りて行ったことも決して忘れられない思い出である。

　この地を獲得するための2,400ポンドの基金を集めるためのアピールが発せられた。もうすでに半分程のお金が集められている。実際の購買価格は2,140ポンドだが、いつものとおり、法定費用や他の予備費を考慮して、十分に余裕のある寄付金を集めねばならない。1エーカーの値段は7ポンド7シリングで、これはグレンジ・フェルを含む310エーカーのボローデイルを保護するにはとても安い価格だと考えられた[39]。一刻も早い実現が期待された。

　他には歴史的建築物の保護について、トラストが数年前からロンドン東部のショアディッチ（Shoreditch）にある18世紀初頭の慈善院（Almshouses）の保存問題に関わったり、またロンドン近郊のクロイドンにあるWhitgift Hospitalが道路を拡幅するために壊されようとしていることに言及している。幸いにこのエリザベス時代に建てられた見事な建物を壊す計画は強い反対にあって破棄されることになった。本当にこのようなことは、もう二度と聞きたくないと結んでいる。

　この1910年という年は、トラストにとって質量共に飛躍の年だった。この年がやはりトラストの歴史の一区切りをつけたのだと思わせるような記事を最後に二つ載せている。紹介しておこう。

　年会費によるトラストの収入がきわめて少額であることが、これまで何度も問題になった。普通会員の会費は創立の年の10シリングのままである。会員数は増えてはいたが、未だ650人に過ぎなかった[40]。これを機会にトラストの評

グレンジ・フェルからダーウェントウォーターを眼下に。
左側にはボローデイルの村がある。　　　（1995.8　著者撮影）

　議会は、タイムズ紙に載った1910年の3月26日の論説をこの年の報告書に載せた。「ナショナル・トラストは個人の努力を集中させ、それを凝集させて効果を発揮させるための極めて価値ある団体である。1人では国民に丘の斜面も中世のマナー・ハウスも、またショアディッチのような人の混んでいる地区にある貴重な敷地を占めている美しい古い建物も与えることはできない。しかし多くの人が集まれば、彼らはナショナル・トラストに現在実行中の保護計画を成就させ、かつまたトラストのもつ将来への展望を広げることを可能にすることができるだけの財政的な支援を十分に与えることができる」。
　最後の報告は、ミス・ジュリア・ルーシィ・ウッドワードの死亡報告である。彼女こそ、1907年、ついに獲得できたバリントン・コートの購買費1万500ポンドのうち1万ポンドを差し出してくれた人である。彼女はバリントン・コートが獲得されてからののちも、名前を伏せてくれることを希望していた。しかしこの際、トラストの感謝の気持を国民に表明するために、彼女の名前を公開するのを許してほしいと報告書は記している。彼女は長年の間、トラストの会員

でもあった⁽⁴¹⁾。それに当時の1万ポンドは、トラストにとってどれ程の価値を有するものであっただろうか。1907年のバランス・シートから得られるほぼ1,410ポンドのトラストの余剰金から考えるだけでも、いかに大きなものであったかが自ずと判断されるはずだ。バリントン・コートがトラストの資産になってからの経緯については第1節で述べたとおりである。トラストが彼女の信託に応えているかどうかを確認するためには、現在のバリントン・コートを訪ねるのが一番いい。きっとあなたはトラストが彼女の信託に応えていることを確信するにちがいない。今でこそバリントン・コートには農場が付属していないが、トラストは会員ばかりでなく、地域の人々ともパートナーシップを組んでいる。バリントン村にいけば、バリントン・コートとそこの地域社会が渾然一体となって息づいているのがわかるはずである。バリントン・コートには年間5万人の人々が訪れている。そこで働いているトラストの職員やボランティアの人たちが生々として働いているのを見るのも楽しい。

---

(1) 私が1991年7月16日、レディング大学で、当時のナショナル・トラストの理事長アンガス・スターリング氏へ宛てた手紙の中で、カントリィ・ハウスの重要性を認めつつも、大地のもつ重要性と農業保護の必要性をとりわけ強調したのには理由があった。1985年以来、私は渡英の度に、意識的にトラストのオープン・カントリィサイドを歩き続けた。次第に大地と農業のもつ重要性に気付きはじめていた。それには私が私の郷里である志布志湾問題（当時の新大隅開発計画）に長年の間関わっていたことも大いに役立っていると考えている。それに当時イギリス人の間にもトラストとカントリィ・ハウスが直線的に考えられる傾向があったように思われたからである。
(2) このイギリスの口蹄疫の実情については、拙稿「口蹄疫のなか、ナショナル・トラストをゆく」『人間と環境』（日本環境学会、2001年10月号）を参照されたい。
(3) *Annual Report to Members 2000/2001*（The National Trust, 2001）, p.3. pp.7-11.
(4) *Twelfth Annual Report*（The National Trust, 1906-07）, p.3.
(5) *Ibid.*, p.5.
(6) *Ibid.*, pp.8-9. Graham Murphy, *Founders of the National Trust*,（London, 1987）p.121, 四元忠博訳『ナショナル・トラストの誕生』（緑風出版、1992年）175頁。
(7) *Twelfth Annual Report, op.cit.*, p.9.
(8) *Ibid.*, pp.11-17.
(9) *Ibid.*, pp.17-18.
(10) *Ibid.*, p.19.

第1章　第1次ナショナル・トラスト法の付与

(11) Ibid., p.4.
(12) 以上、「一方、サマセット州スピンスターのザ・ノウル・クリーヴドンのジュリア・ルーシィ・ウッドワード（以下、売却人と称するが、これは彼女の相続人の指定遺言執行者、遺産管理人および譲受け人を含む）と、他方、登記事務所をウェストミンスター　S. W. ヴィクトリア・ストリート25番地に有する歴史的名勝地および自然的景勝地のためのナショナル・トラスト（以下、トラストと称するが、これはトラストの継承者および譲受け人を含む）との間で1905年8月11日に交わされた合意書」。

「一方、サマセット州スピンスターのザ・ノウル・クリーヴドンのジュリア・ルーシィ・ウッドワードと、他方、1867年会社法第23条の条項に従って、商務省の認可のもとに登記され、そしてその登記された事務所をロンドン・ウェストミンスター・ヴィクトリア・ストリート25番地に有する会社である歴史的名勝地および自然的景勝地のためのナショナル・トラスト（以下、トラストと称する）との間で1907年7月8日に交わされた契約書」。

「この契約書は、一方、サマセット州スピンスターのザ・ノウル・クリーヴドンのジュリア・ルーシィ・ウッドワードと1867年会社法第23条の条項に従って商務省の認可のもとに登記され、そして登記された事務所をロンドンのウェストミンスター・ヴィクトリア・ストリート25番地に有する歴史的名勝地および自然的景勝地のためのナショナル・トラスト（以下、トラストと称する）との間で1907年（？）の（？）日に交わされたものである」。なお年金400ポンドが200ポンドに減額されたという事情は、2001年1月15日のナショナル・トラストのProperty Manager, South Somersetの Mike MacCormack氏からの手紙による。なお基本定款の第8条については、前編で紹介したとおりだが、再び記せばこうである。「国民のために、永久に保存するという目的で、トラストの資産となる自然的景勝地および歴史的名勝地は、トラストが解散するかあるいは他のいずれの場合にも、トラストの目的と合致しない方法で売却されたりあるいはその他の方法で処分されてはならない」。なおナショナル・トラスト法が制定されたのは1907年8月21日である。最後になったが、上記の合意書および2通の契約書については、手書きの上に解読不能の部分が多かった。それ故に恩師浜林正夫先生および上記Mike MacCormack氏からの何回にもわたるご教示がなかったならば、到底解読しえなかったであろう。ここに感謝の念を表したい。

(13) *Thirteenth Annual Report*（The National Trust, 1907-08）, pp.8-9.
(14) Ibid., p.17.
(15) *Tenth Annual Report*（The National Trust, 1904-05）, p.5.
(16) *Fourteenth Annual Report*（The National Trust, 1908-09）, p.10.
(17) Ibid., p.20.
(18) H.D.Rawnsley, *A Nation's Heritage*（London, 1920）, p.88.
(19) The National Trust, *Barrington Court*（The National Trust, n.d.）, pp.6-7.
(20) The National Trust, *Barrington Court*（The National Trust, 1997）, p.4.

(21) *Ibid.*, p.7.
(22) マナー・ハウス（manor house）：マナー（manor）はイギリス封建社会における領主支配の物質的基礎をなした所領の単位である。それにマナーは土地領有の単位であるから、行政上および司法上の単位でもあるので、農業組織の単位でもあった。このように考えると領主支配の中枢をなしたものがマナー・ハウス（荘館）であり、そこに領主の土地管理人なり領主自身が、原則として居住してマナーの経営に当たった。バリントン・コートの場合、領主自身が居住していたので、この建物自体、写真にあるように16世紀テューダー王朝時代に建てられた、相当に広壮な建物である。
(23) *Ibid.*, p.4. なお、バリントン・コートとナショナル・トラストとの関係については、上記資料の他に Property Manager, South Somerset の Mike MacCormack 氏との何回かにわたる手紙からも多くの教示を受けた。
(24) カントリィ・ハウス：一般的には地方にある地主貴族の大邸宅を言うが、18世紀ともなると、封建的領主制も崩れ、いわゆる三分割制（地主、借地農、農業労働者）を代表する資本制的農業生産様式が成立してくる。それに東インドや西インド植民地貿易などに従事していた大商人で、成功した人々は、イギリス本国に帰り、ロンドン近郊あるいは地方に広大な土地を求めて、そこに豪華な邸宅を建て地主社会に溶け込んでいった。このように考えると適当な日本語訳が見つからず、そのままカントリィ・ハウスと表わすことにした。なお16世紀のマナー・ハウスでもあるバリントン・コートについての記述（96-100ページ）からでも十分に理解できると考えるが、念のために次のことを記しておきたい。1940年、「カントリィ・ハウス保存計画」のもとに、最初にナショナル・トラストにもたらされた大邸宅であるブリックリングの有する土地は約4,700エーカー（1エーカーは約0.4ヘクタール）である。したがってこの大邸宅の周囲には森あり、庭園あり、畑地、牧場そして集落地などがあって、一つのオープン・カントリィサイドを形成している。
(25) Robin Fedden, *The National Trust - Past and Present* (London, 1974) 四元忠博訳『ナショナル・トラスト――その歴史と現状』付録222頁（時潮社、1984年）。
(26) *Twelfth Annual Report, op.cit.*, p.18.
(27) *Thirteenth Annual Report, op.cit.*, pp.5-6.
(28) 「ナショナル・トラストを訪ねて―望むべき国民経済を求めて―」（『日本の科学者』2001年2月号Vol.36 No.2 通巻397号）26-27頁。
(29) *Thirteenth Annual Report, op.cit.*, pp.6-7.
(30) *Fourteenth Annual Report, op.cit.*, pp.3-4.
(31) 領主権 manorial rights。マナー（荘園）は封建制の社会的・経済的基礎をなすものである。マナーの領主権の対象をなすものが農奴であり、かつ彼らを支配するための領主裁判権であった。かくて領主権の主軸をなすものが農奴からの地代徴収権であった。そしてそれに付随するものとして、鉱山採掘権や市場開設権など、それにここでたびたび出てくる木材代採権や漁業権、狩猟権、航路権などが含まれる。領主権が実際上消滅していくのは18世紀になってからで、資本主義経済が支配的になってか

らである。しかし領主権が形式上もなくなるのは、法的にはLaw of Property Act 1925（財産権法）が領主裁判所（manorial court）を廃止してからである。
(32) *Ibid.*, pp.5-6.しかし、あと3分の1の航路権が残っている。この航路権は一体どうなっているのか。確かにこのことについてこの報告書は何も触れていない。しかし次回報告書を読めば、わかるように、この時すでにこの3分の1の航路権の取得はほぼ確定的であったと考えられる。というのはこの残りの3分の1の航路権は、ボローデイルの数名の有志に属しており、これもトラストへ譲渡することになっていた。しかしまだ最終的な決定までには至っていなかったのである。
(33) 拙稿「第10章　湖水地方の番犬―ナショナル・トラストとローンズリィ―」浜林・神武編『社会的異端者の系譜―イギリス史上の人々』（三省堂、1989年）251-252頁。
(34) H.D.Rawnsley, *A Nation's Heritage*（London, 1920）, pp.119-129. なお、Graham Murphy, *Founders of the National Trust, op.cit.*, pp.122-23. 拙訳前掲書、178頁。
(35) *Fourteenth Annual Report, op.cit.*, pp.8-9.
(36) *Ibid.*, p.9.
(37) *Fifteenth Annual Report, op.cit.*, pp.6-7.
(38) *Ibid.*, pp.8-9.
(39) *Fifteenth Annual Report, op.cit.*, pp.9-11.
(40) ロビン・フェデン著、四元忠博訳前掲書220頁。
(41) *Fifteenth Annual Report, op.cit.*, pp.15-16.

第2編　ナショナル・トラスト運動の展開

第2章
新たな前進へ向けて―創立者たちの死
（1911～1920年）

第1節　オープン・カントリィサイドの獲得に向けて

　1911年の第16回年次報告書によると、この年度をもってトラストは再び新たなステップへ向けて歩きはじめた。前述のとおり、ボローデイルとグレンジ・フェルを含む合計310エーカーは、牧師のハードウィック・ローンズリィの献身的な努力も加わり、無事購買された。いよいよダーウェントウォーターを取り巻く地帯は、点と線だけではなく、大いなる面へ向けて動きはじめた。これもトラストの自然保護活動の価値が地元の人々に認識されはじめた結果なのだ。これがまた他のところでも引き継がれていくはずだ。

　次にロンドン近郊のトイズ・ヒルから東へ6kmほどのところにあるワン・ツリー・ヒル（One Tree Hill、34エーカー）が確保された。ここはある人物を記念して贈与された山林地である[1]。これ以降とくに物故者を記念して購買されるか、あるいは贈与される資産がますます増加することになる。私がこの山林地の歩道を歩いたのは二度だ。一度はセヴェノークス（Sevenoaks）の駅から歩いて、トラストの資産である広大な土地を有するカントリィ・ハウスのノウル（Knole）に到着。そこから鹿の遊ぶ敷地内を通り過ぎて、しばらくしてこの山林地に入った。実はここを歩くのが目的ではなく、ここを通り過ぎたらすぐに着くと思っていたアイタム・モート（Ightam Mote）に行くつもりだった。ここもカントリィ・ハウスだが、最近トラストの資産になったところだ。ところが途中で2組の中年の夫婦が弁当を広げて休んでいるところに出くわし、話し込んでしまった。今回はアイタム・モートへ行く道を確かめて、引き返すことにした。ワン・ツリー・ヒルに入ったところで、今度は老夫婦に会い、また話し込む。楽しい一日だったが、これらのことを書く余白が無いのが残念だ。

　次に獲得されたのは、同じくロンドン近郊のヘイズルミアとハインドヘッド

近くにある約80エーカーを占めるマーリィ・コモンであった。実はここは6〜7年前囲い込まれたところであり、最近の法律から判断して正当なものとは考えられない。しかしダーウェントウォーターの場合と同じく、法律に訴えるのではなく、誠意のある話し合いを続けて円満な解決を図るほうが得策である。その結果、この土地は地元の人々によって集められたお金で購買された[2]。

　次も同じくロンドン近郊のライゲイトにあるほぼ60エーカーのコリー・ヒルを購買しようとの話である。すでに購買価格7,700ポンドのためのアピールは発せられている。ここはすでに人口も増え、この丘の裾野の辺りにはいくらか住宅も建っている。コリー・ヒルの頂上に自由にアクセスし、そしてこの丘のスカイラインのもつ魅力と美しさを十分に享有するために、なんとしてでもこの丘を確保しておきたい。ここを訪れる人々のためにさわやかな風と広い眺望をいつまでも確保し続けておきたい。それに、この土地は各種の動植物のサンクチュアリィとしても役立つはずである[3]。ハードウィック・ローンズリィは、タイムズ紙上で、読者に次のように訴えている。「この土地がナショナル・トラストのものになるならば、ここは単なる公園として利用されるのではなく、できるだけ自然のままの土地として保存されることになる。すなわちトラストとしては、ここを多くの種類の鳥や昆虫と花のサンクチュアリィとして保存しておきたい。それらは、サリー州のこの地区では人口の増加と建物の増築のために、年々少なくなっている。…トラストに与えられたオプションの期限は1912年2月15日である。できるだけ早く寄付金を送ってほしい」[4]。

　最後にロンドン東部のショアディッチにある慈善院の保存については、ショアディッチ行政区やロンドン市当局などからの協力が得られ、漸く実現に漕ぎ着けた。これからはロンドンっ子たちが、いつまでもこれらの建物を賞賛し、享有できるように保存され続けることを期待したいと表明している。

　1912年の第17回年次報告書で、トラストの活動が前進を続けていることが分かる。
　ライゲイトのコリー・ヒルの保存計画（7,700ポンド）は、前回報告書で記したとおりだが、なにせ金額が大きい。しかしこの計画自体、地元でも強く推奨されているのだから、一般大衆にも訴えて、この計画を完成させなければなら

ない。幸いにライゲイト町会が500ポンドを寄付してくれた。あと残りの金額はおよそ800ポンドである。支持者に更なる支援を訴えなければならない[5]。

湖水地方では、1906年に購買されたアルスウォーターのガウバロウ・フェル（750エーカー）に隣接するスタイバロウ・クラッグ（5エーカー）が買い足された。ここはアルスウォーターの湖畔に沿った細長い森林地で、主として地元の人々の寄付金によって実現したものである[6]。

次は約1,100エーカーもの広大な面積をもつノーフォーク北部の海岸地が数名の匿名者たちによって購買され、それがトラストへ寄贈されるという通知が入った。こここそノーフォークに典型的な、美しい海岸地のブレイクニィ・ポイントだ。ここの渚には延々と砂浜が続き、砂丘は丸い小石でできており、色々な点で極めて興味深い大地をなしている。自然科学に疎い私でも、ここに足を踏み込んだとき、ここが鳥類学者や生物学者、そして自然地理学者たちにとって、何者にも替え難い宝であることが一目でわかった。海ではアザラシさえ泳いでいるのが見られた。ブレイクニィ・ポイントについては後で触れることもあろうが、寄贈者たちの贈与の条件は、ここを自然のままの動植物（natural fauna and flora）の資産として保存するということであった。もちろん、トラストがこの条件を受け入れたことは言うまでもない[7]。

次はウィッケン・フェンの敷地の増大である。熱心なナチュラリストからの239エーカーの遺贈である。彼はトラストがこの湿地帯を自然保存地として保存する最適の機関であると考えたのである。ところでこの頃は、すでにロイド・ジョージの人民予算が実施されている。周知のように、相続税がきわめて高いために、トラストとしても自らの資産を保護するのに難渋していることは、他の人々と同じである。しかし匿名の寄付者のお陰で、トラストは、このもっとも興味ある湿地帯の大部分を保存し続けている。その他に約6エーカーの湿地を寄贈してくれた人もいる。これも勿論ウィッケン・フェンの貴重な増加分である[8]。

それからウェールズ北西部のアングルジィにあるセマエス（Cemaes）湾近くのスラン・スライアナ（Llan-Lleiana）の岬の約4エーカーの土地が、1907年以来、歩行権の件で未解決中であったものが、今回漸く解決して、トラストへ贈与されることになった。この件の解決は、入会地・オープン・スペース及び歩

第2章　新たな前進へ向けて——創立者たちの死

北海に面するノーフォークにある広大なブレイクニィ・ポイントの一角
（1995.7　著者撮影）

道保存協会（入会地保存協会CPSの改称名）の尽力によるものである[9]。

　次はロンドン近郊のトイズ・ヒルに連なるマリナーズ・ヒルの購買の件についてである。マリナーズ・ヒルについては、すでに1904年に3.5エーカーが、次いで1908年に8エーカーがオクタヴィア・ヒルを通じて贈与された[10]。今度はほぼ14エーカーの土地が1,500ポンド（住宅用地としては相当に低い評価額）で、所有者からトラストへオプションが与えられた。もしこれが実現すれば、トラストのもつマリナーズ・ヒルはすべてが自然の美しさのままに保存され、永久にその美しさが損なわれることはないだろう。現在すでに1,000ポンド以上が寄付金として受け入れられている。あと500ポンドである。

　次は湖水地方である。その対象地はアンブルサイド近くのウィンダミアの北端にあるローマ時代の要塞のある20エーカーのボランズ・フィールド（Borran's Field）である。実はこの土地は、すでに建築用地として売られていたが、所有者が6ヵ月間のオプションでトラストに購買する機会を与えてくれた

ものである。価格は4,000ポンドである。この土地は湖畔の牧草地の中に、ローマ時代の要塞が未だ発掘されないままで残されている極めて重要な土地である。そのうえにこの土地はウィンダミアからアンブルサイドへの主要道路に沿っており、確実にこの湖の美しさに甚大な影響を与えるはずである[11]。

　最後に、リンカンシァのタッターシャル城が売りに出されたが、結局高価なために、トラストはこれを購買できなかった。しかし幸いにカーゾン卿がこれを買い取り、修復に努め、この城を救った[12]。そして1925年、カーゾン卿が死亡したとき、彼が所有していたイースト・サセックスにあるボーディアム城とタッターシャル城が遺贈されることが分かった。この時、相続税が問題にされた[13]。相続税については、前編でも触れたように、1894年のトラストの発会式の日に、トラストに献呈される資産に対しては相続税が免除されるべきであるという決議が通り、その決議文を大蔵大臣に送付している。しかし本格的には1925年をもって、トラストが相続税問題を解決するために動き出したと言っていい。

第2節　戦時中のナショナル・トラスト運動

　1913年の第18回年次報告書と一緒に、オクタヴィア・ヒルの国民への、特にロンドン近郊に居住している人々への要請文が記載されている。これはタイムズ紙の1912年7月2日付けのものである。全文を紹介する余白はないが、彼女の意図を紹介しておこう。

　　ケント、サリー、そしてハンプシァは、……極めて見晴らしの利くところで、その価値を高めつつあります。これらはロンドンに近いということもあって、歩行者、サイクリスト、そして……庭のない多くの家族の人々が、それらの丘陵から生じる爽やかな風を楽しんでいます。増え続ける人々がこれらの広くて美しく、そして空気の美味しい丘陵地に出入りできることは大変大切なので、色々な地域の人たちが最近積極的に、これらを保護するための計画を組織しつつあります。ヘイズルミアでは次々とこのような土地が買われてきましたし、ライゲイトではコリー・ヒルの購買がもうすぐ目の前です。……イード・ヒルやトイズ・ヒルでは、小さな面積

が確保されております。

　私は今、美しくて素敵なマリナーズ・ヒルの土地の購買を完成させたいと願い、読者の方々に筆をとっているのです。……ここは大変見晴らしのきく、とても素敵なところなのです。ここは一部は雑木林で、また広々とした牧場もあります。……この土地所有者の好意で、トラストは建築用地としてははるかに安い値段で、購買のオプションを与えられました。必要な金額は、1,550ポンドですが、そのうち1,025ポンドは確保されています。……皆さんからのナショナル・トラストへの援助を心から期待しております。寄付金は私の所へ送っていただくか、トラストの事務所（the National Trust, 25 Victoria Street, S. W.）へ送っていただければ大変嬉しく思います。

オクタヴィア・ヒル

　残念だが、ヒルはこのアピールを書いた後、同じ年月に死去した。彼女のトラストへの貢献度は計り知れなかった。彼女はまたトラストの仕事と一体であったことの証拠として、200ポンドの遺贈金もトラストへ残してくれた[14]。彼女の死については、改めて書くことにして、とにかくトラストが第18回年次報告書で、どのような仕事を行ったかを見てみることにしよう。

　マリナーズ・ヒルの獲得は、ヒルの最後のアピールになったが、これは幸いに彼女の生前に実現された。ここの広さは25.5エーカーだが、この土地がロンドン近郊にあるという点から、極めて貴重である。

　湖水地方のアンブルサイド近くのボランズ・フィールドの購買については、ローンズリィなどの努力によってついに成功した。それにジャーナリズムからの協力も大きかった[15]。この古代ローマの要塞の発掘も行われることになっているが、その時には地元の人たちばかりでなく、一般大衆にもこの古代ローマの要塞に興味を持たせることになろう。

　この要塞は、ウィンダミアからアンブルサイドへ行く主要道路から左へ入ってすぐの所にある。かつて私はここを訪れたことがある。その時そばに居合わせた中年の婦人に話しかけると、古代ローマの要塞の跡であることを説明してくれた。イギリス人が歴史好きであることは有名な話だが、ローンズリィが言うように（The Times, 1905.1.5 p.9）郷土史を学ぶことが郷土愛を育む大きな要因

であることは間違いない。それからこの牧場から湖のほうを眺めると、左のほうはホテル街がそこまで延びてきている。右のほうは自然のままだ。ボランズ・フィールドの持つ役割は一目瞭然だが、湖水地方を訪れる人ならば、必ずこの光景を眼にするはずだ。

　ダーウェントウォーターでは、地元の人たちの力で、あのマネスティ・パークのうち10.5エーカーが有利な条件で再びトラストの土地に加えられた[16]。

　ウィッケン・フェンについては、前年度の239エーカーの遺贈地受領に係わる困難な手続きが無事終わった。地方管理委員会が任命され、これからはこの委員会が管理・運営の責任を取ることになった。ウィッケン・フェンは、イースト・アングリアでは最古の湿地帯のうち最後に残された地区であるので、ここが無傷のままで残るのはなんとしても貴重である。

　ブレイクニィ・ポイントについても言及されている。ここを自然保存地（nature reserve）として守っていこうという意気込みが感じられて心強い。ここでも地方管理委員会が設立され、一般大衆のアクセスについても当然注意を払いながら、この土地の保護のために適切な規制が作られたとある[17]。

　上記のとおり、トラストの実績は着実にあがり、例えばトラストの資産は59となり、所有面積はほぼ6,000エーカーにまで増えた。したがってトラストが有益な仕事を行っているという認識は高まりつつある。しかしこれ以上の仕事を行うには、資金が必要である。トラストが自由に使える資金が増えれば、もっと多くの仕事ができるはずだ[18]。これがトラストの評議会の見解である。だからトラストの収入を増やすために、トラストの会員を増やさなければならないというわけである。しかし1913年の会員数は700名である。実績に比べて、会員数は異常に少ない。

　ところで1914年5月9日に、スペクテイター紙にナショナル・トラストの執行委員会の議長プリマス伯爵とローンズリィの連名によって、オクタヴィア・ヒルを記念するために資産を獲得するための要請文が掲載された。この記事が1914年の第19回年次報告書の前文に載っている。この要請文の要点を記しておく。

　彼女とともに働いてきた私たちとしては、彼女を記念して、将来の世代

第2章 新たな前進へ向けて——創立者たちの死

のために永久に保存すべきものを残しておきたいと思います。そのために最もふさわしい土地としてサリーのゴダルミングから5kmのところにあるハイドンズ・ボールの森があります。この森こそ休息と美しさを堪能するのにとても素敵なところです。この92エーカーの森は5,500ポンドであり、すでに2,000ポンドが集まっています。残りの3,000ポンドを集めて欲しいものです。購買のためのオプションはあと数ヵ月しか残されていません。この記念事業を完成させるために、ご協力をお願いします。

　　　　　　　　　　　プリマス
　　　　　　　　　　　ナショナル・トラスト執行委員会議長
　　　　　　　　　　　H. D. ローンズリィ
　　　　　　　　　　　ナショナル・トラスト名誉書記[19]

　1914年の第19回年次報告書では、トラストは相次ぐ訃報を告げねばならなかった。1913年に執行委員会の初代議長のロバート・ハンターが急死した。彼の法律上の知識と比類のない経験は、トラストにとってかけがえのないものだった。この報告書でも記されているように、ハンターとは仕事のうえで、特に関係の深かったローンズリィが、「国民的貢献者——ロバート・ハンター卿」"A National Benefactor-Sir Robert Hunter"と題する報告文を『コーンヒル・マガジン』誌（the Cornhill Magazine）の1914年2月号に載せている。ロバート・ハンターに対する哀悼の気持は、ローンズリィにしろ、ナショナル・トラストにしろ、変わらないと考えるので、彼の記事の要約をもって、ハンターの死亡に対するトラストの哀悼の印としたい。

　1867年、入会地保存協会の弁護士となったハンターは、本格的にオープン・スペース運動すなわち入会地を含めたオープン・スペースを守る運動に参加していった。彼は時間の許すかぎり、常にオープン・スペースをいかにしたら将来の世代のために守っていけるかを、法律家として考え、かつ活動した。1882年、郵政省の主任弁護士となってからも、協会とは密接なつながりを持っていた。だから彼がオープン・スペース運動のために活躍した仕事は、自らの職務が終わった後か、または休日を返上して果たされたのだった。

　1884年にナショナル・トラストの創立を構想したのも彼であった。1893年、

123

湖水地方で幾つかの土地が売りに出され、それらを守るために、ナショナル・トラストを成立させることが必要であることを、痛切に感じたのはローンズリィであった。彼がハンターに相談したのは必然だった。次いで彼らがオクタヴィア・ヒルに働きかけた。1895年にトラストは成立し、そして前進した。ハンターが死去した1913年にトラストが獲得した土地は6,000エーカーに達していた。この業績に果たした彼の貢献は大きい。「彼自身のカントリィサイドであるサリーでは、ハインドヘッド・コモンとデヴィルズ・パンチボウル（Devil's Punchbowl。750エーカー）、ラドショット・コモン、グラムショット・チョイス、ナットクーム・ダウン、グレイズウッド・コモン、そしてマーリィ・コモンは、ロバート・ハンター卿の熱意と詳細な土地取引の際の助言者と調停者として、寄付してくれた人々によって、彼に寄せられた信任（trust）への記念碑的な業績として残るものである」。また彼は同じサリーのボックス・ヒルの土地取引がほとんど旨くいったこと、そしてナショナル・トラストが一般大衆の信任を十分に得ていることを満足そうに話していたという。「彼は自分の仕事に一息つけると思っていた矢先に、われわれの元から去って行ってしまった」と言ってローンズリィは筆を置いている[20]。

再び第19回年次報告書に戻ろう。プリマス伯爵が執行委員会の議長に就任してくれたこと、そして評議会のメンバーに選出されたことが報告されている。それからトラストの総裁であるルイーズ王女の夫君であるアーガイル公爵の死去も報告されている。彼もトラストに多大な業績があったのである。

以下はトラストの本来の仕事の報告である。

ボックス・ヒルについては、故ハンターとの関連で述べた。ここはロンドン近郊のドーキング駅近くにあり、ある高潔な人物がここを買い取り、トラストへ贈与してくれたものである。面積は234エーカーである。これは幸先の良い、しかも故ハンターの最後の仕事としては最善のものと言ってよい。ここはすでにロンドンっ子には有名な白亜質の丘を持ったオープン・スペースで、頂上に立てば視野の開けた行楽の場所としては絶好の地である。管理・運営のための地方委員会も出来た。今後ここはその面積を次々と増やしていくであろう。

1985年、私はロンドンのトラスト本部でイギリス人は海に郷愁を持つ国民だ

第2章 新たな前進へ向けて——創立者たちの死

と教えられた。なるほど私自身が海育ちだから、このことはよく分かる。渡英して、すぐにコーンウォールに心を惹かれたのも当然だ。この報告書にコーンウォールの海岸に対するトラストの考えが述べられていることは、大変興味深い。紹介しておこう。最近ペンザンス商業会議所によって、コーンウォールの海岸に一般大衆のために歩道を確保しようという動きが起こった。トラストとしてはこの計画に大賛成で、力の及ぶ限りこの運動に協力したい。元来、海岸地は太古の時代から国民に開かれていたはずだ。ところが最近になってバンガローなどが建てられて、国民は多くのところで締め出されている。このような状況の中で、ペンザンス商業会議所で上記のような計画がたてられたのは喜びにたえない。コーンウォールの海岸はこの土地の永遠の宝である。それにこの海岸はヨーロッパでも有名だ。もし国民がそこへアクセスできなくなったとすれば、国民的な不幸以外の何物でもない[21]。このように言っているのである。

　ケンブリッジシャにある湿地帯のウィッケン・フェンについても報告がある。ウィッケン・フェンを管理する地方委員会が任命され、植物や昆虫を適切に保存するための予備的な取り決めが実際に行われた。まずは常時駐在する監視人を雇う資金が必要であり、特に昆虫学会や動物学会などの協力を仰いで十分な資金が集まった。今後もこの太古の時代から残された湿地帯を守るために、各界からの協力をお願いしたい。トラストとしては、まじめなアマチュアを排除するつもりはなく、ただ商業目的のために、この湿地帯を開発するのを阻止したいのである[22]。

　1915年の第20回年次報告書を読む限り、第1次世界大戦という異常事態にもかかわらず、それほど大きな影響を受けなかったようにみえる。ただしこの戦争は、トラストの活動にも著しい影響を及ぼしたと考えるべきで、その前進は限られた数の熱心な会員の個人的な努力に起因していたのである[23]。
　前年度の報告書で報じられたゴダルミング地区の92エーカーのハイドンズ・ボールの購入の件については、残念ながらオプションの期限をすぎてしまった。しかし大戦の勃発もあり、クリスマス（1914年）まで延期してもらうことになった。そのお陰で色々努力した結果、この美しいオープン・スペースも購入することができた。今やハイドンズ・ボールはトラストのものとなり、これを管

125

理するための地方委員会も任命された。私は未だこの地を訪れていない。しかしここから北東へ約2kmほどのところにあるウィンクワース・アボレタム（Winkworth Arboretum）へは雪の舞う1985年末に訪れたことがある。2002年4月には、ハインドヘッドのギベット・ヒルから北東の方角12kmほどの辺りに眼を向け、しばらくの間それらの方向を眺め続けた。政府の施策であるグリーン・ベルトとトラストの持つオープン・カントリィサイドが相俟って、ロンドンの郊外の肥大化を実際に阻止しつつあるのを確かめるためであった。

　湖水地方では、ローンズリィがボローデイルのグレンジ近くの景観地（viewpoint）を与えてくれた。彼によれば、これは戦後を記念して、ここに大衆がアクセスできるようにするためで、これをピース・ハウ（Peace Howe）と名づけたいということであった。いつのことだったか、私はバトリック夫人にここへ連れてこられたことがある。ここがローンズリィの寄進の地であることは教えてくれたが、その理由については教えてくれなかったようだ。

　次はサー・ロバート・ハンター記念基金（Sir Robert Hunter Memorial Fund）についての記述である。これはロバート・ハンターの死を記念して設けられたもので、特にオープン・スペースの大義のために寄与した人物に捧げることを意図して作られたものである[24]。このための運営委員会が作られ、ほぼ1,000ポンドが集められた。この金額は手付かずのままで、この基金から生じる収入がナショナル・トラスト法に適用される資産、すなわち譲渡不能'inalienable'の土地を確保する際に使用されることを目的とするものである。

　再びウィッケン・フェンについての報告もある。それぞれ大規模ではないが、数エーカーずつが、首尾よく購買されたり、贈与されたことが報告されている[25]。

　1916年の第21回年次報告書でも、第１次世界大戦の影響を受けていることを認めつつも、ある程度の前進とトラストの活動の広がりが見られたことを報告している。そしてこのような非常時に、一般大衆に資金のアピールをすることは差し控えねばならないとした。

　幸いにこの年も土地の贈与は続く。今度はリヴァプールの西方、ウィロー（Wirral）にあるサーストストン・コモン（Thurstaston Common）に隣接するサ

ーストストン・ヒースが寄進された。これはある篤志家が、この大戦で犠牲となった自分の弟と他のウィローの戦死者を記念して、この27.5エーカーのオープン・スペースを送ってくれたのだ。このような戦争を記念した土地の贈与は見習うべきモデルとして今後も続くであろう[26]。

第3節 オープン・カントリィサイド

　トラストは1917年の第22回年次報告書で、2人の重要人物を失ったことを報告しなければならなかった。特にスタンウェル・バーケット氏についてはローンズリィとの関係で記されている。ローンズリィが湖水地方のダーウェントウォーターの南岸に位置するボローデイルの獲得で相当の貢献をしたことは、すでに述べたとおりだが、これも彼とバーケット氏との協力があったからこそ実現したのだ。そのうえにローンズリィは、これまでナショナル・トラストを育てるためにともに歩んできた妻をも失ってしまった。

　他方、大戦中という困難な状況にあって、積極的に仕事を進めることはできなかったが、ある程度の前進を見たことは喜ばしいことであった。

　以下、その報告である。

　前回の報告書にあるように、27.5エーカーのサーストストン・ヒースが贈与された。幸いにこの年もそこに隣接する64エーカーが同一人物によって贈与された。これで合計91エーカー以上となるが、戦死者を永久にまつるために、このように土地を寄進するという慣例が今後も続くことが望まれる[27]。

　次の報告は、トラストにとって初めての、しかもこれからのナショナル・トラスト運動の本質を形作るうえで、一つのモデルを提供するものとして極めて注目すべき例である。

　まずは本報告書に沿って、その要旨を紹介しよう。

　ここはサマセットのエクスムアにあるほぼ7,000エーカーから8,000エーカーに及ぶ極めて美しいカントリィサイドである。この土地は、サー・トマス・ダイク・アクランドの所有地で、先般来トラストと彼とのあいだで話し合いが持たれてきた。漸く1917年2月にトラストはこれらの交渉が成功し、この美しい土地がナショナル・トラストの保護下に入って、永久にその自然のままの状態を保ち続けるであろうと報告することができた。

ハニコト・エステートのオープン・カントリィサイドの風景
(1994.8 著者撮影)

　この大地は現在、ハニコト・エステート (Holnicote Estate) と通称され、1万2,500エーカーの広大な面積を占め、4つの村を含み、14名の借地農を持つに至っている。それはともあれ、当時この資産は、この広大な土地に極めて多様性に富んだ自然豊かな美しい牧場や放牧地、そして耕作地や丘陵地、谷間、森林地、それにヒース地などを含んでいた。従ってここは誰にでもこの上なく興趣を抱かせるとともに、本当の意味でトラストの最も価値ある所有地となると同時に、最も広大な土地になることを確信させるものだった。しかしこの土地はトラストの所有地になるのではなく、サー・トマス・アクランドがトラストに500年のリースを与えるのである。その協定の内容は、所有者はその資産を建築用地として開発する権限を持たず、トラストはその資産をできる限り、現状のままの美しさと自然のままの状態で保存するのに必要な権限を行使できるということ以外には、サー・トマス・アクランドと彼の後継者は、地代と収益、そして所有者の通常の権利と権限を享有し続けるということである。
　いうまでもなく、これこそはトラストの歴史に新しい1ページを添えるもの

第2章 新たな前進へ向けて──創立者たちの死

ハニコト・エステートを歩くと、このような情景にもめぐりあえ、
そしてお互いに挨拶を交わす。　　　　　（1997.7　著者撮影）

である。この初めての試みである計画は、歴史的名勝である建築物と自然的景勝地である土地の保護──トラストの二つの明確な目的の大いなる将来への可能性を有するものである。またここにある建物や土地がトラストに収入をもたらす源泉となるであろう。まずこの計画がトラストにとっても、アクランド家にとっても有利のうちに実行されることを期待したい。それはともあれ、この際大切なことは、トラストに無限の可能性を与えてくれるこの初めての試みを、サー・トマス・アクランドが実行してくれたことである。彼との協定は未だ最終的には決着していないけれども、早晩すべてのことが解決し、リース契約に署名調印されるのは確実である[28]。

　事実、次回年次報告書にリース契約の署名調印がなされたことが報告されることになる。

　その他戦時中にもかかわらず、トラストへ1,000ポンドの寄付金と1,000ポンドの遺贈金があったことが報告されている。これらは依然としてトラストへの信託が維持されている証拠だ[29]。

1918年の第23回年次報告書では、前年度に続いてサーストストンの隣接地のアービイ・ヒル（6エーカー）が同一人物によって贈与されたことが報告されている[30]。

スコットランドで水力発電計画案が議会に提出された。色々と調査した結果、トラストとしてはこの計画案に反対せざるをえなかった。ローンズリィがトラストの反対意見を新聞に掲載し、トラストは他の反対者とともに陳情書を議会に提出した。その結果、この計画案は撤回された。当面、ここでの自然破壊は回避されることになった[31]。

最後にサー・トマス・アクランドとの協定に関する報告である。前述のとおり、7,000エーカーから8,000エーカーに及ぶエクスムアのもっとも美しい土地部分が、ついにトラストの保護下に入った。そしてここでも再び評議会は、サー・トマス・アクランド、アーサー・アクランドそしてフランシス・アクランド（下院議員）と交渉中、三氏がトラストの考えに進んで同調し、そして協定を結ぶに際しては、彼ら自らの公共精神を持って当たってくれたことに感謝の気持を表明している。サー・トマス・アクランドとナショナル・トラストとの間に、ハニコト・エステートのリース契約の設定が行われたのは1918年7月5日付けであった[32]。それによれば、1918年以降500年の間、毎年12月31日に10シリングの地代が支払われれば、当該地は一般大衆のレクリエーションのためのオープン・スペースとして提供され、そして使用される。ナショナル・トラストは出来るだけ当該地の自然面を保存し、そして隣接する農業用地を良好な管理と利益と両立する限りで、当該地の動植物を保護するためにあらゆる適正な手段をとる。そして当該地へ、一般大衆がトラストの付属定款（the Byelaws）[33]にしたがって、レクリエーションのためのオープン・スペースとしてアクセスできるようにする。契約事項を略記すれば、次のとおりである。

・トラストは、地主の許可が得られれば、当該地のいずれかに、建物や小屋、テントなどの建造物を建てることができる。
・地主が樹木や低木などを切り、運び出す場合、それが森林地の改良のため

であれ、販売のためであれ、それが政府の強制命令によってなされる場合でない限り、地主はそこの地面と森林の自然の特徴を保たねばならない。
・地主は当該地の自然のままの美しさが損なわれたり、あるいは希少種が絶滅する危険が生じるほど、シダ類やヒースを刈ったり、また植物や花あるいは同類の生物を取ったりしてはならない。
・地主は、ナショナル・トラストとの合意の下に、彼が適切だと思うような新しい道（roads and ways）や歩道（paths）をつくることができる。
・地主とトラストは、当該地で自然を保存し、かつ動植物を守るという点では同じ立場にあるから、お互いに尊重しあい、相互に意思疎通を図るべきである。

　上記の契約書に記された各条項は、すべての条項を表記したものではないけれども、これが極めて友好のうちに交わされたものであることは明らかである。それから次の条項もある。参考までに記しておく。
　ハニコト・エステートの農業あるいは林業を推進する目的以外にも、あらゆる鉱石、石、スレート、粘土、砂利そして砂を採掘し、運び出す権利を地主は持っているが、この権利は、ナショナル・トラストの同意がなければ、行使されてはならない。それから当該地の各放牧地（pastures）で放たれる牛馬や羊などの上限の数も記されている。
　ところで上記契約書の各条項を追っていく中で、トラストが直接にハニコト・エステートの農業活動に関わっていなかったことが判明したはずである。事実トラストは、第22回年次報告書で次のように言っている。「トラストが［ハニコト・エステートの］建物や土地をすべて購買することは全く不可能である。またかりに可能であったにしても、望ましいことではないだろう」[34]。これだけの広大な大地を購買するには、トラストにも手におえないほどの巨額な費用を要したことであろう。それにこの時期は1873年の農業大不況がイギリスを襲って以来、いまだイギリスの農業危機は回避されていなかった。トラストも誕生以来20年以上を経過していたとはいえ、これだけ大規模な農場を持つハニコト・エステートを、自ら管理・運営するだけの十分な自信があったかどうかは定かではない[35]。それよりも農業を理解し、常に借地農の話に耳を傾け、

相談に乗っていたサー・トマス・アクランドにハニコト・エステートの経営を委任したほうが、両者にとっても賢明であったと考えていいのではないか。他にも理由があった。1917年、リース設定の話し合いが進む中で、アクランド家のカントリィ・ハウスであるエクセター近郊にあるキラトン（Killerton）とハニコト・エステートを35年後に贈与するとの話もあったのである (36)。トラストとしては、500年間のリースを得ながら、ハニコト・エステートの自然保護活動をアクランド家とともに実践していったということは、極めて貴重な実験と体験をしたと言っても決して言い過ぎではなかろう。それにトラストは直接にではなかったにせよ、アクランド家の農業経営を目の当たりにする機会も持った。イギリス農業は、第1次世界大戦中、食料増産運動のお陰で一時期回復した。しかしそれも束の間、1920年代、30年代と再びスランプに陥らざるをえなかった。1944年には、サー・トマス・アクランドを継承していたサー・リチャード・アクランドがトラストへ9,848エーカーを贈与することになる。

　1919年の第24回年次報告書で、トラストも1918年の第1次世界大戦の終了を宣言することができた。翻ってトラストは戦時中、確かに幾つかの資産を獲得はできたが、それらは必ずしもトラスト自らが積極的に働きかけて得たものではなかった。したがってトラストの運動と資産の獲得が同時に前進したと言うことはできまい。だからこの否定できない事実を十分に理解したうえで、次のようにトラストが表明していることに注目したい。すなわち、はじめの頃トラストは小さく、闘う団体であった。その時に初代総裁のウェストミンスター公爵は、創立者の一人、ミス・オクタヴィア・ヒルに「私の言ったことを覚えておきなさい。ナショナル・トラストには偉大な将来が待っていますよ」と語った。トラストの創立者たちによって敷かれた健全な根本方針をしっかりと守ってこそ、トラストは初代総裁の期待に応えることができるのだ。世界大戦を終えるにあたって、会員一同新たに気持を引き締めて、次の段階へ向かっていこうではないか。これがトラストの終戦へ向けての全会員への呼びかけであった。

　それにしてもトラストの今次報告書の最初の知らせがハニコト・エステートのサー・トマス・アクランドの訃報であったのは残念である。トラストとして

は、彼によってトラストへ託されたハニコト・エステートの保存の事業を、もはや彼が見ることができなくなったことを惜しまざるをえなかった。トラストへの彼の信託に応えるために、これから全力を尽くそうとしていた矢先だけに、これが「偽りのない真情」であった。この年の年次報告書には、この訃報とともに、ハニコト・エステートがトラストの資産目録に加えられている[37]。

　ローンズリィ夫妻が1918年6月に、ウェールズおよびイギリス西部にあるトラストの資産を旅行して回ったことは、私がサマセットのバリントン・コートとコーンウォールのモート・ポイントについて、それらの風景を描写する時に、彼の体験記をも引用したことで思い起こされるに違いない。彼らはハニコト・エステートをも訪れていたのである。その時にはサー・トマス・アクランドはまだ存命中だったが、あいにく留守であった。しかし案内役に彼の土地管理人（Land Agent）を手配してくれていた。ここでもローンズリィの注意がオープン・スペースの美しさに注がれている。しかし彼らしく先史時代の土塁や古墳にも注意が注がれている。当初の予定通り、4時間半の行程を楽しんだはずだ。土地管理人の白亜の家や羊飼いの家が、またある所では彼自身が絵にしたくなるような素敵な家々を見下ろすこともあった。ここの地主、つまりトマス・アクランド氏は借地農たちの生活だけでなく、周囲の美しさにも気を配っているのだ。また別のところでは、教区教会と牧師館が、そして14世紀の古い十分の一税を納めるための納屋がある。広大でかつ一つのまとまりを持った社会構造の中に、穀物畑や果樹園が、そして牧場や放牧地などが、そして教会や家々が渾然一体となって織りなされている様が、よくわかるように描かれている。緑なす樹々に囲まれた山頂に着くと、広大な樹海を見下ろし、また北の方へはブリストル海の青い海原が見える。ハニコト・エステートにはまた幾つもの歩道があり、それには愛称がつけられていた。ローンズリィ夫妻の4時間半の歩行記の最後の文章は次の言葉で締めくくられている。「この歩行の楽しみが、将来世界中からの歩行者にも共有されるのだと思うと嬉しくてたまらなかった。それにこの贈り物を国民のためにと奮発してくれたサー・トマス・アクランド氏の寛大さには神に感謝する他はなかった」[38]。ここでの外国人の訪問者として、私は何人目に当たるのだろうか。それはとにかくアクランド家の人々は本当にハニコト・エステートを愛していた。だからその保存をナショナル・トラスト

に託したのだった。

　私がはじめてここを訪ねたのは1994年8月だった。この日の私の歩行時間は、ローンズリィ夫妻の4時間半より1時間少ない3時間半であった。セルワーシィ・ビーコンからのハニコト・エステートの眺望は素晴らしく、途方もなく広大であった。ブリストル海の前方にはウェールズのカーディフとスウォンジィがかすかに見える。ここは東に保養地でかつ美しい海岸地で有名なマインヘッドの町、そして西にこれまた保養地で有名なポーロック村にはさまれており、後方のハニコト・エステートは見渡す限りのオープン・カントリィサイドである。3時間半の歩行ですべてを踏破できるはずはない。その後2度ほどハニコト・エステートのオープン・カントリィサイドを実感すべく、またその自然の美しさを堪能すべく歩いたこともある。2000年3月27日にはハニコト・エステート・オフィスの土地管理人（Land Agent）のリチャード・モリス氏とのインタビューも果たした。その後2時間ほど彼が車で、ここを案内してくれた。エクスムアの頂上であるダンケリィ・ビーコンを眼の前にしながら、彼の指差すほうを見ると、遠くに野生の鹿がいた。2001年3月には彼のオフィスで郷土史家のイソベル・リチャードソン女史を交えて十分な話し合いももつことができた。この時はイギリスでは口蹄疫（foot and mouth disease）が猖獗をきわめていた。幸いにここでは口蹄疫は発生していなかった。しかし現在いる14名の借地農たちは大変に心配しているとのことであった[39]。

　先にローンズリィの描写したハニコト・エステートの風景を紹介した。自然は生き物である。だから良きにせよ、悪しきにせよ変化するのは当然だ。ハニコト・エステートの自然も常に変化している。しかもより自然のままでより美しい風景へ変わっていきつつあるのだ。ナショナル・トラストの役割を説明するのにもはやこれ以上の説明はいるまい。この年は口蹄疫のために、イギリス全国の農場が閉鎖され、農場内につくられた歩道を歩くことができなかったが、私のイギリス滞在中の目的は、大部分がトラストの農場を歩くことだ。新しい発見に出会うことは何よりも嬉しい。トラストはいま、持続可能な農業（sustainable agriculture）を求めて活動中だ。より多くの発見に出会うことであろう。農場と自然は一体だ。こここそが本当の心と身体の癒しの場でもあるのだ。少し筆が進み過ぎたようだ。元へ戻ろう。

第2章 新たな前進へ向けて——創立者たちの死

　第1次世界大戦終結のこの年、トラストが獲得した資産は例年になく多い。このことは巻末に付された資産目録を見れば、一目瞭然だ。ここでは本書の目的に沿って記述していこう。この年、コーンウォールで海岸地が獲得された。南部のドッドマンとして知られる145エーカーにものぼる有名なコーンウォールの岬である。ここには農場もある。元来は死者の岩（Dead Man's Rock）と称されるところだそうだが、この土地は、先年競売に付されたのを、トラストの仲間のある匿名者が購買して、トラストへ贈与したものである。ここには未だ私自身、自らの足で立ってはいない。しかしドッドマンの東方にあるポルペロからランサロズを経てポルーアン（Polruan）へ向かって起伏の多い崖地を歩き続けたことがある。あの日はよく晴れた日だった。どこまでも広がる青い海原のイギリス海峡ばかりでなく、前方後方を含め、周囲をしっかり眼に納めている。遠くドッドマンへも眼を向けたに違いない。報告書にあるように美しい岬で、そこに農場が広がっているのが、目に見えるようだ。
　次は前記のポルーアンの対岸にあるフォイの港の南西部にある岬のセント・キャサリンズ・ポイント（St.Catherine's Point）が今次大戦で戦死したフォイの町の人々を記念して贈与された[40]。
　良い話ばかりが続くわけではない。ダーウェントウォーターの南部に位置するボローデイルのウォズデイルからロスウエイトへスタイヘッド・パスを越えて自動車道路をつくろうという計画がまたぞろ復活した。再びカンバーランド州会に強い抗議を申し出たのは当然である。湖水地方の最も美しい地域の一つを破壊することは目に見えている。結局この計画は撤回されたけれども、再びこのような話を持ち出して欲しくないものだ。トラストは依然として中央・地方を問わず行政に積極的に働きかけているのだ[41]。
　トラストの創立者3名のうち1人残されたキャノン（聖堂参事会員）・ローンズリィもついにこの世を去らねばならないときが来た。1920年春、ヨークの聖職者会議で、持病の激しい心臓発作に見舞われた。幸いに湖水地方の自宅に帰り、養生を続けていたが、ついに彼も5月28日に死去した。この年6月15日に開かれた評議会で次のような追悼文が発表された。要約すれば、トラストの最後の生存者であった名誉書記のローンズリィの死去に当たり、言い尽くせぬ哀悼の意を表したい。自然であれ、芸術であれ、あらゆる美しいものを守るため

に、彼がその持てる大いなる熱意と全精力を尽くした長年の間、トラストの仕事に自己を忘れて邁進してくれたことに最高の感謝の気持を表明したい。

私の訳書『ナショナル・トラストの誕生』の著者のグレアム・マーフィ氏は次のように言っている。

ナショナル・トラストの創立者のうちで、ローンズリィこそが、かつてこの組織を特色づけたキャンペーン精神の最もダイナミックな化身であった。その精神は3人に共有されていた。トラストの初期の年次報告書にも見られたように、彼らは美しい景観あるいは歴史的建築物が、トラストのものになるかどうかに関わりなく、それらの運命について憂慮していた。それから次のようにも言う。トラストのキャンペーン精神は、創立者たちの開拓者精神が失われるとまもなく衰退しはじめたようである[42]。

それから同じく私の訳書『ナショナル・トラスト―その歴史と現状』の著者ロビン・フェデン氏は次のようにも言っている。「1912年のオクタヴィア・ヒルの死去と翌年のサー・ロバート・ハンターの死去は、はじめの世代が過ぎ去ったことを記すものであった。……[ハードウィック]ローンズリィはその後も7年間活躍していたのであるけれども、トラストは変わっていかざるをえなかった。というのはトラストはその創立者たちの個性によって鼓舞され、そして支配されていたからである。彼らを失って、トラストは初期の頃の情熱を失ってしまった。今や問題は、よりよい組織とより広い大衆の支持を確保しつつ、創立者たちが志した理想を成し遂げることであった」[43]。

またマーフィ氏は次のような注目すべきことも言っている。「今日、たいていの人々は、トラストはまず第1に、壮大な邸宅の保存と関連する組織であって、オープン・スペースや海岸線との関連は、ただ第2位に置かれているに過ぎないと感じている」[44]。

「地域社会へのボランタリーの奉仕精神が、そしてこれこそが創立者たちを突き動かしたのであるけれども、いぜんとしてナショナル・トラストの組織の欠くことのできない特徴なのである。……ボランティアの案内人や見張人が資産の日々の運営に重要な役割を演じ、またヤング・ナショナル・トラスト[45]が数多くの保存計画や復旧計画を実行してきた。そしてこれらのことが、トラストがいかにして次の世代において、この奉仕精神によって支えられるべきなのか

第2章 新たな前進へ向けて――創立者たちの死

ということに関心を持たせ、かつ意識させてきた。トラストの相次ぐ成功は、この大群の無給の支援者たちに多くを負っている。そして彼らの愛他精神が正しい方向に向けられているのだということを検証する場合には、彼らにとって、創立者たちの広い哲学が重要であるにちがいない」[46]。

トラストは、創立者たち3名を失って、初期の頃の情熱を失ってしまったのだろうか。そして闘う団体であることも止めてしまったのだろうか。これらのことについて私は、1985年8月にナショナル・トラスト本部で、私のために開かれたミーティングで、数名のトラストの職員の人々に質問したことがある。彼らの答は決して私の意志を阻喪させるものではなかったけれども、前記2者の見解が必ずしも間違っていないことも事実であった。これらのことについては、当面私が報告文として書いた拙稿に譲らざるえない[47]。ただ次のことだけはここで記しておこう。このことの私の質問に対して、次のような応答があった。確かに初期のころのトラストは、本書でも明らかなように闘う団体でもあった。しかし資産が次第に増えるにつれて、これらを守るのに大きな力を注がねばならなくなった。しかし闘うという点では、トラストはイギリス農村保護会議（Council for Protection of Rural England, C.P.R.E.）やウェールズ農村保護会議（C.P.R.W.）、その他の団体との協力関係や恒常的な連絡を保っているとのことであった。なお現在のトラストの公害問題に対する取り組みや政府、行政との関係については、いずれ時宜を得て、私の見解を述べたいと思う。

それはとにかくローンズリィが生きた最後の年の1920年の第25回年次報告書を検討しなければならない。巻頭文は前年に続いてほぼ同じ表現である。資産の増加は責任の増加を意味する。トラストが土地所有者として、また一般大衆から託された受託者として、その責務を正しく履行するためには、一般大衆から与えられた支持を持ち続けなければならない。それ故に会員たちはトラストの仕事を他の人々に知らせる努力をさらに続けるとともに、できるだけ多くの人々をトラストの会員として迎えるように努力してほしい。このように呼びかけている。

獲得したこの年度の資産は6件である。湖水地方では、ダーウェントウォーターの南部、ボローデイルの入口に位置するカースル・クラッグが今次戦争で

倒れた自らの子息とボローデイルの男たちを記念して贈与された[48]。この切り立った岩山はダーウェントウォーター、スキドウそしてスコーフェルの山脈を眺望できる絶好の地にある。私はボローデイルやロスウエイトのオープン・カントリィサイドを実感するためにボローデイルからバタミアへ通じるホニスター・パスの手前から歩道のある山道へ入ったことがある。目的のオープン・カントリィサイドを山の上から見るためである。ダーウェントウォーターへ行く途中にあるカースル・クラッグは、道を迷わないための大切な目安でもあった。この岩山を右側に眺めながら降り立ったところにきれいな水を湛えた浅瀬のある川辺に出た。他方にはトラストの農場を示す標示板もあった。こここそ私たちの心の癒しの場である。幾人かの人たちが水と戯れていた。

　湖水地方では同じくこの戦争で倒れた湖水地方の人々を記念して、もう一つの土地がトラストへ寄贈された。ここはイギリスで最高峰のスコーフェル・パイクの山頂であった。ここは標高3,000フィート以上の土地全部を含むものであった[49]。

　それからロンドン近郊では、戦死者ではないけれども、ある婦人から亡父を記念するために土地を寄贈したい旨の申し入れがあった。ここはライゲイトの東方オクステッドに近い約4.5エーカーの森林地で、近い将来住宅地として開発されるに違いないところである[50]。

　それからこの報告書の中で、トラストの創立者の1人であるロバート・ハンターを記念するための土地が実現したことが報告されている。ここはヘイズルミア近くのブラムショットとラドショット・コモンズの間にある有名な池と隣接する森林地を含むワゴナーズ・ウェルズという14エーカーの土地である[51]。確かにここは一続きのハンマー池である。私の記憶によれば、3つの池が連なっていた。水が一番上の池から次々に、他の池へ流れ落ちるように作られており、これらは昔、確かに鉄の精錬と鍛造のために作られたものだと思わせるものだった。私はこのことを確認するためにここに来たようなものだが、それよりもヘイズルミアとハインドヘッドの近辺が点から線へ、そして完全とは言えないが、面へと向かいつつあることをヘイズルミア駅へ向かって歩きながら考えた。それにイード・ヒルも8.5エーカーを買い足され、その面積を増やした[52]。

　1919年7月19日、平和を祝って、コーンウォールからカンバーランドまでト

第 2 章　新たな前進へ向けて――創立者たちの死

典型的なオープン・カントリィサイドを求めて。ボローデイルにて。
（1996.9　著者撮影）

ラストの土地に一連のかがり火が炊かれた。ローンズリィは存命中であった。かがり火に情熱をもやし続けた彼にとって、彼の燃えるような情熱をたぎらせる一瞬であったことを喜びたい[53]。

　創立者の最後の生き残りであるローンズリィも1年後にはこの世を去った。確かに何かしら「楽しかるべき自信に満ちた朝」がそれとともに消えてしまった感傷が残ったことは間違いあるまい[54]。しかしそうも言っておれない。戦後すぐにやらねばならない仕事があった。一つは、会員を増やし、トラストの財政状態を強力にしなければならない。年次報告書は繰り返し会員数の増加の必要性を訴えたが、実際的な手段はとられていなかった。恐らくトラストはまだ少数の献身的な活動家という考えのままで、財政的にはまだ気前良く貢献してくれる会員に頼ることが出来たのであろう。1920年にはまだ会員が700名であったこと自体が不思議なくらいである。しかしししばらくの間は、このような状態が続くのである。それにしても1920年までの獲得資産は84で、その所有面積はほぼ1万3,000エーカーであった。やはり将来の発展の方向はしっかりと据え

られていたのだ。
　会員数の増加については、爆発的に増加するのは第2次世界大戦後、特に高度成長時代に入った1960年代以降であり、現在も着実に増加しつつある。このような傾向を支えたのは、単に高度成長ばかりではない。ナショナル・トラスト運動を支えてくれる会員や支持者、そしてボランティアたちを迎え入れるだけの素地を、トラストが創立期から鍛え上げていたからである。創立者3名がオープン・スペースを最重要視したことについては、これまで本書が追ってきた事実を検討すれば、自ずから明らかである。オープン・スペースには必ずといってよいほど農場が付属していた。したがってトラストは草創期から農場の管理・運営に関与せざるをえなかった。特にローンズリィが農業に強い関心を抱いていたことは明白である。例えば当時、依然として続いていた農業不況と観光事業の季節的な性質によって生じる失業に対処するために、ローンズリィ夫妻はケジック工芸学校を始めた。また彼は農業学校の創立にも尽力している[55]。それに農業不況の中、湖水地方の農業を守るために新聞にも投書しているのである[56]。自然保護と農業が一体であり、そしてオープン・カントリィサイドこそが心と身体の癒しの場になるべきことを、創立者3名はすでに理解していたと言っては言い過ぎだろうか。たとえそこまで言い切れなくとも、彼らはこのことを十分に理解しうるだけの基礎を私たちに残してくれたのだということはできる。
　それからトラストは、会員の増加の必要性を繰り返したけれども、実際的な手段はほとんど取られていなかった。それでは肝心の会員はいかなる階層であるべきだと考えられていたのか。ローンズリィを例にとることにしよう。1901年、ダーウェント湖畔のブランデルハウ・エステートの購買計画のアピールに対する寄付者には、職工と工場主、詩人や作家、そしてごくありふれた下層の働く人々がいる。したがってナショナル・トラストの運動は、このような人々がいる限り、決して失敗することはないであろう。彼は機会あるごとに、新聞、画報、その他のマスコミに投書するとともに、彼らがトラストの活動へ協力していることに感謝している。
　もう一つ紹介しておこう。1911年10月7日、タイムズ紙上でアルスウォーターの湖畔のガウバロウ・パークとその周辺のアピールによる購買計画が成功し

たことを告げるなかで、彼は次のように書いている。「募金活動のなかで、極めて興味深かったことは、パターデイルの貧しい農民たちや工夫たちが、彼らのなけなしのお金を進んで寄付してくれたことであった。またリーズの多くの工員たちが1人当たり3ペンス以上を超えなかったが、トラストの仕事に対する彼らの感謝の印にと書いて、これらのお金を送ってくれたことである」。他の機会でも公共心のある人々が全国各地にいることを確信しつつ、ナショナル・トラストの将来に対して、彼は楽観的な期待を表明している[57]。

　もはやローンズリィをはじめ他の2人の創立者たちが、ナショナル・トラスト運動の成功の基礎をどこに求めていたかは自ずから明らかなはずである。現在のトラストが「少数者からの1,000ポンドよりも、多数者からの1ポンドを」というとき、その精神はすでに草創期から培われてきたのだということをわれわれは知らねばならない。

　トラストの創立者3名、そして後援者たるウェストミンスター公爵をはじめとする評議会や執行委員会などで働いてくれた人たち、そして名前こそ挙げなかったけれども多くの支援者たちの協力と労苦を土台に、ナショナル・トラストの将来への土台は、しっかりと据えられてきたのだ。

　それではこれ以降、トラストはいかなる展開を遂げていくのだろうか。

---

(1) *Sixteenth Annual Report*（the National Trust, 1910-11）pp.4-5.
(2) *Ibid.*, pp.6-7.
(3) *Ibid.*, pp.7-8.
(4) The Times, 1911.4.8. p.7.
(5) *Seventeenth Annual Report*（the National Trust, 1911-12）, p.3.
(6) *Ibid.*, pp.4-5.
(7) *Ibid.*, pp.5-6.
(8) *Ibid.*, p.6.
(9) *Ibid.*, p.7.
(10) *Ibid.*, p.8. p.16.
(11) *Ibid.*, p.8.
(12) *Ibid.*, p.11.
(13) Robin Fedden, *op.cit.*, p.173. 拙訳前掲書、203-204頁。
(14) *Eighteenth Annual Report*（the National Trust, 1912-13）, A Kentish Hillside View

(From the Times, 2nd July, 1912).
(15) *Ibid.*, pp.4-5.
(16) 以上、*Ibid.*, pp.5-6.
(17) 以上、*Ibid.*, pp.7-8.
(18) *Ibid.*,p.12.
(19) オクタヴィア・ヒルの死については、Graham Murphy, *op. cit.*, pp.125-126.拙訳書182-184頁を参照されたい。
(20) Canon Rawnsley, 'A National Benefactor-Sir Robert Hunter' *the Cornhill Magazine*, Vol.36, February 1914, pp.237-238.
(21) *Nineteenth Annual Report* (the National Trust,1913-14), pp.8-9.
(22) *Ibid.*,pp.9-10.
(23) Robin Fedden, *op cit.*, 拙訳前掲書25頁。
(24) 以上 *Twentieth Annual Report* (the National Trust,1914-15), pp.3-4.
(25) 以上 *Ibid.*, p.5, p.8.
(26) *Twenty-First Annual Report* (the National Trust,1915-16), pp.3-5.
(27) *Twenty-Second Annual Report* (the National Trust,1916-17), p.4.
(28) *Ibid.*, pp.5-7.
(29) *Ibid.*, pp.8-9.
(30) *Twenty-Third Annual Report* (the National Trust,1917-18), pp.5-6.
(31) *Ibid.*,pp.7-8.
(32) *Ibid.*,pp.8-9. このリースの書式名は次のとおりである。Dated 5 th July 1918, Sir CharlesThomas Dyke Acland Baronet-to-the National Trust for Places of the Historic Interest or Natural Beauty-Lease-of-pieces of Moorland Down and Woodland forming part of the Holnicote Estate in the County of Somerset (Sporting rights reserved to the Lessor).「サー・チャールズ・トマス・ダイク・アクランド準男爵から歴史的名勝地および自然的景勝地のためのナショナル・トラストへのサマセット州ハニコト・エステートの一部である荒野を含む丘陵地と森林地部分のリース（狩猟権は賃貸人に所属）、1918年7月5日付」
(33) 1907年、最初のナショナル・トラスト法が議会を通過した。このときトラストはこれまで付与されていなかった資産に関する管理能力を与えられることになった。すなわちトラストの土地での秩序を保つための付属定款を作る権限を与えられたのである。現在、トラストの資産を訪れると、必ずトラストの資産を示す標示板がある。その裏側に付属定款の各条項がすべて記されている。
(34) *Twenty-Third Annual Report, op. cit.*, p. 6.
(35) 因みにHolnicote Estate Office発行（未公開）の記録書の中から1937年のHolnicote Estateの農場数を数えれば29である。
(36) Anne Acland, *A Devon Family — The Story of the Aclands* (Phillimore, 1981), pp.148-150.これは1917年2月22日のタイムズ紙に載せられたものを転載したものであ

第2章　新たな前進へ向けて――創立者たちの死

る。なお、私がこの記事を初めて読むことができたのは、Holnicote Estate Officeの郷土史家のIsobel Richardson女史が、私にこの本のコピーを送ってくれたことによる。記して謝意を表したい。
(37)　*Twenty-Fourth Annual Report*（the National Trust,1918-19）, p.4, p.23.
(38)　H. D. Rawnsley, *A Nation's Heritage*（London, 1920）p. 108. その他にGraham Murphy, *op. cit.,*pp. 121-122. 拙訳書192頁。
(39)　拙稿「口蹄疫（foot and mouth disease）のなか、ナショナル・トラストをゆく」（日本環境学会『人間と環境』2001. Vol.27, No.3, 141頁。
(40)　以上 *Twenty-Forth Annual Report, op. cit.,* pp. 4-5.
(41)　*Ibid.,*pp.7-8, p.9.
(42)　Graham Murphy, *op. cit.,* p.131. 拙訳書192頁。
(43)　Robin Fedden,*op. cit.,* p.29. 拙訳書24頁。
(44)　Graham Murphy, *op. cit.,* p.132. 拙訳書193頁。
(45)　ヤング・ナショナル・トラスト Young National Trust。ナショナル・トラスト内の若者たちのボランティア活動。若者たちは学校の休暇を利用して、トラストの所有地でキャンプをしながら（これをエイコーン・キャンプacorn campという）、ボランティア活動を行うのである。たとえばトラストの所有地にある歩道を修繕したり、ゴミを片付けたり、あるいは川や溝などを掃除したりする。
(46)　Graham Murphy, *op. cit.,* p.133. 拙訳書195頁。
(47)　拙稿「ナショナル・トラストを訪ねて」埼玉大学『社会科学論集』1986年10月第59号、137-148頁。
(48)　*Twenty-Fifth Annual Report*（the National Trust,1919-20）, pp.5-6.
(49)　*Ibid.,*p.6.
(50)　*Ibid.,*pp.7-8.
(51)　*Ibid.,*p.7.
(52)　*Ibid.,*pp.8-9.
(53)　*Ibid.,*p.8.なおローンズリィが、かがり火に対して一方ならぬ情熱を燃やし続けたことについては、Graham Murphy, *op. cit.,* Chapter 4, Hardwick Rawnsleyや彼の伝記 Eleanar F. Rawnsley,*Canon Rawnsley-an account of his life*（Glasgow, 1923, pp.74-75, p.122）その他新聞への記事への投稿（例：The Times, Bonfires on Peace Night,1919.4.30, p.8. The Time, Flares for Peace Night, 1919.6.30,p.8）などで十分に知られるところである。
(54)　Robin Fedden,*op cit.,* p.29. 拙訳書24頁。
(55)　Graham Murphy, *op. cit.,* pp.89-90. 拙訳書135-138頁。
(56)　The Times, Potash from Bracken, 1917.9.8, p.8, The Times, Corn Salvage, 1918.9.25,p.10 etc.
(57)　拙稿「第10章 湖水地方の番犬――ナショナル・トラストとローンズリィ―」浜林・神武編『社会的異端者の系譜――イギリス史上の人々』（三省堂、1989年）254-255頁。

第2編　ナショナル・トラスト運動の展開

第3章
さらなる発展へ向けて
（1921～1930年）

第1節　新たな体制からの出発

　1920年、トラストの創立者のうちの最後の生き残りであったハードウィック・ローンズリィがこの世を去った。いよいよトラストも新たなる気持を胸に、さらなる発展へ向けて飛び立たねばならない。それを意識したのであろう。1921年の第26回年次報告書は次の言葉で始まる。「1895年、ハードウィック・ローンズリィ、ミス・オクタヴィア・ヒル、そしてロバート・ハンターが、共同してナショナル・トラストを創立し、そしてそれぞれ彼らは生涯を通じて、休むことなくトラストの目的のために働いた。そしてトラストが現在の状態を達成したのは大部分、彼らの努力のお陰によるものだ。恐らくトラストほど、3人のそれぞれの個性を併せ持った形で指導者精神を発揮している幸運な運動体は他にないであろう」[1]。拙訳書の著者であるマーフィ氏が言うように、将来のナショナル・トラスト運動を正しい方向に向けるためには、創立者たちの広い哲学が重要である。そしてナショナル・トラストは、その発展に寄与した3人の創立者のヴィジョンとエネルギーがなかったとすれば考えられないということも明白である[2]。

　トラストはローンズリィの死後、すぐに彼を記念するために、湖水地方のどこかふさわしいところに、オープン・スペースを獲得するアピールを開始した。彼の積極的かつ果敢な性格を賛美し、かつ彼の果たしてくれた仕事に感謝するためであった。その場所として選ばれたのが、ダーウェントウォーター湖畔のフライアーズ・クラッグ、同じくダーウェントウォーターに浮かぶローズ・アイランドと8エーカーのスカーフクロス湾であった。いずれも至近距離にあり、ダーウェントウォーターの絶景をエンジョイできるところである。それにこの地域は長年の間、ローンズリィと密接な関係があったところである。私など湖

水地方を訪ね、ケジックに来たときは必ず立ち寄るところである。集めるべき購買価格は2,300ポンドである。アピールの完成の目算はまず確実だった[3]。

1910年、デヴォンシァ北部の岬、モート・ポイント（52エーカー）がミス・ティチェスターによって贈与されたことはすでに述べた。今度も同じく亡き両親を記念して、さらに97エーカーが贈与されることになった。この資産の価値が高まることは確実だ。かくしてこれまで囲ってあった針金の囲いも取り払われ、一般大衆はこの美しい岬全体を自由に歩けるばかりでなく、バーンスタプル湾（Barnstaple）の素晴らしい眺望をもエンジョイできるのだ。

次に同じデヴォンシァ北部でもう1ヵ所、素晴らしい贈り物があった。これは今次大戦で倒れたクロヴェリィの男たちを記念して、ある婦人によって贈られたプレゼント山（Mt. Pleasant）という丘である。この丘は、この村を見下ろせる素晴らしい眺望の得られるところであり、また海も眺められる。この極めて有名なところを訪ねてくる何千という訪問者から大いに感謝されることであろう。トラストとしては、最も美しいイギリスの村落の一つであるこの村のオープン・カントリーサイドとしての均衡ある美しさ、すなわちこの村のアメニティを守ることを可能にしてくれたこの婦人に感謝する他はない[4]。

ロンドン近郊のハインドヘッドの北東部7kmほどのところでは、240エーカーのウィットリィ・コモンがある父娘によって与えられたが、これはこの父娘がここに入会権を持っていたのをトラストに譲ったのである。これからはトラストがこの入会権を行使することによって、実質的な所有者となるはずである。

同じくハインドヘッドとヘイズルミア近辺に位置するワゴナーズ・ウェルズが1919年にロバート・ハンターを記念して購買されたことは記憶に新しい。これを機会に、これらの池が清掃され、土手が修理され、記念碑が建てられた。それに嬉しいことに、ある婦人がこの池に隣接する土地を与えてくれて、買った当時の地所よりももっと価値あるものにしてくれた[5]。

ウィッケン・フェンについての朗報もある。この湿地帯が確実にその面積を増やしていることをわれわれは知っている。今やトラストの支配下に入っていない湿地は僅かである。ウィッケン・フェンの自然保存のための事業も、地方管理委員会のお陰でその困難を乗り切れそうだ。ウィッケン・フェンもいよ

よ佳境の段階に入ってきたようである[6]。

　最後に評議会から会員への要請文がおよそ次のように載せられている。トラストの責任が年々増大しつつあることは周知のとおりだが、その結果、今次報告書から財政状態が逼迫しつつあることを知らねばならない。戦時中会員数は減少していた。したがって会員からの収入は戦前より少ない。さらに資産の修理と維持は戦時中放っておかれていたから、トラストは戦後になって資産の修理と維持の問題に直面させられた。かくて1920年までにほぼ600ポンドの赤字に直面せざるをえなかった（図1を参照）。しかもこの種の出費は、これから毎年繰り返されるのだと考えなければならない。しかし最近になって、トラストの仕事が知られれば知られるほど、トラストへの支持も大きくなるということが十分に証明されてきている。トラストの会員数を増やせば、トラストの仕事を十分に満足させつつやっていけるだけの十分な支持は得られるはずだと会員を説得するのに懸命である[7]。さてトラストの会員へのこの訴えが功を奏し、そしてトラストの仕事への期待は実現できるのだろうか。

　1922年の第27回年次報告書によれば、トラストの仕事は順調に進んだようだ。それに会員数も増えた。新会員を迎えられることは、トラストの仕事が何よりも満足のいく仕方で行われていることを示すものだというトラストの考えは間違っていないようだ。1921年、トラストは副総裁でかつ創立以来の寄付要員でもあったブライス子爵を失った。彼はトラストの最初の臨時評議会以来の評議員であったし、常にトラストを支えてきてくれた。それ故になによりも彼はトラストの大義を重んじ、守り続けてきた恩人であった。もう1人、最初の評議会の評議員の盟友であったG. E. ブリスコウ・エア氏が1922年に亡くなった。彼はニュー・フォレストの御料林管理官裁判所の一員であった。30～40年前にここが破壊される危険が生じたとき、その危機から脱することができたのは、彼の熱意と公共精神のお陰であった[8]。ここは現在、野生生物の生息地として、特別科学研究地域（SSSI）として指定されている。

　エア氏は、トラストの福利事業の真の精神を理解し、かつトラストの資産の管理・運営の方法に十全の信頼を置いてくれていたので、死亡する前に、ブラムショウ、カダナムそしてウィンザー各コモンの領主権をトラストへ贈与して

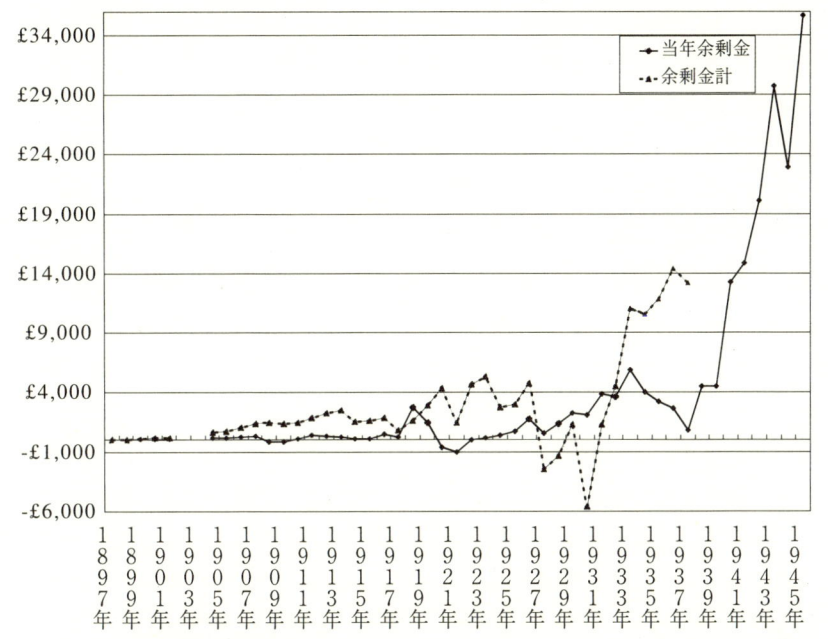

図1 草創期から1945年までのナショナル・トラストの当年余剰金および余剰金計

(注) 1938年以降の余剰金計については、ナショナル・トラスト年次報告書に記載されている貸借対照表の表記方法の変更により正確な数値が得られなかったが、当年余剰金とほぼ同様の上昇が確認できる。

くれた。それと同時にこれらを管理するための基本財産（endowment）として相当額のお金も残してくれた。なおこれらの入会地（コモンズ）は、ニュー・フォレストに隣接している。

ロンドン近郊のレザーヘッドの南方7kmほどのところにあるボックス・ヒルに、ある婦人から70エーカーの土地が付加された。ここはジュニパー盆地（Juniper Bottom）として知られ、またある人々からは幸福の谷（The Happy Valley）とも呼ばれているところである。純粋に自然のままの土地で、ボックス・ヒルにとって貴重な土地が加えられたことになる[9]。ここも今後一般大衆のために、少しずつ買い足され、あるいは贈与されて、それ自体大きな面を形成していくはずだ。

前回年次報告書で記されたキャノン・ローンズリィを記念して開始されたオ

ープン・スペース獲得キャンペーンについては、あと200ポンドが必要なだけである。獲得目標のダーウェントウォーター沿岸のフライアーズ・クラッグとローズ・アイランドそしてカーフクロス湾は相互につながっており、同じ視界にある(10)。

最後に、今回の報告書で扱っている自然環境問題について触れておこう。スコットランドのグランピアン水力発電計画法案が1922年に下院に提出された。トラストは早速、スコットランド内相宛てに自然環境を守るだけでなく、かかる計画、建設等の監督方式を緊急に作成するようにとの陳情書を提出した。トラストの要請は内相によって受託され、グランピアン水力発電計画法案に関する内相の報告書の中に自然環境を守るための条項を作成し、提出する旨の報告があった。この条項は法案の発起人によって完全に承認されることになった。そして建設中およびその後のすべての工事中の場所とその周辺を点検するための十分な規定が作成された。スコットランド内相は、自然環境を守るために相応しい提言を、この会社の発起人に勧告する委員会を任命する権限を持っている。そして意見を異にする場合には、内相は仲裁をし、そして地域の人々の利害に沿うように行動しなければならない。将来、この性質の営利事業について、この条項が持つ重要な効果に適正な判断を下すことは、この報告書の段階では困難である。しかし評議会としては、このような有利な先例が作られたということ、そしてこのような問題にトラストが意見を述べる権限が十分に承認されたということは喜ぶべきことだと考えた(11)。1922年という早い時期に、上記のような権限をトラストが与えられた事実を、私たちは重く受け止める必要があろう。

1923年の第28回年次報告書は、資産獲得の報告から始めることにしよう。まずロンドン近郊のボックス・ヒルから12kmほどの南方にあるリース・ヒル（5エーカー）とその山頂にあるタワーが、ある有志によって購買され、それがトラストへ贈与された(12)。トラストのハンドブックによれば、そのタワーからは、イングランド南部の美しさが広域にわたって楽しめるとある。ずいぶん前のことになるが、私はロンドン・ウォータールー駅からリース・ヒルを目指してホームウッド駅に降りた。尋ねるべき人に会えず、あちこち歩いているうちにや

っと中学生らしき若者に会えた。幸か不幸か彼が親切に私を連れていってくれたところは、やはりトラストの資産であるホームウッド・コモンの前であった。この場所をエンジョイできたことに感謝しつつも、どうしてもあのタワーに登ってみたい。A24に出てタワーを目にすることができるのではと思ったのだが、なぜか逆の方向へ歩き出していた。着いたのはドーキング駅であった。もう一つ先の駅で降りるべきだったのであろう。いまだにリース・ヒルには行っていない。

次はボックス・ヒルからもさほど遠くないレザーヘッド駅近くにあるグレート・ブッカム・コモン（約330エーカー）が地元住民たちの努力によって救われた。そこの樹木はもう一部分が切り倒されていたのだが、それらを守るために、地元住民たちがそこの領主権を買い取り、それをトラストへ贈与したのである。すでに買われている樹木については、もしお金（600ポンド）が入れば買い戻せるので、協力をお願いしたいとのことだ。これからは、このコモンの管理は地方委員会に委任されることになった[13]。

1912年、ノーフォークの北海に面しているブレイクニィ・ポイント（約1,100エーカー）がトラストの保護下に入ったことはまだ記憶に新しいはずだ。1923年には、ほとんどブレイクニィ・ポイントに隣接している一続きの砂丘であるスコルト・ヘッド（約1,200エーカー）が獲得されるチャンスがきた。早速、ノーフォーク・アンド・ノリッジ・ナチュラリスト協会がこの問題を取り上げ、比較的短期間に必要な金額を集め、この地域をトラストへ贈与した。そしてここもブレイクニィ・ポイントと同じく地方管理委員会によって管理されることになった[14]。

ここがナチュラリストばかりでなく、私たちにとっても極めて魅力的な岬（head）であると同時に、広大なオープン・スペースであることは言うまでもない。あの時は干潮時であったに違いない。途方もなく広々としたところに海水の入った窪地（salt-marshes）があちこちにあった。私はブランカスターのバス停でバスを降りてスコルト・ヘッドを前にして、そこへのスターティング・ポイントを探していた。トラストの事務所はあいにく休みで閉まっていた。運良く犬を連れた地元の紳士をつかまえた。海岸地であれ、山林地であれ、ナショナル・トラストの広大な大地でスターティング・ポイントを見つけるには、困

難を伴う。無理にお願いしてそこまで連れて行ってもらった。もう昼過ぎだった。スコルト・ヘッドを眼にしながら、とてもあそこまでは行き着けそうもない。行けるところまで歩くことにした。アジサシ、ミヤコドリ、チドリなどがいるのだ。干潮時だから歩道からそれて中に入りたいのだが禁止されているし、しかも私など危険に会うのは決まっている。重いリュックを背負い、今夜は野宿するのだという男性にも出会った。周囲を眺めつつ、こういう風景がオープン・カントリィサイドだと実感したものだ。ここも広大な干潟と言っていいのだろうか。開発しようと思えば、公共工事など簡単であろう。トラストを持ったイギリス人を羨む一瞬であった。ここの砂丘はスコルト・ヘッドで最高点に達し、イギリスでは一番高い砂丘だと書かれている。今回はこの岬を眺めるだけで、ここに立つことは諦めることにした。この日はティッチウェルに宿を取り、翌日は近くの王立鳥類保護協会（RSPB）が保護している自然保存地でバード・ウォッチングも楽しんだ。ブランカスター湾にも出た。リタイアしたばかりの中学教師夫妻と会えたのも楽しい思い出だ。1995年7月19日のことであった。

　それから前にも記したクロイドンのWhitgift Hospitalを壊す計画についての叙述がある。今回はクロイドン市当局がこの建物を壊す権限を求める法案を議会に提出するに至った。トラストとしては、これに徹底的に抵抗しなければならない。そこでこの法案に反対する陳情書が、トラスト、古物研究家協会（the Society of Antiquaries）および王立イギリス建築家協会（the Royal Institute of British Architects）の連名によって提出された。上院では、1923年4月にクローフォド卿がこの法案からWhitgift Hospitalに関する件を削除するようにとの動議を行った。この動議は十分な審議ののちに賛否への分裂なしに通過した。かくしてこのHospitalを壊すという賛成議論が一つも行われなかったという事実は重要な意味を持つ。だからこの件については、最終的な決定を見たと考えて差し支えないだろう。トラストが長い間主唱してきた考えが広く認められた証拠である[15]。クローフォド卿は第2次大戦後、トラストの執行委員会の議長を務めた人物でもある。

　ボックス・ヒルについての報告もある。前年には70エーカーが加えられた。今回はさらにこの土地に248エーカーを加えるチャンスが到来した。この土地

の所有者が一般大衆のためにこの土地が得られるのならば、7,000 ポンドで提供しても良いと言ってくれた。『カントリィー・ライフ』誌がこの問題を取り上げ、基金のためのアピールをしてくれた。これまでに7,000 ポンド近くが集められた。土地の購買は1923年9月30日前に完了する予定とある[16]。

トラスト本部の資産委員会からの報告もある。まず財政上の支援が緊急に必要であることを会員に呼びかけている。「戦後になって、会員数も増加し、会費収入も戦前とほとんど同じくらいに達している。しかしトラストの責任を達成できるほどには至っていない。人々は新聞紙上で、トラストに新しい資産が加えられたことを知ると、それと同時にトラストにお金が入るのだと考えがちである。多くの場合、それは逆である。資産が増えると出費がさらに増えるのが実情である。トラストはその責務が増えることを歓迎するのだが、それも収入が増えればの話である。実際のところ、会費や寄付金からのお金だけでは足りない。会費からの収入が300 ポンドから400 ポンド増えれば、ずいぶんと助かる。トラストの資産のある地域を調べれば、そこではトラストの仕事が高く評価されているのが分かる。だから会員はトラストの仕事をあるがままにもっと広く宣伝して欲しい。もし全会員が自分の友人を1人だけでも会員にすることができれば、トラストの年間収入は実質的に増加するであろう。そうすれば新しい資産を引き継いで、トラストの責務をさらに広げていくのに危険を感じる必要はなくなるだろう[17]」。

評議会の責任による会員への呼びかけを、上記のとおりほぼ全文紹介してみた。創立者全員を失って、トラストもすでに3年が経過した。今後のトラストの動きを判断する一つの目安となるかもしれないと考えたからである。

第2節 ナショナル・トラスト運動の高揚

1924年の第29回年次報告書もトラストの資産獲得から始めることにしよう。この年の年次報告書の獲得資産は例年になく多く、その獲得件数もついに100を超え合計106になった。1923年10月、湖水地方のロック・クライミングクラブ（Fell and Rock Climbing Club）によって、今次戦争で犠牲になったこのクラブ

の会員たちを記念して、湖水地方の約3,000エーカーの土地がトラストへ贈与された。ここはカーク・フェル、グレート・ゲイブル、グリーン・ゲイブル、ベイス・ブラウン、ブランドレス、リングメル、グレート・エンド、アレン・クラッグズ、グララマラ、そしてシースウエイト・フェルの山頂を含む標高1,500フィートを超える山岳地すべてを含む広大な大地である。グレート・ゲイブルの山頂の目立たないところに彼らを記念するための銘刻板を置くことも決定された[18]。

これらの山は湖水地方では峻険な山岳地帯である。かつて私はスコーフェル・パイクをこの眼におさめるために小さな観光バスであるマウンテン・ゴートを利用したことがある。私自身、ワンダーフォーゲル部員であったこともないし、ましてや登山家になれるはずもない。この小さなバスのなかにスコーフェル・パイクの近くに行くバスがあることを知り、このバス旅行に参加したのである。ウォーストウォーターの湖畔であった。しかも良く晴れていた。私はしっかりとスコーフェル・パイクを眼におさめた。この時に、リングメル、カーク・フェル、そしてグレート・ゲイブルなども目にしたに違いない。

グレート・ラングデイルでは、バスの終点を降りて、ある程度の登はんらしきこともしている。スコーフェル・パイク、グレート・エンド、シースウエイト・フェル、グララマラなどの峻嶺をも目にしているはずだ。ここからアンブルサイドへの帰路は歩行である。オープン・カントリィサイドを確認しながら、ナショナル・トラストの管理する峻嶺を何度も振り返りながら湖水地方をエンジョイしてきたことを単なる遊びにしてはならないと思う。ここをオープン・カントリィサイドとして、そして心の癒しの場として守り続けているトラストの努力を思わずにはおれない。

ロンドン近郊には、ハーロウから北東へ10kmほどのところに、約600エーカーの広さを持つハットフィールド・フォレストという美しい森がある。ここはトラストの評議員でもあった故人とその故人の遺志を継いだ家族のトラストへの協力と努力によって、故人を記念して贈与されたところである[19]。

前年の第28回年次報告書で、ボックス・ヒルについて、『カントリー・ライフ』誌の協力もあって必要額7,000ポンドがほとんど集められたことを報告した。今回の報告書ではそれが無事完了し、1923年11月22日、ボックス・ヒルで授

第3章　さらなる発展へ向けて

自然のままで幽玄なウォーストウォーター。この辺りは現在3万エーカー以上（約1万2,000ヘクタール）の面積になっている。　　　　（2002.3　著者撮影）

与式が行われたことが報告されている。ここで今回の付加地256エーカーが加えられ、ボックス・ヒルの面積は全部で556エーカーとなった。この時の授与式で、トラストの副総裁のグレイ子爵は、「この地球上（the earth's crust）の最も美しい土地の一つが、永久に一般大衆のために保護されるのだ」と適切にも述べたと言われている[20]。何故彼がサリーの一角を占めるボックス・ヒルを指して、"the earth's crust" の一角を占める土地と表現したのだろうか。それにトラストが何故この表現を適切に（aptly）と言ったのだろうか。本来、大地に国境はないはずだ。だから「ナショナル・トラスト運動」にも国境はないと言っていい。したがってトラストは現在、EU諸国へ、そして世界中へも発信を続けているのである。グレイ子爵の言葉が、そしてトラストが子爵の言葉を指して適切にと表現したことが、上記の意味と直線的につながるものなのかどうか、今のところ安易に断言できない。とはいえ、トラストが「ナショナル・トラスト運動」を目指して実践活動を重ねていく中で、彼らが一つ一つ学習を重ねていくのだと私は考えている。そういう観点をも常に持ちながら、これからのト

第2編　ナショナル・トラスト運動の展開

ラストの運動の歴史を追っていきたいと思う。

次はボックス・ヒルの東方、8 kmほどのところにあるライゲイト・ヒルについてである。ここはコリー・ヒルの東方に連なる21エーカーの森林地で、白亜質の土地を持った丘陵地である。購買価格は2,500ポンドで、主として地元の人々の寄付金によって獲得された。トラストの考えでは、このような地元とその近隣の人々によって獲得され、保護される方法が極めて有利な仕方であると考えているようだ[21]。

私がライゲイト・ヒルとコリー・ヒルを訪ねたのは、1988年7月27日のことである。ライゲイト駅に降り立ち、車道に出た私は、運良く会えた女性にライゲイト・ヒルはどこにあるのか尋ねた。彼女は振り返って指差してくれた。私はこの眼を疑った。確かにライゲイト・ヒルは丘陵地で森林の山である。それにしても間伐というより森林がまばらになり過ぎている。ナショナル・トラストは自然保護団体だ。疑問は解けないまま歩を進めるうちにライゲイト・ヒルに着いた。歩道に沿って歩くうちに、本当にびっくりした。大きな樹木が次々と根っこをむき出しに、なぎ倒されているではないか。歩き進むうちに倒木を免れた木に、トラストの「森林災害アピール」(Tree Disaster Appeal)という募金のための掲示板を見た。周囲が明るすぎるほどの猛烈さである。少し進むと災害修復中のトラストの人々に出会った。聞くと、前年の昼間に雨もなしに凄いハリケーンがあったとのことである。私の故郷での数多い台風は、常に雨を伴っていたから不気味でさえあった。ライゲイト・ヒルからはまばらな木の間からライゲイトの町並みさえも見下ろせた。しばらく進むとコリー・ヒルである。ここは芝生で覆われた広々とした丘陵地である。ここではベンチで寛いでいた隣人同士らしき2人の初老の婦人からハリケーンの話などを聞き、帰りはこの丘の白亜質の坂を下りて、ライゲイト駅へ向かうことにした。坂を下りる途中、私はこの丘の斜面で、雲が走り、その影で太陽の光が遮られ、そのあとにまた太陽の光がこの丘を光り輝かすのを見た。この素晴らしい光景については、ローンズリィも、またオクタヴィア・ヒルもどこかで書いていたようだ。地球の危機が実感される今、このような「癒しの場」を守らねばと切に思う。

1925年の第30回年次報告書も、資産獲得の報告から始めることにする。湖水

第 3 章　さらなる発展へ向けて

地方では、ケジックの町とダーウェントウォーターの間にあるクロウ・パークとコックショット・ウッドとカースル・ヘッドが売りに出されたのを、2 名の有志がこれらを買ってくれてトラストへ贈与してくれた。これらの土地はいずれもケジック近くに位置するが、クロウ・パークはこの湖の入口にある小高い丘の牧場である。この湖を訪ねると必ず目にするはずだ。いずれも建築用地として使われる危険があった[22]。スコーフェル・パイクでは、今度は標高 2,000 フィート以上の地域がトラストへ贈与されることになった。これでスコーフェル・パイクとロック・クライミングクラブが 1923 年に贈与してくれたあの広大な山岳地帯とが一緒になり、さらに広大な大地がトラストの保護下に入ることになった[23]。その他にグラスミアとライダル・ウォーターの近くにある 2 つの土地（14 エーカー、5.5 エーカー）が贈与された[24]。私は 1985 年 7 月、初めて湖水地方を訪ねた時、アンブルサイドからライダル・ウォーターを経てグラスミアへ歩いて行ったことがある。小雨の降る中、ライダル・ウォーターの神秘的な美しさに心を打たれ、グラスミアとその対岸の緑濃い自然の美しさにも心を洗われる思いがしたことを今でもはっきりと覚えている。ライダル・ウォーターの右手の山の中腹には、ワーズワースの家もある。グラスミアには、キャノン・ローンズリィもその保存に一役買ったダヴ・コテッジ（Dove Cottage）がある。ここもワーズワースが住んでいた家である。湖水地方を訪ねたら、是非この辺りを歩きながらナショナル・トラストを思い出してほしい。私はまたグラスミアの対岸の湖畔を歩きながら、アンブルサイドへ帰ったこともある。この歩行をエンジョイする人々は、必ず何回もトラストと出会うに違いない。

ロンドン近郊に移ろう。一つはハインドヘッド地区の北西部にある 36.5 エーカーのストーニィ・ジャンプである。ここにはこれまで一般大衆が自由にアクセスできていたのだが、それがどうも怪しくなってきた。そこでトラストと所有者とが交渉した結果、この土地を売ってもよいとの話がまとまった。地元の人たちも支援に乗り出した。幸いに隣に土地を持つ地主のフランク・メイスン氏がこの運動に加わってくれて残額を負担するとともに、自らの土地の自然の持つ美しさをも守ってくれることを引き受けてくれた[25]。

ハットフィールド・フォレストの主要部分（600 エーカー）が 1924 年にトラス

トへ贈与されたことは先に記したとおりである。今度は同じ家族の人々が残りの320エーカーを購買し、それをトラストへ贈与してくれた。合計920エーカーのハットフィールド・フォレストが永久にトラストの保護下に入ったのである。

ボックス・ヒルでは14エーカーが買い足されて、これで570エーカーを記録することになった[26]。すでにトラストに属しているグレート・ブッカム・コモンに隣接するリトル・ブッカム・コモンが1924年に、そしてリトル・ブッカム・コモンに隣接するバンクス・コモンが1925年に、それぞれ別の篤志家によって贈与された[27]。

1925年、トラストはきわめて注目すべき土地を提供されることになった。そこはバーミンガムから南へ列車で30分足らずで行けるところにある。チャドウィッチ・マナー・エステート（414エーカー）がそれである。ここがエドワード・カドベリィとジョージ・カドベリィ兄弟によってトラストへ譲渡され、その管理・運営を任されたのである。この時、執行委員会の議長が次のように言っていることに注目したい。「これは新しい出発であり、新しい種類の贈り物である。……そしてこれはリクリエーション用地として提供されたものではない。農地にも荒れるに任せて良い土地の量には限度というものがある。この土地を決して不毛の土地にするのではなく、農業の目的に用立てるとともに、あくまでも近在の都市のアメニティと自然の美しさに役立てようというのである。……その目的は、都市または郊外の中に農業の緑地と牧歌的なオアシスを作ることである。可能ならばこの農地へアクセスできるように歩道を作ることにしよう。しかし農場はあくまでも農場であり、公園や遊び場ではないのである」。最後に、カドベリィ兄弟への議長の謝意は、トラストの会員および一般大衆のものでもあることを保証するとの評議会の確認も付されている[28]。

1925年と言えば、農業危機は一層深まり、深刻の度を増しつつあった。このような時に、農場の寄贈を受け、これから農業を守るとともに、自然保護をも両立させようというのである。トラストは、創立以来これまで30年間、イギリス農業の不振をじっと見つめてきたはずである。これからもナショナル・トラストとイギリス農業との関係がいかなる展開を示していくのか、注意深く見守っていかねばならない。

第3章　さらなる発展へ向けて

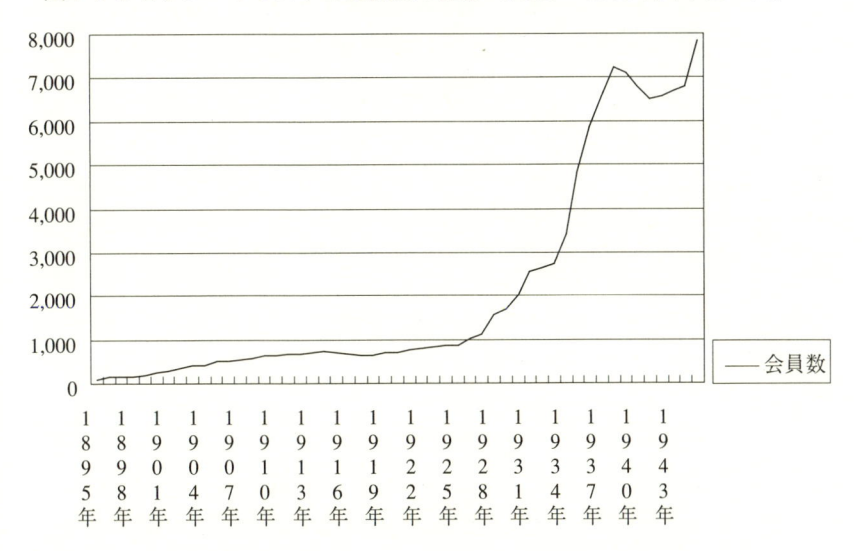

図2　ナショナル・トラストの会員数の推移（1895〜1945年）（単位：人）

図3　ナショナル・トラストによって獲得された土地資産の動向　（単位：エーカー）

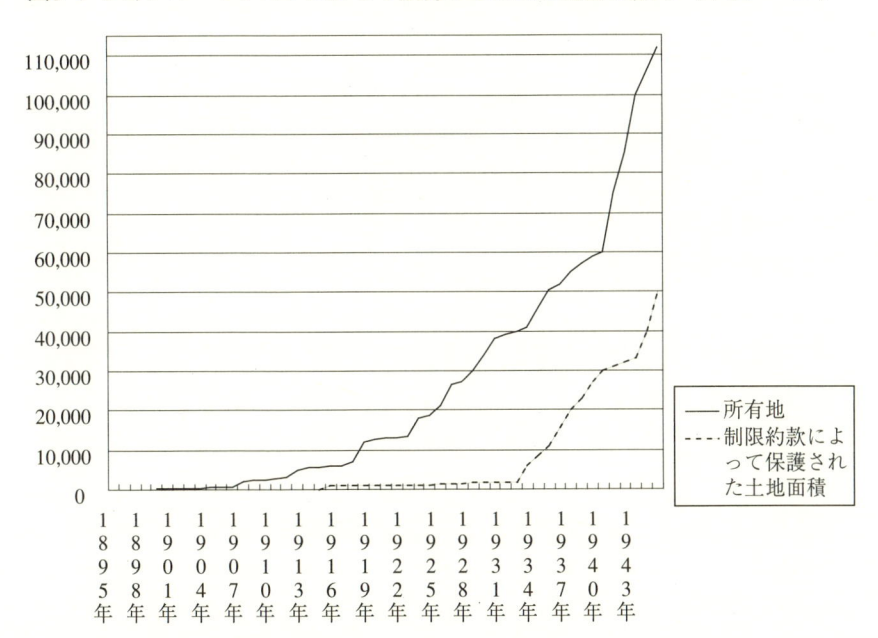

私は2001年4月6日、チャドウィッチ・マナー・エステートを訪ねるために、バーミンガム・ニュー・ストリート駅から南へ30分足らずで到着するバーント・グリーン駅に降り立った。口蹄疫がまだ猖獗を極めている中、農場の中に入れないことは知っていた。それでも農場の様子だけでも見ておきたかったのである。チャドウィッチへは地理感がないために、止むを得ず途中でタクシーを呼ぶことにした。チャドウィッチ・グレンジ・ファームを見つけ、下り坂をゆっくりと走り、途中で降りて下の方からチャドウィッチの様子を眺めた。この時の私の体験については他稿に譲るしかないが[29]、この農場が周囲のアメニティを高めるのに役立っていること、そして堅実に管理・運営されているらしいことだけは察知できた。次回こそ、ここを再び訪ね、インタビューをも果たしたいとの願いを掻き立てるには十分であった。

　1926年の第31回年次報告書については、いきなり資産獲得の報告からというわけにはいかない。トラストによって獲得された資産の数も年々増加し、それとともにそれらの持つ重要性も高くなる。いまやトラストの資産の数は130に達し、面積は2万エーカー以上に達している。ここで当然のことだが、念のために私たちは次のことに注意しておかねばならない。戦後に入ってトラストの活動も活発になり、資産の数も、また所有面積も増加した。それに会員数も急激ではないが増加しつつあり、収支状況も好転しつつある（図1（147頁)、2、3（前頁）参照)。これらの原因をどこに求めるべきか。確かに戦時中は、トラストで働くべき人員も減り、それに首尾一貫した方針も立てられなかった。言わば休眠状態であった。しかし戦前までに鍛えられ、蓄積されたトラストの力量は健在であった。戦後、トラストはこれらの蓄積された力量を基礎にして、再び活動を開始するだけの堅実さを保持していたのだ。以下、新しい資産を記述することから始めよう。
　1925年、ロンドンの北方40kmほどの丘陵にあるバーカムステッドの近くのアシュリッジ・パーク・エステートが、開発を目的に処分されるという情報がトラストに入った。早速トラストは、この土地を購買するための取引に入った。その結果、トラストはいち早く一般大衆に向けて資金獲得のためのアピールを発した。しかもこのアピールは、ときの首相、ラムジィ・マクドナルドやトラ

ボーディアム城。地元の人達がここを誇りにしているのが印象深かった。
(1994.8 著者撮影)

ストの副総裁のグレイ子爵などの錚々たる人物のサイン付きであった。早くも1名の匿名者が2万ポンドをトラストに寄付してくれた。首相やその他の連署人たちのアピールへの反応は素早く、極めて効果的であった。比較的短期間に4万5,000ポンド以上の額が集まり、その結果トラストは1,600エーカー以上の土地とバーカムステッド・コモンの大部分を占める領主権をも獲得できた。この土地のすべての区域は丘陵地と農場、ヒース地そして森林地を織り交ぜた極めて美しい広大な土地である。ここは地方管理委員会によって管理・運営されることになっているが、その維持費には相当な費用がかかるはずだから、集められた一定の金額が基本財産基金として割り振られることになった。この貴重な土地の獲得に貢献してくれた匿名の寄付者、首相、その他の同僚の連署人、そしてこのアピールに快く応じてくれた人たちに、心からの謝意が述べられている[30]。

　同じ1925年、ボーディアム城とタッターシャル城をトラストへ遺贈するというカーゾン卿の遺言が明らかにされた。遺贈条項に見られるカーゾン卿の次の指摘は一読に値する。「美しくて古い建築物は、過ぎし時代の生活と風習を思い

起こさせる。そしてそれらは大変価値の高い、歴史的な記録であるばかりでなく、崇敬の念を吹き込み、かつそれらの持つ高尚な趣を養うのに役立つので、国民の精神的および審美的な遺産であると私は信じる」[31]。したがって故人は国民のために獲得しておいた両城をトラストへ遺贈した。私自身、タッターシャル城を訪ねたことはない。しかしカーゾン卿が書き残した上記の引用文が真実であるかどうかを確かめるために、ボーディアム城を訪ねたことがある。地元の人たちがこの城を誇りにしていることを知るとともに、カーゾン卿の言葉に偽りがないことを確認できた。もちろんトラストは、彼の遺言を喜んで受け入れた。ただ相続税が高く、トラストの資金を著しく枯渇させるものであっただけに、相続税問題が再び持ち上がったのも事実であった[32]。このことについては前編で記したとおりだが、トラストにおける相続税問題がどのように解決されるのか、もう少し様子を見ることにしよう。

　次はこれまでに獲得された土地に対する付加地の報告である。リヴァプールの郊外、ウィロー (Wirral) にあるサーストストン・ヒースとアービィ・ヒルについて、同一人物によって20エーカーが付加された。それに別の人物によってアービィ・ヒルとサーストストン・ヒースの間にある9エーカーの土地がトラストへ譲渡された。

　ライゲイトのコリー・ヒルでは約3エーカーの土地が大衆の寄付金で買い足された。

　ボックス・ヒルでは、地元の募金活動によって84エーカーのホワイト・ヒルが購買された。これでボックス・ヒルの面積は全部で654エーカーとなった。

　ウィッケン・フェンでもさらに土地が贈与された。いよいよ全湿地帯が確保されるような勢いである。そうなればトラストはこの地を効果的にコントロールできて、興味ある動植物の破壊を阻止することができるようになろう。最後にハイドンズ・ボールが地元の寄付金によって25.5エーカーを買い足された。ハイドン・ヒースとハイドンズ・ボールはオクタヴィア・ヒルゆかりの森林地で、合計97.5エーカーとなった[33]。実は私はここを知らない。しかしここから歩道を歩けば2～3kmで行けるはずのウィンクワース・アボレタムには行っている。1985年12月29日のことであった。この美しいボレタム (arboretum)

第3章 さらなる発展へ向けて

ウィンクワース・アボレタムにて。親子連れの3名の想い出が懐かしい。
（1985.12 著者撮影）

は、雪で覆われており、歩いている人も少なかった。そのなかに親子連れ3名がいた。うしろから眺めながら私は思った。あの子はきっとこの体験を忘れまい。そしてこういう子供たちがナショナル・トラストを支えていくのだろうと。ロンドン近郊にこのような静かで美しいところが多いのを羨ましく思う。

　1927年の第32回年次報告書を見ると、この年度に8つの資産が贈与または購買によって得られ、そのうちの3つが既存の資産に付加された。またその他に2つの遺贈があったが、これらはいずれも建物であった。
　それではまず新たな資産から始めることにしよう。1918年に、コーンウォール南岸のフォイの湾口の西にあるセント・キャサリンズ岬（St. Catherine's Point）が贈与された。今度は同じ夫妻によって、向かい側にあるセント・セイヴィアズ岬（St. Saviour's Point）が寄贈された。これでフォイへの入口の美しさが永久に保証されることになった。それからここから東の方へポルペロのチャペル・クリフが募金活動によって獲得された。これでコーンウォールにおいて、海岸地の獲得のための更なる足場が得られたことになる[34]。私は1991年7月14日、

ポルペロからチャペル・クリフを経て大きく起伏している海岸地をランサロズを過ぎてランティク湾辺りまで来て、再びポルペロへ引き返した。当時、私はできるだけ海岸地にしろ、森林地にしろ、農業用地にしろ、往復することを旨としていた。というのは、そうしなければ肝心のところを見失うと思っていたからである。チャペル・クリフについては、そこに小さな銘刻板があったことを記憶している。はるかに広がるイギリス海峡（English Channel）に目を見張った。あるところではクリフ（崖地）の歩道から内陸に目をやり、牧場や放牧地、そして穂波の揺れる小麦畑とイギリス海峡を同時に見やることもできた。もうこの頃はポルペロからフォイまでほとんど連続してトラストの所有地となっていたはずだ。当時、次回はここを踏破することを内心計画していたのだが、未だに実現していない。きっとまた何か新しいものを発見できるはずなのだが。もちろんここは癒しの場でもある。チャペル・クリフの辺りだったろうか。歩道に木々のトンネルが自然のままに作られていた。ボランティア、そしてトラストの人々の世話が得られない限り、私たちはこの海岸地をエンジョイ（享有）できないのだ。

　湖水地方でもその面積が大きく広がった。湖水地方の西部にあるエナーデイルで標高1,500フィート以上の土地が政府機関たる森林委員会（Forestry Commission）から500年間のリースが与えられることになった。面積にして3,000から4,000エーカーになる。先にスコーフェル・パイクが、そして湖水地方のロック・クライミングクラブによって、第1次世界大戦での彼らの仲間の死を記念して3,000エーカーの山岳地がトラストへ寄贈されたことはすでに記したところである。かくしてこれらの山岳地が一緒になって膨大な面積を形成することになった。そのうえにある寄進者によって、森林委員会からリースを得る際の経費を与えられ、それに彼の有する歩道が一般大衆に開放されて、上記の土地に自由にアクセスできるようになった[35]。

　ロンドン近郊では、サマー・タイムの創始者を記念してチッスルハースト近くのペッツ・ウッドとして知られる森林地の一部（71エーカー）が購買され、トラストに贈与された[36]。

　次にすでに獲得された資産への付加地についていえば、アシュリッジ・エス

ポルペロからフォイまでほとんどがトラストの海岸地だ。
木々のトンネル。トラストの努力は尽きることがない。(1991.7　著者撮影)

テートでも土地が増えた。ここは私が渡英するたびに、時間の余裕が出来次第、歩行を楽しむために出かけるところだが、良く迷うところでもある。1984年現在4,000エーカーで、丘陵地、入会地、森林地、そして農地からなっている[37]。1927年にはバーカムステッド・コモンの東に隣接するフリッツデン・ビーチズ (Fritsden Beeches) が購買された。残念ながら面積については記されていないので詳細はわからないが、トラストの地図を見る限り、それほど広くはない[38]。

ライゲイトでは、コリー・ヒルに隣接するところに11エーカーのライゲイト・ビーチズ (Reigate Beeches) が募金によって買い足された[39]。

次は将来に希望を抱かせる話である。デヴォンシァ南部のサルクーム近くのボルト・ヘッド (580エーカー) という岬を4,000ポンドでトラストへ譲ろうという話である。この話はサルクームとその近辺の住民たちによって歓迎され、彼らによって2,000ポンドが集められ、それにこの土地の売却人の1人が800ポンドを提供してもよいとのことである。あと残りは1,200ポンドであるが、これは

一般募金によって容易に集められるはずだ。そのうえこの計画が実現すれば、近い将来、ボルト・ヘッドからボルト・テイルまでのほとんどすべての素晴らしい海岸線が得られるだろう。すでにポートルマス・ダウンとして知られるサルクームの対岸の丘陵地は、トラストとある地元住民との間の取り決め（arrangement）によってその保存が保証されている[40]。

それからウィッケン・フェンでは、この資産を守るための基本財産が緊急に必要であることが分かった。この資産は前述のとおり、自然保存地として国民的に重要な土地である。この湿地帯がトラストの資産になった当初の頃は、そこからスゲやその他の産物を得て、いくらかの金額を稼ぐことができた。ところがトラストの資産が増えるにつれて、管理費も増えた。それに不幸にも前述の収入は、屋根葺きの需要やその他の目的が確実に低下したので減ってきた。このことは、ウィッケン・フェンのビジターセンターでの説明板でも知ることができた。それはとにかく、トラストはこの減少分を補塡するために、1万ポンドから1万2,000ポンドの金額のアピールを開始することを決定した。このアピールは1927年6月にケンブリッジで開始された[41]。

ところでこのアピールは、ウィッケン・フェンにおける地方管理委員会でのアピールである。この時点で、地方管理委員会を持つ資産は48であり、地方管理委員会を持たない資産は135を超えている。したがってこれらの資産を維持するために、本部では一般基金（General Fund）を取り崩すことになる。そこでトラストとしては、一般基金の他に、資産の管理を維持するための一般基本財産基金（General Endowment Fund）のアピールを出すことを考えてきた。1920年代というこの時期が適当な時期かどうか、適確に判断することはできない。しかしこの時期こそ、その必要性に迫られつつあることだけは間違いない[42]。

1928年の第33回年次報告書の言うように、このところトラストは毎年発展を続けているというのが、ほぼ決まり文句のようになった。ただ新しく資産を獲得することには必ず重い責任が伴う。かくてその責任を果たすために、トラストの一般基金を増やさなければならない。

新しい資産については次のとおりである。リヴァプールの郊外地ウィローで

第3章　さらなる発展へ向けて

は、サーストストンに隣接する約40エーカーの農場が、サーストストンの場合と同じ人物によって贈与された。この土地の自然を保護するとともに、農場として維持して欲しいというのが贈与者の希望であった。その他に、この資産の近くで他の人物によって維持費とともに2ヵ所の森林地（4エーカー、6エーカー）が与えられた。さらに同じ近くのところに15エーカーのバートン・ウッドが別の人物によって贈与された。かくしてウィローでもトラストの土地が相当の規模になったことは喜ばしいことだ[43]。実は、ここは先に記したチャドウィッチ・マナー・エステートへ行く前日の2001年4月5日、口蹄疫の中、足を踏み入れられないままにその周囲を歩き回ったところである。次の機会には是非サーストストンだけにでも足を踏み入れて、そこの農業と自然保護との関連について色々な角度から考えてみたいものだ。それにサーストストンからはリヴァプールを含めて、マージィサイドを一望できるはずだ。トラストが、またイギリス政府や行政が、郊外地の肥大化を阻止するのに、どれほどの努力をしているかを確認できるかもしれない。

　湖水地方については、アルスウォーターのスタイバロウ・クラッグの近くのグレンコイン・ウッドの購買が地元の人たちの活躍によって実現された。これでここが建築用地として利用されないことが確定した[44]。1927年7月1日には、皇太子（the Prince of Wales）がトラストを代表して、ウィンダミアのボーナス近くのレクトリィ・フィールドと呼ばれる湖畔にある土地の権利証書を受領した。このことはトラストとしては初めてのことなので記念すべきことだ。それにこの土地の購買費1万ポンドが短期間のうちに地元住民の努力によって実現したことも特筆に価する[45]。この地はボーナスからヒル・トップやホークスヘッドへ行く時に利用するフェリー乗り場の途中にある。もしこの地がトラストの土地になっていなければどうなっているのだろう。ウィンダミアの東岸は訪問者が多いだけに、トラストの土地は貴重である。
　前年度の報告書で述べておいたデヴォンシァ南部のサルクーム近くのボルト・ヘッド（580エーカー）は、1928年に一般大衆の募金によって購買された[46]。この海岸地も今後その広さを増加させていくのを期待されるところだ。

ロンドン近郊もその資産を増やしていく。サリーではハックハースト・ヒースのうち13エーカーが贈与された。ロンドンの北部近郊、ポッターズ・バーの近くではモーヴェンと呼ばれる20エーカーの土地が贈与された。それにこの寄贈者は遺言によって、邸宅と庭園をも含めて、この土地を一般大衆のために維持するのに十分なだけのお金を残しておくことも考えていた[47]。

同じく前年度報告書で記したペッツ・ウッドでは16エーカーが買い足されて合計87エーカーとなった[48]。

ハインドヘッドの北東部7kmほどのところにあるウィットリィ・コモン（240エーカー）は1920年にトラストへ贈与されたのだが、1927年にはこの土地に隣接するミルファド・コモン（137エーカー）が地元の人々によって集められたお金で購買された[49]。ハインドヘッド地区では、ゴールデン・バレーあるいは通称ウッドコック・ボトムと呼ばれる盆地のうち約96エーカーが売却されるということをいち早く地元の人々が知ることとなった。そこで募金のためのアピールが発せられ、幸運にもこの土地は確保されることになった。なおこれが首尾よくいったのには、ある有志の通報と最初の手付金を融通してくれたことも大きかった[50]。ところで上記のペッツ・ウッドに行くために、私は漸く若葉が萌え始めた2002年4月8日に、ロンドン・ブリッジ駅からペッツ・ウッドへ向かった。ロンドンからすぐ近くのところにこれほどの緑地帯があるとは！ しばらく歩き続けると今度は1933年に獲得されたチッスルハースト・コモンに入った。いずれも緑地帯であるが、それだけではない。農業用地もあるということにも注目したい。前日の7日には、ロンドン・ウォータールー駅からミルファド駅へ向かった。ここもロンドン近郊である。駅を降りて3kmほど歩くと、ミルファド・コモンの標示板が目に付いた。その奥のほうにウィットリィ・コモンがある。途中で2人のサイクリストに会い、話し込む。最近の若者たちの心が荒み、歪んでいることや、車が多すぎることなどを話し、お互いにEnjoy!と言って別れた。車道に出ると、ひっきりなしに車が走っていた。

12日には、同じくウォータールー駅からヘイズルミア駅へ向かう。この駅の近くにあるハインドヘッドへ行くためだ。この辺りはトラストの創立者の1人であるロバート・ハンターが地元の人たちと一緒に活躍したところだ。数年ぶりにハインドヘッドにある展望台のギベット・ヒルに立った。しばらくの間、私

第3章　さらなる発展へ向けて

は遥かロンドンのほうを眺め続けた。このことは前にも書いたとおりだが、今やここでも広大で自然豊かなトラストの大地が形成されつつある。ロンドン近郊といえども、そこが単なる緑地帯ではないということ、すなわちトラストの大地はオープン・カントリィサイドとしての役割を担っていることを強調しておきたい。

　次はわが国でも有名なストーンヘンジに関する報告だ。これはトラストにとって最も重要な仕事の一つであり、是非とも成功させねばならない。その仕事とはストーンヘンジに隣接する土地を獲得するために、必要な3万5,000ポンドを集めるためのアピールを発することである。それにこの土地はストーンヘンジ・スカイラインと言われる重要な土地である。アピールの署名者には首相のラムジィ・マクドナルド氏、クローフォド伯爵、グレイ子爵（トラスト副総裁）、ラドノア伯爵（ウイルトシァ知事）が名を連ねている。このアピールは1927年8月に発表された。ストーンヘンジ自体は建設省管轄だが、周囲の土地は私有地だ。いつ開発されるとも限らない。ストーンヘンジのあの孤高性と神秘さを永久に保つためには、トラストがその土地を所有すべきである。このアピールとトラスト、ウィルトシァ考古学協会、そして古物研究家協会を含む委員会の努力によって、この土地の半分が確保された。これには建設省が進んでこのアピールを支持してくれたことも大きな力となった。ストーンヘンジの北の方にまだ約650エーカーが残っているが、これを獲得するには1万6,000ポンドが必要だ。オプションの期限は1928年末だが、これまでに2,000ポンドが集まっている。最後まで頑張って、この目標を達成しなければならないと報告されている[51]。

第3節　新しい資産の増加

　今次報告書においてはじめて、トラストはシェフィールドとマンチェスター間に位置するピーク・ディストリクトに足場を築けるチャンスを得たことを会員に告げることができた。ここにはこれまで不思議と言っていいほど、トラストは資産を持っていなかった。イギリス全土から見ても、この地方ほど無傷のままで自然の美しさを保っている荒野（moorland）は極めて少なく、それ故

にこれほどに素晴らしい眺望を得られるところも少ない。そこでまずトラストはこの素晴らしい大地を国民のために保護するための足がかりともなるべきロングショウ・エステートを確保するためのアピールを、首尾よく発することができた。そこはヒース地のある高原、岩山、広大な草原、そして森林のある傾斜地を擁し、遠くには山岳地の頂へ向かって広大な眺望をも得られるところである。この地を獲得するために、シェフィールド市当局からの協力も得られ、購買価格1万4,000ポンドのうち市当局が9,000ポンド以上を集めてくれた。それにマンチェスターからの援助も受けられるはずだ。この例外とも言える絶好のチャンスを逃してはならない。ロンドン在住のトラストの支持者から500ポンドの寄付金もあった。次年度以降の報告が待たれるところである[52]。

前年度からのウィッケン・フェンの自然保存地を維持するための基本財産基金（the Endowment Fund）のための8,000ポンドの目標額は、今のところその出足が鈍く不調である。

最後に、はっきりとした名称は与えられていないが、広報委員会を作ったことを報告している。その目的は何よりもトラストを広く宣伝することであるが、第1に会員を増加させること、第2に将来のアピールを推進し、トラストへの資産の提供を促すことである。これをもってトラストも、いよいよ会員の増加を目指して具体的に動きはじめたと見るべきであろうか。トラストの将来への動きには極めて注目すべきものがあるようだ[53]。

1929年の第34回年次報告書は、この年度がナショナル・トラストの歴史上、驚異の年（an annus mirabilis）であったと言っている。新しい資産は11、付加された資産は4である。そのうえ会員数も1,700名に増加した。これを上記の広報委員会（Publicity Committee）の努力によるものだとしている。その他にG. M. トレヴェリアン著の *Must England's Beauty Perish?* の刊行についても言及している[54]。

前年度のストーンヘンジのアピールについては、遅滞なく無事終了した。これまでのストーンヘンジの孤高性と壮大さを汚してきた建築物などは順次撤去されるであろう[55]。

湖水地方でも著しい業績を上げることができた。グレート・ラングデイルでは、アンブルサイドからのバスの終点地からすぐそばにある400エーカーの土地が贈与された。ここには2つの農場とバス停のすぐそばにある登山者向けの古いホテル、ダンジャン・ギル・ホテル（Dungeon Ghyll Hotel）がある。当然のことだが、ここでは農場は農場として維持され、ホテルはそこにふさわしいホテルとして経営されることになる。ここは前にも述べたように、人の近づける最奥地の一つであり、また自然と人間社会とが織りなす自然風美をたたえたオープン・カントリィサイドを存分に享有できるところである。

　次は湖水地方の南の方にあるダッドン渓谷（Duddon Valley）の奥地にあるコックリー・ベック・ファームが贈与された。ここも同じく、この800エーカーをなす農場は農場として維持され続けなければならない。それに続いてすぐに、そこに隣接するデイル・ヘッド（Dale Head）という農場が、今度は匿名のもとに贈与された。言うまでもないが、オープン・スペースであれ、農場であれ、それらがトラストによって保護されるということは、それだけ湖水地方のより大きな面積が永久に壊されないままであるということである。ウィンダミアの北岸にビー・ホーム（Bee Holme）という約3エーカーの広さを持つ湖の方へ突き出た山林地がある。ここは9ヵ月間は島で、3ヵ月間は地続きとなる。ここはある夫妻によって購買され、トラストへ提供された。ここはピクニック用にと贈られたものである。私はここを何度か眼にしたはずである。それにウィンダミアの両岸を歩き、アンブルサイドに着いたこともある。だからそこを通過したにちがいない。その時この事実を知らなかったのは残念である。それからアンブルサイドでは、橋の家（Bridge House）が近隣の人々の寄付金で購買された。川の両岸に建っている17世紀の珍しい小さな家である。アンブルサイドに滞在するか、あるいは通過する人ならば必ず目にする珍しい家である。もう一つ、ウィンダミアのボーナス近くでは5エーカーの広さを持つポスト・ノットという丘が贈与された[56]。

　ピーク・ディストリクトのロングショウ・エステートについては前年度の報告書で紹介した。トラストとしては一刻も早く獲得したいところだが、あと3,500ポンドほどが必要だ。シェフィールドをはじめ近隣の自治体も、この厳し

い状況の中で最善の努力をしてくれている。トラストとしてもそれ以上の努力を続けなければならない。この地は750エーカーであるが、3,000エーカーにものぼる広大な大地の中心地なのである(57)。周知のように1929年には世界大恐慌が勃発し、イギリスもその影響から逃れるわけにはいかなかったのである。

リヴァプールの西方のウィローにあるサーストストンでは、他の人々も加わり、この地の周辺の土地を贈与してくれた。すでに確保された土地のアメニティを高めてくれることは言うまでもない(58)。

デヴォンシァ南部のボルト・ヘッドでもトラストの活動は順調だ。望むべくはボルト・ヘッドからボルト・テイルまで連続してつなげたいところだが、今年度でその足場はできたと言っても良いかもしれない。サウスダウンおよびキャットホール・クリフと言われる起伏の多い崖地のかなりの距離の海岸線が贈与されたと報告している(59)。

アシュリッジ・エステートでは、1,600エーカーが確保されたことは前年度の報告書で明らかにされた。ところがミッドランド平原を一望に見渡せるこの土地の最北部のアイヴィング・ホウの近辺で、建物が建つ危険が生じた。幸いなことにアシュリッジ・エステートを獲得するときに、トラストが大変な恩恵を受けたあの匿名の寄付者のお陰で、またもこの危機に瀕した64エーカーの土地を獲得できた。この土地をさらに広げてくれた恩人がもう1人いた。この人こそ、先のトラストに関する貴重なブックレットを著した歴史家としても高名なG. M. トレヴェリアン教授であり、かつ後年トラストの資産委員会（Estates Committee）の委員長を務めた人でもある。彼がアシュリッジ・エステートを広げるために、自ら土地を買い、それをアシュリッジ・エステートに加えてくれたのである。ロンドン・ユーストン駅を出発し、40〜50分もすればバーカムステッド駅を通過し、トリング駅辺りに近づく。その辺りから右手の長い丘陵地の森に、高いモニュメント（Bridgewater Monument）が見えるはずである。あの辺り一帯をトラストに買い与えたのだ。その結果、アシュリッジ・エステートは2,400エーカー以上に達した(60)。現在のここの規模がほぼ4,000エーカーである

ことは先に述べた。因みにバーカムステッド駅からトリング駅を通過して、しばらくするとアイヴィングホウ・ヒルが終わって、平地になる地点がある。そこまで着くのに何分かかるか計ってみるのも興味深い。アシュリッジ・エステートについて最後のところで、トラストはさらにアイヴィングホウ・ビーコンのすぐ近くに農場も獲得できたので、このビーコンのアメニティは今後傷つけられることはないであろうと言っている。ここはロンドンから近い。この丘に立って、この言葉が現在でも通じるかどうかを確かめるのも、トラストを理解する一つの手段となるはずだ。

ウィッケン・フェンの基本財産アピールについての報告もある。依然として動きが鈍いようである[61]。それから議会の議事にはいつも注意を払っているが、カントリィサイドのアメニティを害するような法案については、必要が生じた場合には、陳情を行う用意があるとの意思を表明している。

ところでウィッケン・フェンの基本財産アピールは、個別資産からのアピールであるが、トラスト自体、2年前に一般基本財産アピールを打ち出す必要性を表明したことは前述のとおりである。その時以来、一般基本財産のための寄付が寄せられており、事実上このアピールはすでに開始されていると考えられる。事実、一般基金を枯渇させる恐れがあるために、資産の受け入れが出来ない場合がある。そういうことを避けるためにトラスト本部に一般基本財産の項目を設ける必要があるというわけである[62]。

1930年度の第35回年次報告書において、トラストは今や自然保護問題が生じた時には、国民一般が指導や援助を求めてくる国民的な団体に成長したことを自覚するに至った[63]。このことはこれまでトラストによって成就されてきた急速な成長と発展を考えれば、当然であろう。

ところで相続税（death duty）については、トラストの成立以来、とくに1925年、タッターシャル城とボーディアム城が遺贈されて以来、問題にされてきたことは先に述べたところである。

いよいよトラストへ遺贈される資産に対する相続税の支払いが免除されるように、財政法案への修正がトラストを代表して提出された。大蔵大臣はこの修

正をそのまま受諾することはできないが、その提案に賛成であることを表明してくれた。彼はこの問題を審議するための委員会が任命されたと述べた。そして翌年の法案の中へこの問題に合致するような条項を入れることが可能となるように希望してくれた[64]。

　これまでのトラストと相続税との関連について言えば、トラストは解散したり、消滅するようなことはないのだから、遺贈された資産には一度だけ相続税がかけられるだけである。しかしだからといってトラストに一度だけでも相続税が課せられるのは不当である。トラストと異なり、土地所有者の場合、「その所有する資産の美しさに誇りを持っている人でも、いつかは必ず死ぬ。それにその相続財産の崇高性にそれほど気にかけないか、または相続税故に、嫌々ながらでもそれを開発業者に売らなければならない人もいる。それから政府は国家的に貴重な絵画や芸術品には相続税を免除しているが、自然的景勝地には容赦しない。自然の美しさに国民的な価値がないなどとは全く呆れて物も言えない」[65]。個人の精神的な、そして道徳的な生活に対する自然の持つ美しさの影響力は、歴史的建造物も含めて計り知れないものがある。「イギリスは、今や人間を自然から切り離して育てねばならない危険に置かれている。イギリス人がこれまで質の高い心と精神を引き出してきたものこそ、海と大地にある自然からなのだ。自分の国の近い将来について考えるべき政治家にとって、美しい自然を保護することは緊急の課題だ。しかしすべての政党の指導的政治家たちは、個人としてはわれわれを支持しているが、彼らはこれまで何もしてこなかった。また彼らは世論がこの問題をもっと積極的に駆り立てない限り、何もしないと私は思う。しかし政治家が主導権を握るならば、より多くの支持者を得るに違いない。……たとえばナショナル・トラストに遺贈される美しい土地に対する相続税の免除が提議されるならば、それは一般的に評判の高い法案になると私は信じる。現在政府は、租税制度によって相続人に、開発業者に土地を売るように仕向けており、相続人にその土地を国民に与えるよう仕向けるようなことは何もしていない」[66]。以上は1929年に刊行されたトレヴェリアン教授のブックレットから引用したものである。もはやこれ以上の説明は要すまい。先に記したように翌年には、トラストへの遺贈財産に対しては相続税が免除される法案が通過することとなる。

コニストン湖の絶景　　　　　（2000.3　著者撮影）

　それではこの年の報告書で、トラストがいかなる仕事を行ったかを見てみることにしよう。まず湖水地方から見ていこう。ダーウェントウォーターでは北東部の湖畔で3ヵ所（57エーカー）が、そして同じ湖のカーフクロス湾の前方に浮かぶラムプスホーム・アイランドが贈与された[67]。ダッドン渓谷では、この地域を愛している人には良く知られている約75エーカーのウァロウバロウ・クラッグが贈与された[68]。周知の如く、トラストは湖水地方の大部分の地域で守備範囲を広げてきた。ところがコニストン湖の地域では、トラストはこれまで土地を獲得できないでいた。いよいよこの年、トラストはこの地域でも土地を獲得できる機会に恵まれた。というのはわが国でもピーター・ラビットの作者で有名な童話作家のビアトリクス・ポター（Beatrix Potter）が持っていた約4,000エーカーのコニストン湖にほど近いモンク・コニストン・エステートのほぼ半分を購買時の価格でトラストに売っても良いと申し出てくれたからである。必要な金額は僅かな金額を残し、ほとんどのお金が集まった。もしトラストがこの土地の購買に成功すれば、このモンク・コニストン・エステートとダッ

ン渓谷はほとんどがつながることになる[69]。

　ウィンダミアでは西岸にあるレイ・カースルとその土地64エーカーがトラストへ贈与された。ここは1882年の夏、キャノン・ローンズリィがビアトリクス・ポターと初めて会ったところでもある[70]。彼女とトラストとの因縁浅からぬことを思わせる事件だが、私もかつてここを訪ねたことがある。このすぐ近くにローンズリィが若い頃務めていた教区教会もあったからである。レイ・カースル自体、歴史的な建物と言うほどではないが、この小高い丘から見るウィンダミア湖畔とその周辺の景色は素晴らしい。

　ロンドン近郊に移ろう。この年、歴史的に極めて由緒あるあのマグナ・カルタの調印の場であるウィンザー近くのラニミードがトラストへ贈与されることになった。ところが最近になって人々が足繁く訪れるようになった結果、この歴史的に由緒深いところが台無しにされる危険が生じてきた。ついてはトラストが地方管理委員会を設置するが、これに対しては、贈与者のほうが応分の負担をすることを申し出てくれた。今後は一般大衆がトラストに協力することを期待することになろう。それでは現在、この地はロンドン近郊にあっていかなる役割を演じているのだろうか。幸いに2002年4月5日にここを訪ねることができた。ここはテムズ川に沿った予想以上に自然豊かな広大な地であった。牧場もあり、牛が草を食んでいた。あのウィンザー城の長い遊歩道（the Long Walk）に直接につながらなくとも、ウィンザーの広大な緑地の東側に連なると言ってもいい。ラニミードを含めこの辺りの緑地帯の広大さに感銘を受けたことは言うまでもない。というのはトラストが獲得した資産を、それが歴史的名勝地であれ、自然的景勝地であれ、そこを獲得したときの資産の状態を維持するばかりでなく、その質の向上にも努めつつあることを実感したからである。リース・ヒルの近くでは、デュークス・ワレン（Duke's Warren）として知られる土地200エーカーが贈与された。同じこの近くのフライディ・ストリート村の自然環境を守るために、60エーカーのセヴェレルズの森を守ろうという運動が地元で起きて、短期間のうちに必要な金額が集められ、購買されて、それがトラストへ贈与された。

　ハインドヘッド近くのワゴナーズ・ウェルズがロバート・ハンターを記念し

て購買されたことは、すでに記したとおりだが、この年度にこの周囲の一角を占めるクローカズ・パッチ（14エーカー）が地元の人々の寄付金によって購買され、トラストに贈与されることになった。これによってワゴナーズ・ウェルズはトラストの土地によって、ほとんどが囲まれることになった[71]。

それからニュー・フォレストの境界地にある約40エーカーのハイタウン・コモンを、入会地・オープン・スペースおよび歩道保存協会（入会地保存協会の改称名、CPS）の申し出によりエヴァースリィ卿（ショウ=ルフェーブル）を記念するために、トラストが所有することになった。その理由は、彼が長年の間、入会地保存協会と深い関係にあったとともに、トラストの創立時代からトラストの仕事に関係していたと同時に、常にトラストの発展に深い関心を抱いてくれていたからである[72]。彼はまた国会議員であると同時に、『イングランドの入会地と森林』（1894年）を刊行し、かつ弁護士であった。

最後に広報委員会に関する記述がある。種々の活動を行っているが、次のことだけを記しておこう。トラストは最近、一般基本財産基金の増加に腐心していたのは既述のとおりだ。この年の報告書によって初めて、この基金が着実に増加しつつあることを報告できた。トラストに対する世論の高まりも実感できる。世論のトラストへの支持を背景に、いよいよトラストも次なる段階へまた一歩進めることができそうだ[73]。

（1）このことについて詳しくは、Robin Fedden, *op. cit.*, pp.20-22. 拙訳書13-15頁。Graham Murphy, *op. cit.*, pp.23-100. 拙訳書43-151頁を参照されたい。
（2）*Ibid.*, p.133. 拙訳書195-196頁。
（3）*Twenty-Sixth Annual Report*（the National Trust, 1920-1921）pp.5-6.
（4）以上 *Ibid.*, p.7.
（5）*Ibid.*, p.7, p.9.
（6）*Ibid.*, p.10.
（7）*Ibid.*, p.11, Robin Fedden, *op. cit.*, p.30. 拙訳書25頁。
（8）以上 *Twenty-Seventh Annual Report*（the National Trust, 1921-1922）p.5. なおニュー・フォレストについては、Graham Murphy, *op. cit.*, p.39. 拙訳書67-68頁を参照されたい。
（9）*Twenty-Seventh Annual Report*, *op. cit.*, p.6.

(10) *Ibid.*, p.7.
(11) *Ibid.*, pp.8-9.
(12) *Twenty-Eighth Annual Report*（the National Trust, 1922-1923）, p.6.
(13) *Ibid.*, p.7.
(14) *Ibid.*, p.7.
(15) *Ibid.*, pp.7-8.
(16) *Ibid.*, pp.8-9.
(17) *Ibid.*, pp.9-10.
(18) *Twenty-Ninth Annual Report*（the National Trust, 1923-1924）, pp.5-6.
(19) *Ibid.*, pp.6-7.
(20) *Ibid.*, pp.7-8.
(21) *Ibid.*, p.9.
(22) *Thirtieth Annual Report*（the National Trust, 1924-1925）, p.6.
(23) *Ibid.*, p.9.
(24) *Ibid.*, pp.10-11.
(25) *Ibid.*, pp.7-8.
(26) 以上 *Ibid.*, p.8.
(27) *Ibid.*, p.12.
(28) *Ibid.*, pp.9-10.
(29) 前掲拙稿「口蹄疫（foot and mouth disease）のなか、ナショナル・トラストをゆく」143頁。
(30) *Thirty-First Annual Report*（the National Trust, 1925-1926）pp.5-6.なおナショナル・トラストが成立する前に、入会地保存協会がバーカムステッド・コモンを闘い取った話については、アシュリッジ・エステートとの関連を含めてGraham Murphy, *op. cit.*, pp.13-17.拙訳書33-40頁を参照されたい。
(31) *Thirty-First Annual Report, op.cit.*, pp.6-7.
(32) *Ibid.*, p.7, Robin Fedden, *op. cit.*, pp.172-173. 拙訳書203-204頁。
(33) 以上 *Thirty-First Annual Report, op.cit.*, p.7, p.30.
(34) *Thirty-Second Annual Report*（the National Trust, 1926-1927）, pp.5-6.
(35) *Ibid.*, p.6.
(36) *Ibid.*, p.9.
(37) Rosemary Jokes ed. *The National Trust Guide*（3rd ed.）, pp.564-565.
(38) *Thirty-Second Annual Report, op.cit.*, pp.5-6, p.20.
(39) *Ibid.*, p.34.
(40) *Ibid.*, p.11.
(41) *Ibid.*, pp.10-11.
(42) *Ibid.*, p.12.
(43) *Thirty-Third Annual Report*（the National Trust, 1927-1928）, pp.6-7.

第 3 章　さらなる発展へ向けて

(44)　*Ibid.*, p.9.
(45)　*Ibid.*, pp.10-11.
(46)　*Ibid.*, pp.11-12.
(47)　*Ibid.*, p.7, p.8.
(48)　*Ibid.*, p.9.
(49)　*Ibid.*, p.10, p.55.
(50)　*Ibid.*, p.11, p.42.
(51)　*Ibid.*, pp.12-13.
(52)　*Ibid.*, p.13.
(53)　*Ibid.*, p.14.
(54)　*Thirty-Fourth Annual Report*（the National Trust, 1928-1929), p.5.
(55)　*Ibid.*, p.6.
(56)　以上 *Ibid.*, pp.6-7.
(57)　*Ibid.*, pp.7-8.
(58)　*Ibid.*, p.10.
(59)　*Ibid.*, pp.9-10.
(60)　*Ibid.*, p.9.
(61)　*Ibid.*, p.10, p.11.
(62)　*Ibid.*, p.11.
(63)　*Thirty-Fifth Annual Report*（the National Trust, 1929-1930), p.1.
(64)　*Ibid.*, p.2.
(65)　G. M. Trevelyan, *Must England's Beauty Perish?*（London, 1929), pp.10-11.
(66)　*Ibid.*, pp.21-22.
(67)　*Thirty-Fifth Annual Report, op.cit.*, p.2, p.8.
(68)　*Ibid.*, p.3.
(69)　*Ibid.*, p.3.
(70)　*Ibid.*, pp.2-3, および Graham Murphy, *op. cit.*, p.79. 拙訳書 123 頁.
(71)　*Thirty-Fifth Annual Report, op.cit.*, pp.3-4, pp.5-6, p.7.
(72)　*Ibid.*, p.6.
(73)　*Ibid.*, p.9.

第4章
相続税の免除
（1931年〜1937年）

第1節　1931年歳入法の改正——相続税の免除

　自然保護という点から生じたこれまでの最も大きな社会的な成果といえば、それは世論が喚起され、それに応じて政府、行政が一定の反応を示したということである。これは、トラストが1895年の成立以来、自然保護の重要性を訴え続け、国民とともに行動してきたからである。具体的にはこの一世代の間の自然保護に対する国民世論の高まりが、幾つかの議会法案を生み出した。それらについては古代記念物法案（an Ancient Monuments Bill）や都市および農村計画法案（a Town and Country Planning Bill）[1]などを挙げることができよう。しかし何よりも1931年度のトラストにとって最も満足すべき成果は、国民のためにトラストへ遺贈される資産に対しては、相続税の支払いが免除されたことである。この原則を盛り込んだ条項が議会によって歳入法案に付け加えられ、下院で満場一致のもとに通過した。すなわち1931年の歳入法によって、トラストに与えられた土地や建築物が譲渡不能'inalienable'であると宣言されるならば、それらに対する相続税は免除されるというものである。これはトラストに、そして国民に大きな利益をもたらすであろう。すなわちこれまで高額な相続税を支払わなければならなかったために、遺産を残すのをためらっていた所有者が、これからは相続税を支払わなくてよいので、それらを永久に保護してもらうためにトラストへ遺贈しようという傾向が生じるであろう[2]。

　それではこれ以降トラストの活動は、いかなる展開を示すのだろうか。ここではコーンウォールおよびデヴォンシァの海岸地獲得から見ていくことにしよう。コーンウォールでは2ヵ所の海岸地の贈与を受けることができた。一つはコーンウォール南部に位置する岬のネア・ヘッドである。ここはすでにトラス

トの保護下にあるドッドマンの西方に位置しており、相互に視界のきくところにある。起伏の多い108エーカーからなる一面の広がりを持つ広大な土地である。ここは私自身、足を踏み入れることを望みながら、未だにその希望を果たせないでいるのだが、報告書の説明にあるとおり、その眺望は素晴らしいに違いない。贈与の目的は、このネア・ヘッドを正確に現状のままに保ち、そして農業の目的を果たすことが唯一の条件である。トラストがこの条件を進んで実行し、この土地を守ることを宣言したことは心強い。次はコーンウォール北部の海岸地にあるペンダーヴズ・ポイントで、狭い崖地をなしているところである[3]。ここはコーンウォール北部の代表的な観光都市であるニューキィから北東へ10km足らずのところにある。かつて私はニューキィから西の方向へ一日をかけて海岸地を往復したことがある。その前日、私はニューキィの地先のトーワン・ヘッドに立った。翌日歩く西のほうを眺め、そして歩く予定のない北東のほうもじっくりと眼にした。しかしその時には、そちらのほうにペンダーヴズ・ポイントがあることなど知る由もなかった。

デヴォンシア南部ではボルト・ヘッドが、すでにトラストの保護下にあることを私たちは知っている。そしてトラストの夢がボルト・ヘッドからボルト・テイルをつなぐことであることも私たちは知っている。今やボルト・テイルが売却中である。アピールが近隣の住民に発せられ、ある程度のお金は集まった。あと600ポンドである。もう一息である[4]。

ロングショウ・ムーア（750エーカー）については、1929年の年次報告書で記されている。ここは3,000エーカーに及ぶ大地の中心で重要なところである。幸いに有力な寄付者の援助もあって、無事トラストの保護下に入ることができた[5]。今後はピーク・ディストリクトにおけるトラストの足場がさらに広がることを期待したい。実は私は2002年3月16日、この土地を訪れた。今では1,700エーカーにまで広がり、広大な丘陵地と森林地、そして牧場や放牧地を含む自然豊かな大地である。今後は3,000エーカーの獲得に向けて、トラストは活動を続けていくに違いない。ここはピーク・ディストリクト国立公園の東端にある極めて重要なところである。それにシェフィールドからもさほど遠くない。マンチェスター——シェフィールド間の列車も数多く走っているし、シェフィールドか

らはバスの連絡もある。ピーク・ディストリクトについては、あとでやや詳しく触れることもあろう。

　ところでイギリス西部地方に風光明媚で有名なコッツウォルズがあり、ここの中心部に歴史上極めて古いサイレンシスターという町がある。ここにトラストの農場、海岸地など主要5部門を管轄する本部の一つがある。私自身、ここを度々訪ねている。それにコッツウォルズにあるトラストの他の事務所も訪ねている。その一つにシャーボン農場を管轄するシャーボン・エステート・オフィスがある。シャーボン村を、そしてシャーボン農場を訪ねるときには必ずこの事務所に立ち寄り、責任者のアンドリュー・メイルド氏から最新の情報を得ている。それからコッツウォルズ地帯を管轄するセヴァーン地域事務所の土地管理人（Land Agent）のN.B.C.バレット氏には、この事務所でインタビューに応じてもらったり、シャーボン・エステート・オフィスで教えを受けたりもした[6]。

　ここでは、すでにトラストの保護下にあったミンチンハンプトン（約600エーカー）の西方にあるヘアズフィールド・ビーコン（約260エーカー）が、この年に獲得され、授与式が行われた時のスピーチを紹介しておこう。

　　私たちの大部分は都市で生活しています。しかしすでに2～3世代の間、都市で生活してきた人たちでもその心の奥底には、……田舎の事象やその美しさを抜き難いまでに愛する心が宿っているのです。田舎こそ、私たちが決して切り離すことのできない永遠の価値と永遠の伝統を持っているのです。1人でも多くの人々が田舎を訪ねて欲しい。そうすればイギリスの農村の比類のない、そして無類の美しさに自らが慰められるのを感じ取ることができるでしょう。

　私自身、雨の中、ミンチンハンプトンを歩いたことはあるけれども、ヘアズフィールドは訪ねたことはない。しかしストラウドからグロースター駅に行く列車の中から眺めたことはある。それよりも報告書の中にあるように、ここは海抜713フィートのコッツウォルズの屋根である。セヴァーン川の蛇行する様

子を見下ろし、またあのマルバーンの丘でさえも、またウェールズの丘でさえも見通せるところである(7)。私たちの期待を裏切るはずはない。

　それではこの頃、トラストは自然保護と農業との関係についてどの様に考えていたのだろうか。幸いにトレヴェリアン教授が1929年に *Must English Beauty Perish?* （イギリスの美しさはなくなっていかねばならないのか）を刊行した。この中で彼が「トラストの方針：土地」(The Trust Policy:Lands) の項目を設けて、トラストの農業活動について述べている。前記の紹介文との関連で考察する格好の材料を提供していると考える。

　「丘陵地、ヒース地、崖地、牧場、森林地、そして高原地帯の他に、われわれはかなりの面積の耕作地を持ち、いくつかは農場付属の家屋も持っている。バーミンガムに近いチャドウィッチ・マナー・エステートの場合のように、われわれはそれらのいくつかを農業用地として維持していくという条件に基づいて獲得した。……他の場合には、われわれは自分たちが選択した農業方針を採用している。例を挙げれば、トラストの手入れの行き届いた原野や農場が、ボルト・ヘッドやドッドマンの崖地の背後に広がっている農場のように、隣接地とうまく溶け合い、自然美溢れる風景を醸し出している。その上にわれわれは財政的に利益を上げようというわけにはいかないが、土地の維持費だけでも捻出するために、借地農（＝農業経営者）から地代を要求するのである。しかしそのように出来れば、願ってもないことだ」(8)。

　1920年代と1930年代はイギリスにおいては農業不況が回復するどころか、むしろ一層ひどい状況を呈したというのが実情であった。トレヴェリアン教授の言っていることを注意深く読まなくても、彼の言い回しから当時の農業不振を相当強く意識していることが分かる(9)。このような状況の中で、トラストが自然保護と農業経営を両立させようとしている気概を感じ取らざるを得ない。今後ナショナル・トラストの自然保護活動はどのように展開されていくのだろうか。極めて興味深い。

　最後にBBC放送が、ナショナル・トラストのために1931年8月9日に「今週の善行 (The Week's Good Cause)」という番組で、トラストの事業について放送してくれたことを報告している(10)。

第2節 さらなる前進へ向けて

　1932年の第37回年次報告書は資産獲得の報告から始めることにしよう。ウェールズ北西部の海岸道路を良く知る人は、ハーレックとバーマス間の眺望がとても広くて美しいことを思い出すだろうと書かれているが、私がここを通ったのは列車で2度だけだ。バーマスからミンフォードまでの間での記憶は、広い海原と古城ぐらいのものだ。報告書によれば、ハーレックの近くの土地が住宅地として売りに出されたとのことだ。これが実現すれば、この美しい眺望が台無しにされることは必定だ。幸いにもトラストは有力な支持者を得られ、この土地を確保することが出来た。ここはこの町の南のほうにある小面積の土地だが、当時の私はこのことについて何も知らなかった。海岸地だから目にしたかもしれない。しかし知らないままに通り過ぎてしまったとしか言いようがない。報告書の言うとおり、会員ばかりでなく、一般大衆もここを確保してくれた寄付者たちに感謝すべきだが、もうすでに幾通かの礼状が地元の人たちや、ここを知っている人たちから届いているとのことだ[11]。このようにして世論は形成されていくものであろう。

　湖水地方では、あのモンク・コニストン・エステートに通じるコニストン湖に沿ったスウェイト・ファーム（87エーカー）が、W．ヒーリス夫人（ビアトリクス・ポター）によって寄贈された。もちろんこの農場は農場として維持されるのである。もう1ヵ所は、同じコニストン湖に沿った土地だが、今度は南側にあるピール・アイランド近くにある19エーカーの土地である。この土地は贈与者の娘を記念してトラストへ贈与されるのだが、ここはこれまでと同じく放牧地として維持されるのである[12]。

　次はデヴォンシア北部のウォータースミートを獲得できる機会が到来したとの話である。ここの辺りについては、私が1996年8月7日、モート・ポイントやウラクームを訪ねた後に立ち寄ったときの体験を前に（106-107頁）記した。しかしウォータースミート自体について、記したわけではない。ここは約340エーカーもある森林地で、その奥にはウォータースミート・ハウスもある。リンマスの海を左手に見ながら、右へ進み、川沿いにある林道を5〜6kmほど歩

いたところにこの家がある。今はトラストのショップやレストランやインフォメーション・センターも兼ねている。私もカンティスベリィやフォアランド・ポイントに行くための道筋をここで教えてもらった。ウォータースミートについては地元の自然保護団体が、この貴重な森林地を守るために率先して購買のためのオプションを手に入れた。トラストの執行委員会としては、地元の人たちの積極的な公共心を重んじて、より広く大衆に訴えて、地元の人たちの努力に応えてあげるべきだと考えた。したがって1932年4月にはトラストは他の団体と協力して、このオプションを克ち取るために8,500ポンドのアピールを発したところだ[13]。

　サマセットのハニコト・エステートが1918年に故サー・トマス・アクランドによって、トラストへ500年間のリースが設定されたことは既述したとおりである。ところがエクスムアの最高地点であるダンケリィ・ビーコンの頂上はハニコト・エステートの領域ではなかった。幸いにダンケリィ・ビーコンの全域である約860エーカーが所有者によってトラストへ贈与されることになった。ハニコト・エステート自体はリース地であるが、これにダンケリィ・ビーコンの約860エーカーが所有地として加えられることになったのである[14]。

　1994年7月23日のことである。私は初めてヴィクトリア駅からイギリス南部の海岸の保養地で有名なイーストボーン行きの列車に乗った。イーストボーンへは3度行ったことがあるが、町の中はほとんど知らない。それはともかく初めてのイーストボーン行きの目的は何だったのか。今となっては定かではない。エンゲルスの遺骨の灰が1895年8月27日にマルクスの娘のイエンニヒェンによって、ビーチィ・ヘッドの白亜の断崖の下の海中にある灯台近くに沈められたのを確認したかったことは確かである[15]。それと同時にビーチィ・ヘッドからシーフォードまでナショナル・トラストの海岸地を歩くためでもあった。おそらく最初は両者が等しくイーストボーン行きの目的であっただろう。この町からバスでビーチィ・ヘッドへ行き、海中に小さな灯台を見た。しばらくして私はシーフォードへ向けて、大きく起伏する断崖地に沿って歩きはじめた。バーリング・ギャップ、クロウリンクを経てカックミア・ヘイブンの辺りに着いて、このままシーフォードへ向かいたいとも考えた。しかし右のほうには蛇行する

きれいな川が流れている。私はその川の水の光り輝く美しさに魅せられてしまった。ほとんど躊躇することもなく右手の歩道を川に沿って歩きはじめた。途中でトラストの方向を示す標示板も目にした。ほとんど気にもかけないで行方が分からないまま川に沿って歩きはじめた。幸いに車道へ出た。ここがエクシートであったのだろう。私は満足していた。イギリス南部のトラストの海岸地を十二分にエンジョイし、踏破した気分にさえなっていたようだ。しかし当時の私に、第2次世界大戦前にトラストが七姉妹計画（the Seven Sisters Scheme）なるプロジェクトを設けて努力を重ねていたことなど知る由もなかった。私自身、イーストボーンからシーフォードまでの海岸地はすべてトラストの保護下にあると単純に考えているふしもあった。「ナショナル・トラスト運動」がそのように容易に展開されるはずはないのだが。とにかく今次報告書に見られる"the Seven Sisters Scheme"の項目を検討してみたい。

　この報告書によれば、イーストボーンとシーフォード間の11kmほどの海岸線にある未だ開発されていない土地を現状のままで保存しておこうという計画が、これまで大変な苦労を伴いつつ持続されてきたようだ。ところが1,000エーカーの面積を有するエクシート・エステート（Exceat Estate）がトラストの保護下に入る可能性があったのだが、その好機はある事情のために挫折してしまった。他の500エーカーもトラストのものにはならなかったが、これは当面トラストの納得できる状態で保存されていきそうだ。もう2つの土地も他の人物によって獲得されてしまった。幸いにこれらも当面保護され続けられそうだ。この重要な計画を成就するためには、それでも全力を尽くすべきだ[16]。

　1931年8月、BBC放送が「今週の善行」の番組でトラストの事業について放送してくれたお陰で、800ポンド以上の寄付金が集まり、100名を超す人々が会員となってくれた[17]。

第3節　前進のためのさらなる条件を求めて

　1933年と言えば、世界大恐慌をやっと脱出したとはいえ、未だ農業不振は続き、むしろ悪化している状況にある時だ。それにもかかわらずこの時の第38回年次報告書では、トラストの決意、あるいは将来への展望が示されている。「歴史的名勝地や自然の景勝地を守ろうというわれわれの決意が高まりつつあるこ

第4章　相続税の免除

イーストボーンからシーフォード間の白い崖地（White Cliffs）を歩く。
(1994.7　著者撮影)

とは、幸いにナショナル・トラストが最近の貧困や財政状況の悪化にもかかわらず新しい支持者を着実に増やし、かつその資産の数を増加させつつ前進してきたという事実から明らかだ」[18]。この言明が本当に紛れもない事実であるかどうかは、これ以降のトラストの活動を検討するしかないけれども、とりあえずは今次報告書に見られるトラストの活動の成果を見ることから始めねばなるまい。

　まず今回は農場の贈与から始めよう。オックスフォードの西方に、周囲が変化に富み、ナチュラリストや郷土史家にとっても魅力のある195エーカーのクーム・エンド・ファームという農場がある。ここを農場付属の家屋と一緒に、ある婦人がトラストに贈与してくれた。この農場には歩道も付いている。歩行者にとっても、とても貴重なところだ。もちろんこの贈与の条件は、この土地が農業のために使われ続けるということに変わりはない[19]。

　次に湖水地方に移ろう。ここではホークスヘッド・マナーにあった中世時代

185

のホークスヘッド・コートハウスが贈与された。このような小さな、そしてあまり目立たない古い建物が壊され、次第に無くなってしまうのは、昔から綿々と続けられてきた地方の人々と、このような世俗的な建物との関係の痕跡が失われていくことを意味する[20]。このような地方特有の建物を残しておく意義は大きい。

　私自身、恥ずかしいことだが、ホークスヘッドに行くたびにここを訪れることを忘れている。今度こそ訪ねなければと思う。幸いに2002年3月20日、ホークスヘッドからすでに予約を得ていたトラストの借地農の経営するわが国の民宿に相当するB&B、すなわちベッドと朝食を供するBed and Breakfastに行く途中で、このコートを確かめることができた。思えば何度も目にしたところだが、このような建物の意義をトラストが上記のごとく捉えていることは、私たち日本人にとって肝に銘ずべきことかもしれない。B&Bではトラストの借地農の経営状況を聞く機会があった。ここはビアトリクス・ポターが所有していた農場だ。面積は400エーカーで、主として夫妻で経営している。まだ有機農業に移行していないとのことだが、持続可能な"sustainable"農業へと心がけているとのことであった。

　前年度の報告書で記したように、コニストン湖の南のほうの湖岸に沿った約19エーカーの放牧地が贈与された。この時の贈与者の次の言葉には注意すべきである。「湖の渚（the water edge of all lakes）と公道との間のスペースには建物を建ててはならない。そして標高1,500フィート以上の高さのすべての山脈は公共の資産となるべきであり、永久に大衆にとってアクセス自由であるべきである」。彼はこのように考え、トラストへこの土地を贈与した。そしてこの年、引き続いて他の人物がこの土地に隣接する一片の森林地とすぐそばに浮かぶこの湖のピール・アイランドを贈与してくれた[21]。私は2001年4月、口蹄疫が猖獗を極めている頃であったが、湖水地方でのナショナル・トラスト運動史の研究者であり、またビアトリクス・ポターの研究者でもあるバトリック夫人とこの辺りの湖水地方のドライブを楽しんだ。ホークスヘッドからモンクコニストン・エステートの小さな湖のターン・ハウスの方へ上り、車を降りてしばらくの間、このきれいな憩いの場である湖をエンジョイしてから、コニストン湖に出た。それから東側の湖岸を走り、途中でジョン・ラスキンの家であるブラン

何回も眼にしていたに違いないホークスヘッドのコートハウス（2002.3　著者撮影）

トウッドに立ち寄り、この湖を一周した。私は遠慮なく、幾度も停車してもらって、ピール・アイランドなどトラストの土地を眼におさめた。この時の体験については他稿に譲らねばならないが、[22]ドライブとはいえコニストン湖を一周したのはこれが初めてだ。

　ダーウェントウォーターでは、ボローデイルのグレンジ・フェルに連なる1エーカーから2エーカーほどの土地が贈与されたが、ここには建物が建つ危険があったのである[23]。

　コーンウォールでは、イギリスの地の果てとも言うべきイギリス本土の最南端、ランズ・エンド（Land's End）の近くにある35エーカーの景勝地であるローガン・ロックが贈与された。ランズ・エンドについては、かつて私はこの地が高値を付けられて、トラストが買うことができなかったことを知って、ここを訪れたことがある。この時この地は野性的な崖地であった。しかし2度目にここを訪ねたときには、もう観光地化してしまっていた。フォイ湾の東にはすでに1918年にセント・セイヴィアズ岬（St. Saviour's Point）が贈与されていたが、

今度も同一人物によって3.5エーカーが付け加えられた[24]。

ウェールズについては、これまで書く機会をほとんど持てないでいるが、海岸の美しさで有名な南ウェールズでは、トラストはこれまで資産を獲得できないままできた。だがガワー半島の岬のサーバ・ヘッドを所有していたある夫妻が、ここを贈与してもよいとの名乗りをあげてくれて、トラストに新しい地平線を開くきっかけを作ってくれた。ここの面積はほぼ53エーカーであり、これからも放牧地として用いられることになる。ガワー半島、ひいては南ウェールズでのトラストの進出が期待されるところだ[25]。

デヴォンシア北部のウォータースミートの340エーカーのオプションの件については、その後どうなったのだろうか。ウォータースミート・ハウスを含めて8,500ポンドである。このオプションを失ってはならないからこそ、トラストが地元の人々と協力して募金のアピールを行ってきたのだが、これまでのところ3,500ポンドが集まっただけである。ここは国民的に重要なところだ。なんとか確保したい。再び会員および支持者の支援に訴えたい。これが今次報告書の訴えである[26]。2001年3月、雪まじりで視界はきかなかったけれども、この辺りをバスで通過したとき、私は思わず立ち上がった。今やトラストの保護下にあり、ほとんど面を形成しているウォータースミートやカウンティスベリやフォアランド・ポイントに立ち、完全なオープン・カントリィサイドを私に実感させてくれたこの大地である。是非一刻も早く、このオプションを実現させたい。

それからセヴン・シスターズのプロジェクトもどうなったのか。トラストの活動範囲も広がっただけに苦労も多くなったようだ。それが同時に、トラストの国民の信頼とトラスト自体の成長にもつながるのだが。
ここ数年の間、トラストはイーストボーンとシーフォード間の自然のままに残された海岸地を守るために大変な努力を重ねてきた。その海岸地の幾分かは関係自治体がすでに保護しているところもあるから、その他の海岸地を守るのがねらいなのだ。ところが計画が試みられると次々と失敗に終わっている。し

かしトラストは、これまで長年の間描いてきた目的を達成する道はあるのだと依然として考えている[27]。その間1931年には、トラストは400エーカーの丘陵地と農場を含むクロウリンクを一般大衆の寄付金によって獲得している。そしてここはセヴン・シスターズの崖地の一部分も含んでおり、ビーチィ・ヘッドとカックミアの河口の中間に位置している[28]。

1931年のトラストへの相続税の免除に対するトラストの考えは次のとおりである。今やトラストに対して資産を遺贈しようと希望する所有者たちが増えつつある。それらが国民のために保護されるべきだと判断される場合には、維持費が正確に試算されねばならない。1932年にはトラストは3件の遺贈を受け入れた。今後その数は確実に増加すると考えられる。したがって保護する必要があるにもかかわらず、トラストの持つ資金に限度があるために、それが叶えられない場合がある。このように予想している[29]。

それと同時にトラストは、その活動を広く国民に知らせるために、各種の講演や教師、婦人会など各種の団体への浸透を図りつつある。とくにトラストが若者たちとの友好を深めようとしていることには注目したい。この頃、ユース・ホステル協会はトラストのウィンチェスターにあるシティ・ミル（1930年獲得）のテナントとなっている[30]。私は1985年12月にこのシティ・ミルを訪ねたことがある。中では若者たちが何やらクリスマスの準備をしているようであった。話を聞くと、今は冬季中ゆえシティ・ミルは閉鎖中とのことであった。しばらく内部を見学させてもらって帰ろうとしたところ、呼び止められ、閉めてあった扉を開けて、川のところにある水車の操作の仕組みを見せてくれた。しばらく水車の仕組みなどの説明を受けて、感謝してこの場を立ち去った。この水車は産業革命以前の器械である。岐路の途中、しばらくして私は、産業革命とこの水車との密接な関係に気付かされて大いに驚いた。このことについて記す余白はないのだが、産業革命の持つ歴史的意味の重大性に気付かされたことだけは記しておこう。トラストはもう1930年代からユース・ホステル協会と協力関係に入り、ジュニア会員を増やすことを実行しつつあった。

最後に、1933年の会員数は2,750名となり、獲得された土地は約3万9,500エーカー（約16万ヘクタール）となった[31]。

1934年の第39回年次報告書には、執行委員会の議長のゼットランド侯爵の2つの大きなアピールへの挨拶と訴えが、年次報告書の前に付されている。今回はこの挨拶文から始めるのが妥当のようだ。

　今年度に新たに獲得された17の資産の多くは……極めて美しく、かつ価値の高いものです。これまでのトラストのものに加えられた10の資産はそれらの価値をさらに高めてくれます。これらの偉業は、最近バタミア渓谷（Buttermere Valley）のために開始された大きなアピールに対する関心と援助の気持を高めるのにきっと役立つはずです。それが成功すれば、美しくかつ孤高に満ちたバタミア渓谷を、それと連結した湖のバタミア、クラモックそしてローズウォーターとともにそれらが破壊され、台無しにされることから永久に救い出すことでしょう。この地域は最近、そこの所有者たちによって売りに出されてから建物の開発の危険にさらされてきています。……それからデヴォンシア北部のウォータースミート渓谷を救い出すための8,500ポンドもまだ残されています。このアピールは多くの寄金を集めることができました。しかしまだこの計画を達成するためには約1,500ポンドが残っています。……これらの2つの計画を完了させるために、いくらでも構いません。是非ご寄付をお願いいたします。

ゼットランド[32]

　上記のとおり、この年度のトラストの資産獲得の仕事から考えても、「トラストの所有資産は、次第にトラストの目指す国民的な目的に相応しくなってきた」。さらに次のようにも言っている。「物事を流れるがままに放置し、誤ったところで、そして誤った方法で開発するのを許し、……それらに対して抗議もせず、また防止しようともしないで黙認するような態度は進歩（progress）の主たる敵であり、かつ最も許し難い存在である」[33]。進歩という言葉は、産業革命以降はおろか、トラストが成立した頃でさえ「開発」のための用語ではなかったのか。

　トラストは成立以来1世代を経た今こそ、漸く本当の意味での「進歩」と言

1985年のこのバタミアの絶景が、後年著者をこの湖岸を一周するように駆り立てた。
(1985.10　著者撮影)

う言葉を使うことができた。現在のわが国でさえ、今や私たちの生活を量から質へと転換すべき時期に来ていると主張しても、それほどの反対に遭遇することは少ないのではないか。トラストは1930年代に、少なくとも同胞に向けて、上記のごとき主張を公にできたことを、私たちは肝に銘ずべきである。トラストは着実に学習を重ねているのだ。

　1933年の収益勘定は、これまでになく大きな剰余を示した。これはトラストがこれまでその資産の管理・運営を旨く行ってきた報償である。かくしてトラストは王立芸術協会 (the Royal Society of Arts) からバッキンガムシャのウェスト・ウィカム村の大部分を不動産投資の一環として引き継いだ。譲渡は1934年のはじめに完了した。そこで収益に関しては、具体的に数字を挙げるには早すぎるが、少なくとも赤字を示すようなことはない。この村のアメニティはさらにコテッジ3軒とホテルそしてレストランを買い足したので、さらに良く保たれるようになった[34]。

5,000ポンドの額のミッドランド諸州基金（Midland Counties Fund）がトラストへ授与された。この基金は当然ミッドランド諸州の土地や建物を保護するために与えられたものであり、その使用目的については、特別の規定はなく、トラストとしては極めてありがたいものである。

　歩行者オープン・スペース基金（The Ramblers' Open Spaces Fund。500ポンド）もトラストへ与えられた。これはトラストの加盟団体の南部歩道推進者（the Southern Pathfinders）からのものであり、この500ポンドは多くの会員から集められたものである。その寄金の使途については、この団体とトラストとの相談のうえで使われるのだが、これも特別の規定があるわけではない。その他大聖堂アメニティ基金（Cathedral Amenities Fund）も挙げられている。これは1930年の第35回年次報告書にあるように、この年次に6,000ポンドが与えられ、すでに基金となっていたものである[35]。このようなトラストの大きな業績はどこから来るのだろうか。第2次大戦前に、第1次大戦を含めて自然破壊が着実に増加しつつあったという社会経済的背景はもちろんあった。それと同時にこれまで見てきたように、ナショナル・トラストは自らも学習を重ねつつ、国民からの信頼を克ち得るために努力を重ねてもきた。かかる努力とそれによる実績があったからこそ、第2次大戦前までにこのような国民的な支援を克ち得るだけの基盤が作られつつあったのだと考えることができよう。

　それではこの年度のトラストの業績について見てみよう。湖水地方ではウィンダミアの北岸からアンブルサイドへの道路が、建物で自然風景が壊されつつある。そこでそこの一角の土地がトラストへ贈与され、放牧地として維持することにした。当面大衆のアクセスも認められない。グラスミアでもモス・パロックという小区画が贈与された。バタミアについては先に記したが、当面クラモック・ウォーター側にある"Bluebell Wood"として知られるネザー・ハウの一部（1エーカー以上）が贈与された。ここにはバタミアを一周した後で、クラモック・ウォーターへの道を確認する目的もあって足を踏み入れたところである。ウィンダミアのボーナスではポスト・ノットという丘が2エーカーを買い足されて、ここの獲得は完了した。ボーナス（Bowness）はウィンダミア東岸のボートの接岸地で、湖水地方を訪れる人々で賑わう所である。私はこの丘に登

第4章　相続税の免除

ったことはないが、一度ここに登りウィンダミアを見下ろして見るのも一興であろう。西南部のダッドン川沿いでは9エーカーの森林地が贈与されて、これまでに獲得された放牧地のウァロウバロウ・クラッグの土地の価値を高めてくれた[36]。

　ピーク・ディストリクトのロングショウでは、これまでの蓄積された剰余金から17エーカーの森林地を購買できた。
　同じくピーク・ディストリクトの南部に位置するダヴ渓谷では、ダヴ川両岸に幾つかの拠点となるべき土地が同一人物によって贈与された。それらのうちハーツ・ウッドはほぼ50エーカーを占め、ホール渓谷はもっと広い。そしてそれらはいずれもダヴ渓谷の名勝地であり、スタッフォドシャ側にある。もう一つの他の人物による50エーカーの贈与地は、ダービシャ側にある。この地もダヴ渓谷の名勝地であることに変わりはない。ピーク・ディストリクトに、さらに地歩ができたと言って良いだろう。他の1ヵ所は、上記の地域より東方の地にあるシャイニング・クリフ・ウッドである。ここも贈与地である。ダービシャでのトラストの土地も急速に増えているようだ。ここは200エーカーを占めており、ピーク・ディストリクトの南玄関口に当たるところだ。報告書によると、ここはダービシャとバクストンの中間にあり、列車から見えるとある。バクストンはピーク・ディストリクトの南部の中心地であり、また美しい街並みを持つ保養の町でもある。ここからはマンチェスターへの連絡の列車が走っている。私はかつて一度はダービー駅で乗り換えてクロムフォードまで、アークライトの工場を見学しに行ったことがある。もう一度はマトロックからバクストンまでバスでピーク・ディストリクトの感触を得るために走ったことがある。しかしこの森のことを知らない当時の私が、ここを目にしたかもしれないとはとても言えない。もう一つタディントン・ウッド（50エーカー）[37]がある。ここはきっと目にしたに違いない。ここも贈与地だが、マトロックからバクストンの道沿いにあるからである。今となっては記憶があるとは決して言えないが、当時の私は何物も見落とすまいと必死だったのである。目に入らない訳がない。ここを少し走り過ぎたところだったであろうか。鉱山の廃物で周囲が灰色に汚染されていたのも忘れられない。翌日、私はバクストンからタディントンの北

193

方4kmほどのところにあるミラーズ・デイルを歩いた。秋の黄葉が美しかったのだが、鉄道の廃線を歩いて突き当たったのがトンネルで、入口にはフタがしてあった。さすがにトラストの所有地とは言え、この光景には一抹の寂しさを覚えた。

デヴォンシア北部のウォータースミートについては何度も書いた。トラストが努力している証拠だが、目標の340エーカーは未だに獲得できない。第39回年次報告書によると、340エーカーのうち100エーカーを占めるバートン・ウッドが獲得されたという。残りの240エーカーを確保するためには、未だ2,500ポンドを集めねばならない[38]。

サマセットシア北部のハニコト・エステートがまた広がった。今度も別の所有者の好意による贈与である。ダンケリィ・ヒル（945エーカー）がトラストに贈与されたのである。トラストのすでに広大な地域を占めるハニコト・エステートを拡大し、統合するのが贈与者の希望であった。1918年にはハニコト・エステートがアクランド家によって500年間のリースを与えられ、1932年にはダンケリィ・ビーコンが贈与され、今度もまた広大な土地がトラストの所有地になった。事実上、ナショナル・トラストには、面積でこれに匹敵する土地は他にない。湖水地方が例外であるが、ここでは土地が散在している。3番目に大きな土地はアシュリッジ・エステートである[39]。

アシュリッジ・エステートについての報告もある。ここの地方委員会の名誉書記であるアーサー・マクドナルド氏が、このアシュリッジ・エステートに隣接するほぼ500エーカーの土地をトラストに贈与し、そこで適正な開発を行おうという計画を打ち出し、これが評議会によって承認された。この開発の計画が完成すると、この贈与地はアシュリッジ・エステートのアメニティを確保するばかりでなく、維持費や植樹、その他の費用を賄う収入を生み出すであろう[40]。

ウェスト・ウィカム村の大部分が王立美術協会から獲得されたことは先に見たとおりである。その結果によるトラストへの財政上および収益に対する影響については、ほとんど影響がないことはすでに記したとおりであるが、それは図1（147頁）を見ても明らかなとおりである。ウェスト・ウィカムの美しさ

は以前の荒廃した状態でも常に注目されてきたし、今では組織的な、かつ熟練による修復のお陰で、もっと価値のある資産になっているばかりでなく、もっと美しい村になっている。健康に良くなく、湿っぽく、色々な点で不便であったコテッジが、今では模範的な住宅となっている。したがってそこの借家人たちは素晴らしい環境の中で快適に暮らしている。ここには一つのマナー・ハウス、50以上のコテッジ、3つのイン（宿屋）、そして色々な他の建物がある[41]。私自身、ここを数回訪ねているが、ロンドンからも近く、是非立ち寄るべき所である。数年前、トラストのブラデナムの村落を歩いたあとに立ち寄ったとき、ここの郷土史家の女性に人口の変化を聞いたところ、増加はしていないが、減ってもいないとのことであった。

最後にワゴナーズ・ウェルズの報告をしておこう。ハインドヘッド地方委員会がロバート・ハンター記念基金から150ポンドの補助金を含めて600ポンドを集めた。このお金でワゴナーズ・ウェルズの周囲にあるキングズウッド・ファーズ・エステートの一部（8エーカー）を購買した。これでワゴナーズ・ウェルズの周囲がすべてトラストの土地で取り囲まれて、完全に保護されることになった[42]。私が訪ねたときはこの後だったのだ。

1933年は大不況を脱出したとはいえ、まだ経済状況は回復していなかった。それに農業不振は一向に衰えず、むしろ悪化の一途を辿っていたと言っても言い過ぎではない。トラストは特別に4ページの紙面を割いて、1933年の各資産の管理・運営の状況を報告している。すべてを報告する余白がないので、結論だけを述べておこう。22の資産の運営状況が記されている。このうち5つの資産で失業中の人々を雇用していることを報告している。人数については、各資産で2人とか5人という具合で、それに雇用期間についても限られており、はっきりしたことは言えないが、とにかくトラストの資産が、次第に雇用力を持ちつつあったことには注目しておきたい。トラストの資産の大部分は地方にある。この報告では、すべての資産が地方にあるものだけである。もはやこれらの失業者たちが農業不振による犠牲者たちであったことは説明を要すまい[43]。

それでは1935年の第40回年次報告書に移ることにしよう。バタミア、クラモックおよびローズウォーター計画が思うように捗らず、これまで集められた寄

付金1万3,652ポンドがバランス・シートの資産項目に繰り越されることになった(44)。とはいえトラストの社会的責任はますます大きくなった。というのは、この年度の資産獲得を見れば自ずと明瞭である。この年度のトラストの実績は、獲得された土地の面積で1万1,000エーカーとなる。これはトラストの歴史上最大の実績で、大部分が数年前から計画的に行われた活動によるものであり、このことこそがトラストがその責任を極めて急速に増加し続けているなによりの証拠である。

ただ注意すべきは、この重大な責任を果たすためには、十分な財政的基盤が保証されてこそ実行可能だということである。この報告書で記されているように、コヴェナント（約款）によって自然保護の目的を実行する場合には、出費がかさむだけである。それだけではない。トラストに提供された土地の多くは、自然豊かで、美しい土地であるために人々が頻繁に訪れる遠隔地である場合が多い。それだけに収益を生む可能性も少ない。

それ以上に問題が多いのは森林地であり、かつ植林事業である。急速な経済変動と国際的な政治不安を抱えた政府の絶え間ない要求により、これまでのように地主たちが、後世のために植林をするという伝統的な習慣を続けることができなくなった。それ故に美しい大地を持ち、かつ特別に森林を守る義務を課せられたナショナル・トラストのような公共的な団体が、これまでの伝統的な植林事業を受け継ぎ、そして年々、確実にその仕事を実行するだけの資力を与えられるべきであることは緊急を要する問題である。しかしここはイギリスがこの1世代の間に森林を丸裸にされた規模や、森林委員会（Forestry Commission）(45)およびそれに代わる他の政府関係団体によって取られた手段について、あれこれと議論する場ではない。この国がこれまでよりも急速に落葉樹を失いつつあるということが重大なのである。われわれのカントリィサイドのアメニティの重要性は十分に認識されているので、森林委員会がイギリス農村保全会議（CPRE）(46)によって設けられた特別委員会と密接に接触し続けることに同意してくれたことを報告している。それにこの委員会にはトラストの執行委員会の1人が加わっている(47)。森林事業が農業部門に属することは当然だが、今や森林事業の困難さも加わり、農業部門の危機がなお一層増したと言っていい。

第4章　相続税の免除

　トラストが自然保護と農業とが一体であることを痛切に感じつつあったこと、そして農業を守らない限り自然保護も不可能であるし、地域経済、ひいては地域社会も健全たりえないことを知るだけの条件の中に置かれていたのだと考えても決して不自然ではないはずだ。本編の序章の中で書いているように、トラストが自然保護運動の本質を理論的に解明しうるまでには100年を要した。しかしそこまで達するにはこれからあと2世代を要することも、決して私たちは忘れてはならないと思う。

　それでは以下報告書の順序にしたがって、述べることにしよう。

　まず会員数の増加に関する報告である。1934年に新会員になった人たちは約600名で、計2,800名となった[48]。1935年にはもっと増えるであろう。獲得された土地面積についてはグラフでの紹介がある。図2、図3（157頁）を参照されたい。

　次はコヴェナントまたは制限約款（restrictive covenants）[49]についての説明と将来への展望が記されている。トラストの制限約款の実施については、実は前年度の報告書でロンドン郊外のトラストのチッスルハースト・コモン（71エーカー）に隣接するカムデン・コート・エステートで行われたことが報告されている。そこでまず制限約款とはいかなる法律であるかを具体的に理解するために、カムデン・コート・エステートの事例を簡単に説明することから始めよう。まずこの制限約款を効力化するためには、当該土地に僅かなりとも一片の土地がトラストに付与されることが必要である。カムデン・コートの場合、7.5エーカーが住宅用地として販売されることになった。そのために電気、ガス、そして水道管をこのコモンを通じて引かねばならなかった。その見返りに、このコモンのアメニティを保つための多くの規定や制限条項を設け、契約を結ぶことにした。たとえば一定の樹木を保存し、家屋はすべて特別のデザインで、周囲との調和が図られねばならない。また家屋はコモンの境界の近くには建てない等々。もちろんこのコモンに隣接する土地（約4分の1エーカー）がトラストに与えられた。この土地を所有することによって、トラストは常時上記の規定や制限条項を土地所有者に遵守させることができる[50]。

　それでは今次報告書では、制限約款についていかなる説明が付されているの

か。ナショナル・トラストは資金に制約があるために、しばしば広大な土地を獲得することができない。ところがより広大な土地こそ守る価値がある。トラストはこれまで制限約款によって、幾つかの広大な地域を現状のままで、汚されない大地として守り続けてきた。コヴェナントをトラストと結ぶ場合の例は、上記のとおりである。トラストはこれまでに約8,000エーカーの土地を制限付きのコヴェナントで守ってきた。これはトラストの注目すべき活動であるが、次の二つの点を強調しておく必要がある。一つはこの種の計画を実行に移すためには、トラストにとって大変な量の仕事と調査が必要であり、そのために多額の費用が嵩むこと、二つ目は、このようにして自己の土地で望ましくない開発を抑えることによって、自らの土地に支払う相続税を減額できるという希望を、もっと多くの土地所有者が持つべきことである[51]。1937年には第2次ナショナル・トラスト法が制定されることになる。この法律の制定により、制限約款による相続税の減額も可能になるのだ。このときにトラストはナショナル・トラスト法制定の成算があったに違いない。

1935年2月には、トラスト成立の40周年を祝う午餐会に皇太子 (the Prince of Wales) が出席し、挨拶の辞を述べた。その席には保健相などがいたが、トラストの総裁ルイーズ王女、2人の副総裁、そして首相および野党党首からのメッセージも届けられた。ここで皇太子の挨拶をごく簡単に紹介しておこう。工業化と都市化が進行する中で、改めてカントリィサイドの価値を認めたうえで、次のように挨拶したという。「この国の自然と歴史上の特徴を破壊し、われわれの風景を機械で蹂躙することを許すことは間違った行為である。すべての都市生活者は、ロンドン近辺であれ、他の大都市の近くであれ、どこでも良いのですが、心の癒しの場を求めているのです」。トラストは、皇太子の率直な表明に対して、50周年には新しい支持者をたくさん受け入れて、期待に応えたい旨の報告をしている[52]。

それから他の団体や協会との協力関係の必要性についても強調している。トラストは他の団体やトラストへの加盟団体およびトラストの地方の通信員からの貴重な援助に対して感謝の気持を惜しまない[53]。加盟団体を数えると、1935年には67団体となっている[54]。

トラストは支持者や支援者などの公共精神に対して、常に真摯な感謝の気持

を表わすことを忘れないのが一つの特徴である。その中でトラストは次のようにも言っている。「トラストへ資産を遺贈する場合には、特別に相続税を免除されるということをまだ知らない人たちがたくさんいる」と。それからトラストの寄付者や寄贈者に匿名者が多いのも一つの特徴であるかもしれない。本編で紹介することはなかったが、各自覆面をしたファーガスンの一団が最後の贈与金として400ポンドを持参し、「ナショナル・トラストへファーガスン一団の愛を込めて」"Ferguson's Gang to the National Trust" という詩歌をも渡してくれたことが報告されている(55)。

以下トラストの1935年度の実績を見ることにしよう。

まず湖水地方から。トラストは湖水地方でここ1年の間、主として私的所有地に対して制限約款（restrictive covenants）を確保することに努めてきたが、また所有地を増やすことにも努力してきた。

バタミア・アピールについては、1万4,000ポンドを集めることができたが、結局本年度末も成就できなかった。しかし約2,000ポンドの経費で、このアピールの規模をかなりの程度拡大させることが可能であることが分かった。というのは3つの湖—バタミア、クラモック・ウォーター、およびローズウォーター—とその周辺の1,317エーカーの森林地を制限約款で保護することができたからである。さらにそれに加えて4,383エーカー以上の土地が、一部はG. M. トレヴェリアン教授およびその他の人々の援助も得ながら、これもまた制限約款で保護することができた。さらに幸いなことに、このバタミアの制限約款の例はアルスウォーターとウォーストウォーター近くの大規模な土地でも制限約款による保護を導くことになった。前者は約2,250エーカーのグレンコイン・エステートであるが、この土地はトラストのガウバロウ・フェルとグレンコイン・ウッドと地続きなのである。後者のウォーストウォーターの土地は約1,300エーカーであり、もちろん制限約款で保護されるのである。

ウィンダミアでは、2ヵ所の土地が贈与された。一つは250エーカーの広大な森林地である。

コニストン湖では、1932年に19エーカーの湖畔の土地を贈与してくれた人物が、今回は道路に沿った広大な森林地を与えてくれた。この人物が、すべての

湖と標高1,500フィート以上の土地は、湖畔と公道の間のスペースと同様に、私的に所有すべき土地ではないと言ったことを思い出すに違いない。私がコニストン湖一周のドライブをしたのは、この言葉に引かれたことにも、その理由があった。ライダル・ウォーターでは、ワーズワスゆかりの土地が、彼の孫のゴードン・ワーズワス氏によって贈与された[56]。

　国立公園（national parks）は本書の直接の研究対象ではないが、ここで必要な限りの説明をしておこう。国立公園の設立は1931年に提唱されたが、漸く1945年になって、国立公園とは広大で美しく、かつ相対的に野性美豊かな田園地帯であると定義された。国立公園について優先すべきは、そこを保存し、かつ国民のアクセスを認めるとともに、農地は農地として維持することであった。そして1949年になって、国立公園および田園地帯アクセス法（National Parks and Access to the Countryside Act 1949）が成立した。その後もこの法律に関連した法律がいくつか制定されたが、この1949年の法律が国立公園の保存やその指定に関して、基本的な出発点となった。なお国立公園に指定された地域が、必ずしも国有地であるわけではない[57]。
　さてそれでは、ウェールズに移ろう。秋の間に、スノードニアを国立公園にしようという計画が大きく前進した。そこでウェールズ農村保全会議（CPRW）[58]の会長のクラウ・ウィリアムズ＝エリス氏がこの計画をさらに前進させるために、ナントギウィナントにある彼の農場の300エーカーに及ぶハーフォド・ルウィフォグをトラストに提供した。彼がこの農場をトラストに提供した条件は、他の土地所有者たちも彼の先例にならってほしいということであった。というのは土地所有者、州会、ウェールズ農村保全会議、ナショナル・トラストおよびその他の団体や協会が協力し合うことによって、近い将来、国立公園への進展が開けるということが期待されたからである[59]。
　なぜ彼がトラストへ自分の農場を提供したのだろうか。その所在地は国立公園になろうという景勝地の一区画を占めるところである。トラストと友好関係にある農村保全会議の会長たるエリス氏が、農場と自然保護とを融合すべきものとして考えていたことは十分に考えられる。そして彼がトラストこそが農場と自然保護との融合を可能にしうるのだと考えたことはほぼ間違いあるまい。

その上で他の土地所有者も彼の先例にならうことによって、スノードンが確実に国立公園に指定されうるのだと考えたのであろう。ここでまたトラストは農業と自然保護を両立させ、ひいては地域社会が渾然一体となって息づいていく緑豊かなオープン・カントリィサイドを構想しうるきっかけを摑んだのだと考えることができよう。

　私自身、下りは歩いたが、スランベリスから登山鉄道に乗り、頂上に立ったことがある。そこからナントギウィナントの地を見下ろしたかもしれない。トラストもこの頃になって少しずつウェールズにも地歩を築きつつある。トラストは現在、ウェールズでも持続可能な農業と地域社会を築くべく努力中である。その結果が待たれるところである。ところでスノードンからの帰途、私はコンウェイのアバーコンウィという古い建物に立ち寄った。奇しくもこの建物はこの年に贈与されたものである[60]。

　ピーク・ディストリクトでも、トラストはダヴ川の両岸に沿って、また隣のマニフォルドの渓谷においてもその足場を広げつつある。ダヴ渓谷地域では贈与により60エーカーを加えた。またアイラム・ホールとそこの50～60エーカーの森林地とパーク、そして芝地も贈与された。それからトラストは臨時評議会および初期の頃の評議会の評議員であったデヴォンシア公爵の館（カントリィ・ハウス）であったチャッツワース・ハウスの南方にあるスタントン・ムーア・エッジの一部も贈与された[61]。

　海岸線の獲得については、イングランドでも、ウェールズでも、その実績は上がりつつある。ここ数年間、デヴォンシア南部のボルト・ヘッドからボルト・テイルまでの14kmほどの海岸線を獲得する運動が続けられているが、シュア・ミル・コーヴの東側が1934年に加えられた。それから最近出された1,100ポンドのアピールが成功すれば、1935年にはボルベリィ・ダウンが加えられるはずだ。コーンウォール南部では、70エーカーのリザード・コモンが獲得された。バーンスタプルの東方にあるアーリントン・コートに住むミス・ティチェスターがウラクームのポターズ・ヒル（20エーカー）をトラストへ贈与してくれた。ここからはウラクームの砂浜やモート・ポイントが眺められるが、

モート・ポイントが彼女によって贈与されたことは記憶されているに違いない[62]。

ロンドン近郊の状況はどうか。不幸にもトラストの所有地でも、境界地では開発の危険にさらされることがある。いわゆる郊外のスプロール化（suburban sprawl）によるものである。特にロンドン近郊では、他国に先駆けて郊外の肥大化あるいは都市化が重大問題化しつつあった。それだけにロンドン近郊に多くの土地を持つトラストが郊外の肥大化の防止に役立つとともに、工業化と都市化がいかなる重大問題を抱えているかを深く考える立場に置かれているのだと言うことができる。ここではこれ以上論ずる余白はない。先へ進むことにしよう。

トラストは1929年に、アシュリッジ・エステートの北に位置するウィプスネード（64エーカー）を農業用地として獲得した。1935年には、その農地に隣接する丘陵地90エーカーが加えられ、その土地の持つ価値を大いに高めることになった。ボックス・ヒルでは40エーカーの土地が地方委員会とカントリィ・ライフ誌の努力の甲斐あって、買い取ることができた。トイズ・ヒルでは19エーカーが贈与され、エセックスのハット・フィールドでは50エーカーが贈与され、加えられた。ウェスト・ウィカムでは、ウェスト・ウィカム・ヒルが譲渡された。ここからはハイ・ウィカムの街が一望できる。サリーはトラストの入会地やオープン・スペースがたくさんあることで有名であるが、この年度もいくつか加えられた。

最後に、ウェールズのガワー半島のサーバ・ヘッドもその面積を増やした。ロングショウ・エステートでは隣地のボウルヒル・ウッドが購買された。それからセヴン・シスターズの隣地のChyngtonも購買された[63]。

1936年の第41回年次報告書では、トラストの成立当初から1935年までの土地資産獲得の面積の変遷（205頁図4）と会費徴収の動き（同頁図5）のグラフが掲げられている。トラストの着実かつ急速な発展を知る上で貴重な資料である。トラストが次のように言っていることにも注意しなければならない。「われわれイギリス人がこれまで引き継いできた遺産に対する脅威や、トラストがこれま

第4章　相続税の免除

イギリス最南端のリザード半島の海岸地の獲得は戦後めざましいものとなろう。
（2002.4　著者撮影）

で培ってきた保護のための努力、そして国民が美しい自然環境を享受してきた程度がいずれも増していることの真の意味は、このグラフによっては示されることができない」[64]。ナショナル・トラストに課せられた使命とその仕事の複雑さと困難さ、そしてトラストの自然保護活動自体が国民的な重要性を持っているのだということを考えるとき、トラストの仕事を数や量だけで計ることはできないことは言うまでもないのだから、この言葉を私たちは重く受け止めなければならないと思う。またこの言葉が、トラストが成立して40年目に初めて表現できた言葉であることも、私たちは忘れてはならないと思う。

　図5のグラフにあるように、会費収入も着実に、かつ急速に増加しつつある。トラストの資産の維持、そしてその質の向上には多大な経費を要する。トラストの仕事の成功は、ほとんど大部分、資産の管理・運営の成功如何にかかっている。この年度のトラストの資産の管理・運営が首尾よく進行したことを評議会は報告することができた。ナショナル・トラストがナショナル・トラストであるべき必須条件の一つがこれにかかっているのである。

それでは具体的な問題に移ろう。イギリスが1920〜30年代にかけて社会経済的に不安定な状態に置かれていたこと、特に土地所有者が租税問題を含めて厳しい状況に置かれていたことは、先に述べたとおりである。したがってトラストはカントリィ・ハウスが不安定な状況に置かれていることを憂慮し、1923年に政府に歴史的建物の所有者が高い維持費を賄えるように租税の減免を受けられるように要請したことがある。しかしこれは失敗した[65]。1934年の年次総会では、ロージアン侯爵が絵画や家具類、そして庭園などで囲まれた重要なカントリィ・ハウスが危機的な状況に置かれていることに注意を促し、そして課税の優遇措置をとることを提案した。
　かくして1936年の報告書で、トラストはカントリィ・ハウスを救済するための特別委員会を設置し、カントリィ・ハウスを保護し、かつそれらを一般大衆に安い入場料で開放するかわりに、租税上の優遇措置がとられるように政府に要請することを報告できたのである。政府側も、重要なカントリィ・ハウスをそれらの絵画や家具類、その他の調度品などと一緒に、無傷のままで保存するほうが賢明であることを認めてくれた。これらのカントリィ・ハウスをどれほど満足に保護しうるかは財政上の問題にかかっている[66]。

　北アイルランドについての報告もある。守るべき重要な歴史的建築物および美しい土地があるにもかかわらず、トラストが獲得した資産はあまりにも少ない。是非ナショナル・トラストの北アイルランドでの資産を増やしたい[67]。
　湖水地方について。ここはトラストにとって極めて重要な地域であるが、これまで遠隔地であるために、ロンドンの本部と密接に接触することが困難であった。そこでこれまで9年間、トラストの副書記長を務めてきたB. L. トムスン氏を、湖水地方にまもなく設置する新しいポストに就いてもらうことになった。この重要な湖水地方の代表者として、彼の活躍を期待するところである[68]。
　アピールについての報告もある。このところ幾つかのアピールが出されてきたが、トラストといえども、すべてのアピールが首尾よく成就されるわけではない。ここでは4つのアピールが取り上げられている。すべてが重要なアピールである。

第4章　相続税の免除

図4　トラストによる土地所有動向

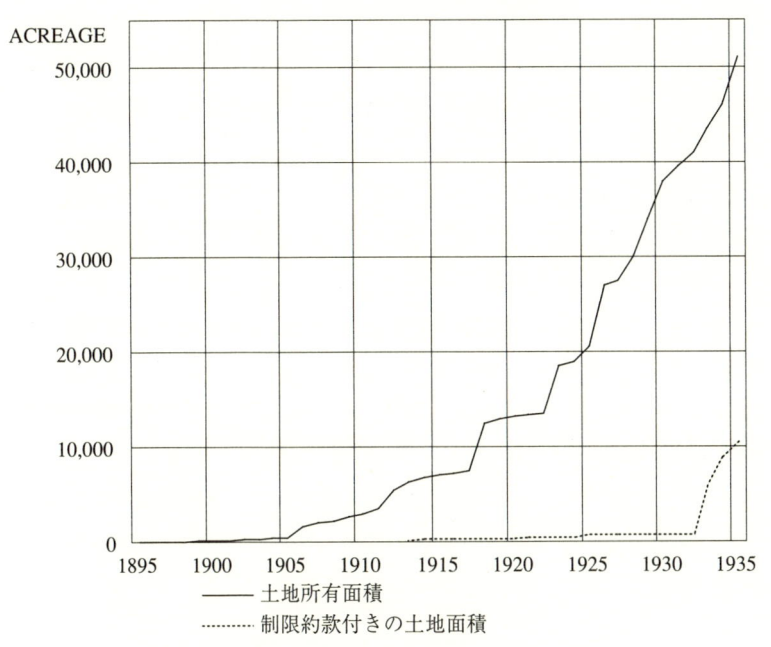

―――― 土地所有面積
……… 制限約款付きの土地面積

Forty-First Annual Report (the National Trust, 1935-36) p.6.

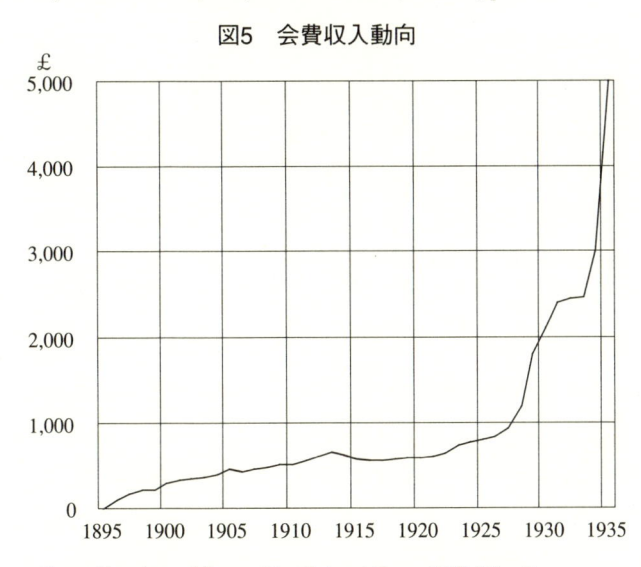

図5　会費収入動向

Forty-First Annual Report (the National Trust, 1935-36) p.5.

マルバーン・ヒルズについて。ここはコッツウォルズに位置しており、本書では特には扱っていない地域に属する。マルバーン・ヒルズの南部の約1,300エーカーを保護するための計画であるが、これにピルグリム・トラスト[69]が4,500ポンドを与えてくれた。それから前に記したミッドランド諸州基金（Midland Counties' Fund）が1,000ポンドを加えてくれた。しかしあと約2,000ポンドが必要である。もちろんここは国民的な重要性を持つ土地である。

ロングショウについて。ここは本書でたびたび扱っているところである。シェフィールドやマンチェスターの住民には良く知られているこの土地を救うための7,000ポンドの募金のアピールは、あと200〜300ポンドを残すだけである。この土地のために集められた金額は1936年度までで2万ポンドを超えている。シェフィールド—マンチェスター間は列車が走っている。機会があれば、読者にも車窓からのピーク・ディストリクトの素晴らしい自然風景をエンジョイしてもらいたいと思う。

ペンタイア岬（Pentire Head）について。ここに私は行っていない。しかしティンタジェル岬にあるアーサー王の城址からはるかペンタイア・ヘッドのほうを遠く見入ったことだけは確実に覚えている。この岬の360エーカーの農地と崖地を守るためには7,500ポンドが必要である。地方委員会が作られ、ロンドンの友人からの援助もあって3,000ポンドが集まった。これにピルグリム・トラストが1,500ポンドを恵んでくれた。あと500ポンドが手に入れば、残りの金額はトラストが抵当金で調達できるはずだ。

プリマスの東南部に位置するウェンベリィ湾について。ここの地方保存委員会がウェンベリィ湾とそこの素敵な教会とエルムの入江（Yealm Estuary）の西岸部のアメニティを保護するために4,000ポンドのアピールを発した。ある婦人がこの極めて美しい200エーカー以上の土地をすべて守るために、この入江の西にある50エーカーの土地をトラストへ提供し、隣の土地には制限約款を設定してくれた[70]。ここで再びアメニティ（amenity）という言葉について触れてお

こう。わが国では生活快適環境という言葉が使われているようだ。この訳語は必ずしも間違っているとはいえない。しかしトラストで使われているアメニティという言葉には、必ずしも上述の訳語では包摂しきれない意味合いが込められていると言っていい。たとえばトラストの言うオープン・カントリィサイドを思い起こしてほしい。そこには人と自然、そして生きとし生けるものが渾然一体となって息づいている様がうかがえよう。このようにもっと広い私たちの生活空間を考慮に入れれば、生活快適環境という訳語も生きてくるように思われる。

　次にやっと資産獲得の報告が始まる。この年度には、既存の資産への付加地のほかに、36の新しい資産が獲得された。それに制限約款による保護のケースもある。この年度に獲得された大規模な土地資産はウェールズのアバーガヴニィに近いザ・シュガー・ローフである。この山岳地はほぼ海抜2,000フィートであり、南ウェールズのランド・マークで、頂上からの眺望は素晴らしいという。私は残念ながらこの山には登ったことはない。しかし1988年8月にシュルーズベリ駅から列車に乗って、チャーチ・ストレットン駅で降りて、カーディング・バリーを通ってロング・マインドに登ったことがある。登り切ったところはとてつもなく広く、360度の眺望をエンジョイすることができた。快晴に恵まれたからウェールズの山々も遠くに眺めることができた。素晴らしい眺めであった。シュガー・ローフの名前は知っていたのだが、目にしたかどうか分からない。ここからの眺望を忘れることができないのだから、シュガー・ローフからの眺めが素晴らしいことはまず間違いない。この山の面積は2,130エーカーであり、贈与された[71]。

　ところで、トラストの最初の資産はウェールズのディナス・オライ（Dinas Oleu）であったが、その後ウェールズでの進展はこれまで遅かった。ところがディナス・オライの西方に位置するドルジェリィの北方10kmのところにあるドルメリンスリン・エステート（Dolmelynllyn Estate）が遺産としてトラストへ与えられた。この遺産は邸宅、パーク、ホテル、農場、そしてコテッジからなっており、土地面積は全部で約1,200エーカーで、5,000ポンドが残された。現在スノードニア国立公園として知られるこの地域で、さらなるステップが取

られつつあると報告できることは喜ばしいことである。それから前年度の報告書ではナントギウイナントを見下ろす300エーカーのハーフォド・ルウィフォグ農場が贈与されたことを記したが、この年度はこれに倣って、匿名者によってアバーグラスリン峠（the Pass of Aberglaslyn）の半分を購買するためのお金が提供された。同時に隣の土地所有者がこの渓谷の反対側の土地を守るための制限約款を設定してくれた。次はウェールズの西南部にあるペンブロークシァのリドステップ岬（Lydstep Point）の90エーカーの土地の購買資金がピルグリム・トラストによって寄贈された[72]。この岬はテンビィの町からほぼ5kmほどのところにある。しかし残念ながら私自身、この岬に足を踏み入れていない。それでも私は2002年3月27日の朝、ウェールズの西端の地、セント・デイヴィズ（St. David's）の海岸を歩くために、スウォンジィ発の列車に乗っていた。テンビィ辺りでの車窓から見る対岸のサマセットの山脈、それからカーマゼン湾の海の青さと海岸の自然のままの美しさには眼を見張るものがあった。車窓からリドステップ岬までは至近距離で2〜3kmしか離れていない。確かに眼にしたに違いない。しかし他方では、晴天下、私自身、ウェールズの西南端のトラストの海岸へと気もそぞろであった。次の機会にペンブロークシァの海岸を歩くことにしよう。そう心に決めていた。

　ロンドン近郊についてはどうだろうか。ヘイズルミア近くでは46エーカーのマーリィ・ウッドが基本財産基金と一緒に贈与された。
　ボックス・ヒルでも前進が見られた。43エーカーのバーフォド・エステートがアピールによって得られた。ここは建築用地として開発される危険があったのである[73]。

　これまで見てきたように、トラストによって打ち出されたアピールは、地方のアピールも含めて大部分が首尾よく成功してきた。しかし苦労を重ねつつも遅れているアピールもある。この年度はこれらのうち2つが終了した。一つは、ロンドン近郊のクロイドンに近い200エーカーのセルスドン・ウッドの獲得のためのアピールである。10年来のアピールであったが、ついに成功した。ここは自然保存地（a nature reserve）で、バード・サンクチュアリィとして保存され

第4章　相続税の免除

ることになる。もう一つは、本書でも詳しく紹介してきたデヴォンシァ北部の340エーカーのウォータースミートを確保しようというアピールである。これは1931年から開始された。きわめて多くの寄付金が受領され、ついにナショナル・トラストは、ある遺贈金のお陰で残りの金額を埋めることができた[74]。

　海岸地に対するトラストの見解は、きわめて先駆的であると同時に、きわめて賢明である。しかもいわゆる高度成長期の前に海岸地が次々と破壊されていくことを見抜いた洞察力はどこから来たのだろうか。私たちが深く考えなければならない課題である。「ナショナル・トラストは、イングランドとウェールズの海岸線の極めて多くの部分が連続的に破壊され続けていることに、ますますいらだちを覚えている。都市および農村計画法（the Town and Country Planning Act）に頼る前に、トラストとして、なすべき唯一の効果的な方法は、実際にできるだけ多くの海岸地を獲得し、そしてそれらの海岸地に隣接する土地に対しては制限約款（restrictive covenants）を交わすことによって、それらを補強することだと考えている」。実際に、ボルト・ヘッドからボルト・テイルまでのデヴォンシァ南部の海岸が保護された。トラストは現在、そこにほぼ1,000エーカーにおよぶ海岸地を所有している。コーンウォールではポルペロとポルーアン（Polruan）間の海岸線をつなぐ計画が立てられ、成就された。私自身、この海岸線を夢中になって歩いたとはいえ、このことの事実を知らなかったことを恥ずかしく思う。私はこの時、故郷の志布志湾が「新大隅開発計画」で破壊されることだけを考えて歩いていたのだった[75]。

　ダービシァの北部では、小さな農場が贈与されたが、そこからはキンダー・スカウトが良く眺められる。2002年4月3日、私は念願のキンダー・スカウトの頂上に立つことができた。そこから見下ろすピーク・ディストリクトのオープン・カントリィサイドは胸を打つほどの絶景であった。全域がトラストのオープン・カントリィサイドではないが、何とかしてこの全域を守り続けたいと思うのは私だけではないはずだ。ダヴ渓谷ではこれまでのトラストの所有地に5ヵ所の土地（計335エーカー）が加えられた。その他にマニフォルド渓谷にある1,100エーカーのスローリィ・エステートに対して制限約款を交わすための基

209

金が与えられた⁽⁷⁶⁾。それから湖水地方のホークスヘッドのコート・ハウスを与えてくれた人物が、今度はホークスヘッドとトラストのモンク・コニストン・エステートのターン・ハウズとの間にある約500エーカーの彼の土地にコヴェナントを交わしてくれた⁽⁷⁷⁾。この年度のトラストの実績には著しいものがあるが、最後にもう一つ紹介しておこう。ウェスト・ウィカム村で、トラストはもう一つのコテッジを買い足して、この村をさらに魅力的なものにすべく努力を続けていく⁽⁷⁸⁾。

---

(1) *Thirty-Sixth Annual Report* (the National Trust, 1930-31) p.3. なおこれらの法律についてはThe Open University in association with the Countryside Commission, *The Countryside Handbook* (London, 1985) p.10, p.14を参照されたい。
(2) *Thirty-Sixth Annual Report, op. cit.*, pp.3-4. Robin Fedden, *op.cit.*, p.173. 拙訳書203-204頁。
(3) 以上 *Thirty-Sixth Annual Report, op. cit.*, p.6 .
(4) *Ibid.*, p.7.
(5) *Ibid.*, pp.5-6.
(6) 拙稿「ナショナル・トラストとイギリス経済―望むべき国民経済を求めて―」『日本の科学者』1997年2月号、拙稿「第六章 ナショナル・トラストと地域経済の活性化―ナショナル・トラスト（イギリス）の農業活動と将来への展望―」（財）トトロのふるさと財団編『武蔵野をどう保全するか』（財）トトロのふるさと財団、1999年10月。
(7) *Thirty-Sixth Annual Report, op. cit.*, p.4.
(8) G. M. Trevelyan, *op. cit.*, p.29.
(9) 1870年代後半からの農業大不況については、トレヴェリアン教授ならずとも、イギリスではもはや常識となっていた。彼の言うように、農業労働者の都市への移動によって、村々は見る影もなく荒廃に帰していった。19世紀におけるイングランド農村の社会史は多くの点で災害の記録である。G. M. Trevelyan, *History of England,* (London,1952) p.686. G. M. トレヴェリアン著、大野真弓監訳『イギリス社会史』3（みすず書房、1977年）178頁。以上のような状況が、1920～30年代と続くのだが、彼は次のようにも言う。「人間が自然を驚くほど見事に征服した今日では、そのこと自体が人間にとって最大の危険となった」（*Ibid.*, p.732. 同上書、219頁）。なお上記にあらわれた歴史的に重大な事実と意味について具体的には、この「ナショナル・トラスト運動」を今日まで追究した後で、章を改めて明らかにするはずである。
(10) *Thirty-Sixth Annual Report, op. cit.*, p.8 .

第4章　相続税の免除

(11) *Thirty-Seventh Annual Report, op. cit.,* pp.4-5.
(12) 以上 *Ibid.,* p.6 .
(13) *Ibid.,* pp.6-7.
(14) *Ibid.,* pp.5-6.
(15) 田村秀夫著『イギリス歴史の旅』（三修社、1982.10）248-250頁。
(16) *Thirty-Seventh Annual Report, op. cit.,* p.7.
(17) *Ibid.,* p.9.
(18) *Thirty-Eighth Annual Report*（the National Trust, 1932-33）p.1.
(19) *Ibid.,* p.1.
(20) *Ibid.,* pp.2-3 および Robin Fedden and Rosemary Joekes ed., *The National Trust Guide*（The National Trust, 1973）pp.385-386.
(21) 以上 *Thirty-Eighth Annual Report, op. cit.,* p.4.
(22) 前掲拙稿「口蹄疫（foot and mouth disease）のなか、ナショナル・トラストをゆく」141頁。
(23) *Thirty-Eighth Annual Report, op. cit.,* p.6.
(24) *Ibid.,* p.3, p.6.
(25) *Ibid.,* p.5.
(26) *Ibid.,* pp.6-7.
(27) *Ibid.,* p.9.
(28) *Ibid.,* p.66.
(29) *Ibid.,* p.7.
(30) *Ibid.,* p.8.
(31) *Ibid.,* p.12 会員数については図2を参照されたい。
(32) *Thirty-Ninth Annual Report*（the National Trust, 1933-34）の巻頭文において、1934年8月1日付でDear Sir, or Madamの呼びかけで、ゼットランド卿のサインが記されている。
(33) *Ibid.,* pp.1-2.
(34) 以上 *Ibid.,* p.2. なお収益勘定については、pp.114-115を参照されたい。
(35) 以上 *Ibid.,* pp.3-4.
(36) 以上 *Ibid.,* p.4, p.7, p.5, p.9, p.10.
(37) 以上 *Ibid.,* p.6, p.9, p.10.
(38) *Ibid.,* p.11.
(39) *Ibid.,* p.7.
(40) *Ibid.,* p.4.
(41) *Ibid.,* p.11.
(42) *Ibid.,* p.10.
(43) *Ibid.,* pp.13-16.
(44) *Fortieth Annual Report*（the National Trust, 1934-35）p.1.

(45) 森林委員会（Forestry Commission）：第1次世界大戦によって伐採された樹木を再び植林するために制定された1919年森林法（the 1919 Forestry Act）に基づいて作られた委員会。
(46) イギリス農村保全会議 The Council for the Preservation of Rural England：1926年に創立されて以来、自然保護運動に専念している組織体で、その守備範囲は農業、都市および農村計画、植林、鉱物採掘、発電、原子力および水問題など多くの問題に関わっている。なお現在この団体名は The Council for the Protection of Rural England（イギリス農村保護会議）となっている。
(47) *Fortieth Annual Report, op. cit.*, p.2.
(48) *Ibid.*, pp.2-3. なお1983年末までのトラストの会員数の推移を調査したトラストの報告によれば、1933年の会員数は2,750名で、1934年は3,400名となっている（図2参照）。
(49) *Ibid.*, pp.3-4.
(50) *Thirty-Ninth Annual Report, op. cit.*, pp.5-6.
(51) *Fortieth Annual Report, op. cit., pp.3-4.*
(52) *Ibid.*, pp.4-5.
(53) *Ibid.*, pp.6-7.
(54) *Ibid.*, pp.38-39.
(55) *Ibid.*, p.7. なおファーガソンの一団についての詳細な説明は、Robin Fedden, *op. cit.*, pp.46-47. 拙訳書、46-48頁を参照されたい。
(56) 以上 *Fortieth Annual Report, op. cit.*, pp.8-9.
(57) The Open University in association with the Countryside Commission, *op. cit.*, p.11.
(58) ウェールズ農村保全会議 The Council for the Preservation of Rural Wales：1928年に設立され、ウェールズを守備範囲とするもので、組織と活動は小規模であるが、イギリス農村保全会議に匹敵する。現在はイギリス農村保全会議と同じく Preservation から Protection へ変更されている。
(59) *Fortieth Annual Report, op. cit.*, p.9.
(60) *Ibid.*, p.9.
(61) *Ibid.*, pp.9-10.
(62) *Ibid.*, p.11.
(63) 以上 *Ibid.*, pp.12-13.
(64) *Forty-First Annual Report*（the National Trust, 1935-36）p.1, p.5, p.6.
(65) *Ibid.*, p.1.
(66) *Ibid.*, pp.1-2.
(67) *Ibid.*, pp.3-4.
(68) *Ibid.*, p.4.
(69) ピルグリム・トラストは、1930年、初め200ポンドの基金でアメリカの鉄道王エドワード・ステファン・ハークネス（1874～1940年）によって創設された慈善団体。

第 4 章　相続税の免除

なおこの団体は、この他にも度々トラストの各種のアピールに応えて援助を行っている。この団体については、トラスト本部の文書係（Records Officer）のルイーズ・トッドさんが、著者の質問に答えてくれたものである。記して謝意を表したい。

(70) *Forty-First Annual Report*, *op.cit.*, pp.4-7.
(71) *Ibid.*, p.8.
(72) *Ibid.*, p.8.
(73) *Ibid.*, pp.9-10.
(74) *Ibid.*, p.10.
(75) *Ibid.*, p.11.
(76) *Ibid.*, p.12.
(77) *Ibid.*, pp.12-13.
(78) *Ibid.*, p.13.

第2編　ナショナル・トラスト運動の展開

第5章
第2次ナショナル・トラスト法の成立
（1937～1939年）

第1節　第2次ナショナル・トラスト法成立へ

　1937年の第42回年次報告書の冒頭において、トラストは次のように言う。「都市と農村とが相俟ってこそ国民生活が成り立つ。ところがイギリスの田園生活の特徴であったパッチワークの色彩豊かな風景や雑木林、そして生垣といった変化に富んだあの美しさが放置されたままになって、その生気を失いつつある」。他方では、トラストはカントリィ・ハウスなど歴史的に重要な建築物が風化し、腐朽にまかされつつあるのを懸念し、それらを救済する方法を考慮中であることも前章で明らかにしたとおりである。今やトラストの活動も大きな力となって、世論も高まってきている。今こそこの問題を効果的に解決すべき時期に来ている。政府も地方自治体も世論に動かされて、その解決策に関心を向けつつある。

　前年度の報告書でも明らかにしたように、トラストの活動をより効果的に発動させるだけの力をトラストは持ちつつある。そのための必要な資金を確保しなければならない。そのためには少数の人々に頼るのではなく、より多くの人々に頼らねばならない。

　この年度は前年度ほどの前進を達成はできなかったけれども、着実な進展と大きな活動を展開することはできた。1936年中の重要な発展の中では、議会において第2次ナショナル・トラスト法案が上程されたことがあげられる。これこそはトラストが社会的に有益な仕事を行うために、その力を拡大するのに大いに役立つものである[1]。

　最初のナショナル・トラスト法は、1907年にトラストを法人団体として再構成して法律となった。この法律は必要と目的の面から十分に考えられてできたものであったので、さらに法律を制定する必要は30年間生じなかった。周知の

第5章　第2次ナショナル・トラスト法の成立

ようにこの法律は「国民のために所有されるのが相応しい」土地は、譲渡不能'inalienable'であると宣言する権限をトラストに与えた。譲渡不能はトラストにとって決定的に重要なものであり、かつトラストの発展にとって基本的な要因をなすものであった。譲渡不能は土地と建築物に適用される。しかし動産には適用されない。

　かくして時の経過とともに特に1930年代に入って、上記の如くトラストによってカントリィ・ハウスの保存計画が問題になったとき、トラストの目的の再規定と権限の拡大が必要であることが明らかになった。1936年には、議会に第2次ナショナル・トラスト法案が上程され、翌1937年7月1日に法制化された。だからこの法律が発効するのは翌年度の初日に当たるわけだが、すでに第42回年次報告書の刊行時には、この法律の制定は既定方針であったに違いない。というのはこの報告書のXページにカントリィ・ハウス委員会の委員13名の氏名も掲げられているからである。事実、この報告書で、この法律の内容説明とともに、カントリィ・ハウスの保存計画について具体的な説明がなされている。したがってここでは、この計画とも関連させつつ、第2次ナショナル・トラスト法がいかなる内容を含むものであるかを見ておこう。

　第2次ナショナル・トラスト法は他の条項とともに、トラストの目的の中に、「国民的な、あるいは歴史的な、または芸術的な興味を有する家具および絵画、そして何らかの種類の動産の保存」[2]を含めた。動産に関する条項は、重要な結果をもたらし、そして優れたコレクションの獲得を実現した。それはカントリィ・ハウスとその土地および周辺のアメニティを保存し、かつその質を高めるとともに、邸宅内にある家具類や絵画およびその他の各種の動産を一体化して保存するという貴重な効果をもたらした。この法律はまた、大衆によるトラストの資産へのアクセスと享有についても言及した[3]。これらのことは常にトラストの目的の中に入っていたものであった。しかし1907年法の中には、そのことについて特別に言及してはいなかった。そのことが含められたことは適切であったし、タイムリーでもあった。第2次世界大戦後、資力とレジャーが増すにつれて、カントリィ・ハウスの人気は爆発的に高まった。もっともこのことが第2編第1章注（1）で記したように、ナショナル・トラストとカントリィ・ハウスとが直線的に考えられる危険性はあったのだが。

215

1937年法はまたトラストが、その資産の維持あるいはその一般的な目的のための投資として、土地、建築物そして有価証券を獲得し、そして所有することを許可した。なおこれらが譲渡不能でないのはもちろんのことである[4]。またこの条項は、その後まもなくしてトラストがカントリィ・ハウス保存計画のもとに、ノーフォークにあるブリックリング・ホールのような大邸宅を獲得するようになったとき、土地あるいは有価証券の形で寄付を受けることを可能にした。

さらにこの法律は、地方自治体に対しトラストに土地あるいは建築物を与え、そしてトラストの資産の獲得と維持に寄与する権限を与えた[5]。

最後に、1937年法は補助的ではあるが、トラストの資産に隣接する土地や建築物を保護する新しい手段を付与した。それはトラストにある所有者から彼の資産に対する制限約款（restrictive covenants）を受け入れ、そしてかかる約款を永久にまたは特定期間、彼の後継者であるすべての所有者に対しても実行することを可能にした[6]。この約款は所有権のいかなる変更も含まない。だからこの約款はただ消極的な保護しか提供しないものであることが強調されなければならない。所有者は住宅供給のために彼の大庭園を開発せず、樹木も伐採せず、あるいは歴史的建築物の立面図も変えないことを契約することができる。所有者は大庭園を率先して維持し、植樹をし、あるいは建物を修復することを契約することもできない。

制限約款は決して積極的なものではありえないけれども、それらには柔軟性があるという利点がある。所有者が土地あるいは建築物に課そうとしている制約は、状況に応じて変わりうるのである。約款が所有者の土地の開発の価値を確実に抑えている限り、その見返りとして、幸いにも相続税が減額される。このようにして私的所有権のままで自然景観や建築物に対して有効な保護を与えている。保護の程度という点では、譲渡不能の土地によって享有されるそれに匹敵しない。約款には大衆のアクセスの権利が必然的に課せられるわけでもない。そこで制限約款が、多くの所有者にとって選択しやすい利点を持っていることが理解できるであろう[7]。

それではトラストは、第2次ナショナル・トラスト法を背景にしながら、カントリィ・ハウスをどのように保存し、保護しようと考えていたのか。1937年

度の年次報告書にしたがって見てみることにしよう。

　第2次ナショナル・トラスト法が発効されるならば、カントリィ・ハウスの所有者たちが自らの邸宅と土地の美しさを一般大衆と分かち合うことによって、それ相応の救済を施されるであろうと考えたことは間違いない。事実、多くの所有者たちが、彼らの歴史的な邸宅と土地がトラストに譲渡され、国民のために保存されるとともに、現在の所有者の家族が今後とも、そこに居住し続けることができるという計画を真剣に考えているのである。この計画——第2次ナショナル・トラスト法案の通過を前提とする——は、所有者がその歴史的なカントリィ・ハウスを、その庭園や周辺の土地とともに、その邸内にある歴史上あるいは芸術上価値があり、かつ必須的なものと考えられる家具類や備品、そして絵画などと一緒にトラストに譲り渡すための規定を定める。その結果、国民が1年間のある期間、カントリィ・ハウスの貴重な部屋にアクセスできるという条件を付して、所有者およびその後の家族がそのカントリィ・ハウスに居住できるのである。このようにしてトラストは（遺産税[estate duty]も所得税[income tax]も支払わず）、国民が享有できる邸宅や土地を保護すると同時に、他方では所有者は、その資産とその家族とのつながりが、現在置かれている状況のもとにあるよりも、もっと安定した状況にいられるという可能性を保証されることになる。

　さらにトラストは、永続的な基本財産だけでなく、その邸宅のアメニティを守るための資産の一部あるいは全部を受け取ることができる。この基本財産たる土地は国民のために譲渡不能のものとして保持されるものではない。そして国民はそこにアクセスする権利を持たない。この土地は普通の農地のように管理・運営されることになる[8]。

　以上が1937年の第42回年次報告書で説明されている第2次ナショナル・トラスト法に関する説明および将来への展望の概要である。

　以下、当報告書にしたがって、当該年度の実績を見ることにしよう。会計報告の中で、これまでその経過について何回かにわたって報告されてきたバタミア、クラモックおよびローズ・ウォーター計画が、ついに成就されたことが報告されている。この計画が思いもかけず経済的に重い負担を要するものであっ

たことが、会計報告の中で報告された一因であるかもしれない。ついでに言っておくと、緊急を要する資産獲得のために貯えられている資金を除いて、拡大のために利用しうる余裕はないけれども、トラストの資金状況は健全であるとのことである(9)。

　1936年には、通常一般大衆が訪ねることのできない有名なカントリィ・ハウスへの訪問旅行が実施され、成功を収めた。今後もこの種の訪問旅行を行うことが広報委員会によって報告されている。これはこれから行われる予定のカントリィ・ハウス保存計画を考慮に入れたものである(10)。

　他の団体からの支援や協力関係の大切なこと、それから政府機関や地方自治体からの援助や友好的な協力関係が増しつつあることが、喜びを持って報告されていることもこの年次報告書の特色である(11)。

　この報告書では、進行中の7つのアピールが紹介されている。いくつか紹介しておこう。コッツウォルズのマルバーン・ヒルズについては前章でも紹介したが、前進がほとんど見られない。場所柄、ここは確保しておかねばならない。残り約1,200ポンドをどうしても集めねばならない。プリマスの東方にあるウェンベリィ湾とエルムの入江については、この地域を獲得するためのそもそものアピールは4,000ポンドを集めることであった。ところが完全に成功することが覚束なくなったために修正せざるをえない。この美しい海岸のうち必須部分である土地の保護を成就するために、1,200ポンドを集めるためのアピールへと修正することにした。

　ロンドン近郊のアシュリッジ・エステートの近くにある116エーカーのハドノール・コモンを購買するために1,000ポンドが必要だが、このうち500ポンドがまだ残っている。ケンブリッジから遠くないウィッケン・フェンについては、この自然保存地を維持するために、独自の基本財産基金のアピールをしたところである。この湿原を維持するには、本部の一般基金にも相当な負担をかけている。このアピールを緊急に進行させなければならない。あるところでは、自然保護の必要性を宣伝するために、地元でポスターを貼ったり、募金箱を置いたり、色々な努力をしているのが見られる(12)。

第5章　第2次ナショナル・トラスト法の成立

ウェールズの最西端地セント・デイヴィズの中心地にあるスクウェア。
（2002.3　著者撮影）

　それでは1937年度において、トラストは実際にどれほどの実績をあげたのだろうか。獲得件数は全体で39で、その内訳は建造物が5、土地の獲得件数が27で、制限約款で得られたものが7である。獲得面積を計算すると約3,600エーカーである。

　それでは以下、ここでも本書の問題関心に従ってそれぞれをできるだけ簡潔に見てみることにしよう。北アイルランドでは、この年度に素晴らしいスタートが切られた。会員の加入も始まりつつある。北アイルランドの美しい土地がトラストによって保護されていくことが必要不可欠であるという理解が、アイルランドでも次第に高まることをトラストは期待し、希望している。この年度に獲得されたものは3つで、いずれも歴史的に由緒ある建造物で、土地面積は合計して約100エーカーである[13]。

　ウェールズでは、最近までほんの少ししか資産が獲得されていなかったが、前年度になされたかなりの程度の進展が1937年度も続行された。一つは、ハー

レックにある10エーカーの見晴らしの良い森林地が、ある未亡人によって亡き夫を記念してトラストへ贈与された。2つ目は、ペンブロークシァの海岸のソルバにある23エーカーのグリビン岬（Gribin Point）が贈与された。最後の3つ目は、ウェールズの西端にあるホワイト・サンズ湾のペンカーナン・ファームの地先に対して、トラストは制限約款を確保した。かくしてトラストは、いずれも大きな面積ではないが、これまで3つの資産を獲得したことになる。ペンブロークシァの海岸はまだ大部分が壊されていず、極めて美しい。だからトラストとしては、近い将来、この海岸線をコーンウォールと同じ位の速度で保護していきたいと考えている[14]。

　湖水地方では、この年度には珍しく報告するほどの獲得地がない。しかしそれでもモンク・コニストン・エステートの西側やボローデイルでは極めて重要な地域で制限約款が確保された[15]。

　ピーク・ディストリクトはどうか。私自身、ここを訪ねたのは意識的とはいえ、もう随分前に列車で2～3回通過しただけで、歩いたのはたった1回だけだから、その素晴らしい自然の美しさは頭の中で描けても、それ以上のものではなかった。それだけに心残りとしていつも自分の気持ちの中にわだかまっていた。幸いに2002年3月から4月にかけて3回、この地を訪ねる機会を持つことができた。1回目はシェフィールドからマンチェスター間を往復できた。2回目はピーク・ディストリクトの一画をなすロングショウを歩くことができた。それに3回目は心秘かに願っていたキンダー・スカウトの頂上を踏破できた。この時の体験については、簡略ながら前章で述べたところである。ここではロングショウにだけ言及するけれども、その詳細については後で触れるとして、次のことだけを年次報告書にしたがって報告しておこう。
　ロングショウでは、サプライズ・ビュー（the Surprise View）の前景をなす地域が最近投機的な建築業者たちによって脅かされた。早速この暴挙を回避するために、7,000ポンドを集めるための地方委員会が組織され、このアピールは成就された。6ペンスを郵便為替で送ってくれた人もいた。11ポンドの寄付金は1年間、友人たちから1週間に1ペニーずつ集めた男性によって集められたもので

あった。こうして得られた250エーカーの土地は、これまで得られた面積に加えられると、全体で1,000エーカーを超えることになる。贈呈式に出席した人々の中には86歳のシェフィールドの老人がいたが、この人は出席するために丘（the moors）を越えながら歩いてやってきたのである[16]。

バーミンガムの南郊外にあるチャドウィッチ・マナー・エステートのそばにある378エーカーのグローブリィ・エステートが、ある婦人によってトラストへ遺産として残された。ここは美しい森に囲まれたきれいな眺望を有する農場である。このグローブリィ・エステートは、チャドウィッチ・マナー・エステートの東側にあり、ここからリッキィ・ヒルズとチャドウィッチ・マナー・エステートを見通せる。私自身、グローブリィ・エステートには行っていないが、バーミンガム駅からバーント・グリーン駅で降りて、リッキィ・ヒルズのツーリスト・センターからタクシーでチャドウィッチ・マナー・エステートへ向かったことがある。この辺りはバーミンガムの市街地とは打って変わり、きわめて静かな森に囲まれた素晴らしい郊外地である。グローブリィは、その一部分をバード・サンクチュアリとして維持しながら、あくまでも農業用地として維持され続けるはずである[17]。

湖水地方の海岸の沖合いにあるマン島（Isle of Man）の南にカーフ・オブ・マンという小さな島がある。615エーカーの農場と崖地を持つこの島が、1937年にトラストへ贈与された。色々と歴史的な逸話を持つ興味深い島のようだ。この島は主としてバード・サンクチュアリとして維持されることとなる。したがって繁殖期間は閉鎖される。しかしトラストは夏期の後半に訪れる人々に2つのコテッジを貸すことによって、この島を維持するための収入を得ようと考えている[18]。

コーンウォールに移ろう。この年度は、イギリス農村保全会議（CPRE）の活動のお陰で、海岸地の保護が大変に進んだ。ティンタジェルのアーサー王の城址から南西のほうへペンタイア・ヘッドがある。コーンウォールで最も美しいといわれる崖地を含む360エーカーの農場を購買するために、地方委員会によ

って5,000ポンドを目指したアピール活動が続けられた。それにこの土地は長期的には収入を生み出すはずなので、トラストは抵当権を設定して2,500ポンドを借りることができた。こうしてこの土地が獲得された。この借金を返し、そして各種の修理や農場を改良するのにかかる費用を払い切るのに多くの年月がかかるであろう。トラストがこの農業の困難な時代に、次々と農場の贈与を受け、また積極的に購買していくには、それなりの覚悟と長期的な見通しを持たねばならなかったはずだ。そして農業が何故このように長期的にかつ構造的に不振を続けなければならないかを、トラストが実際に見続けていったこの歴史的事実を、私たちは決して見落としてはならないと思う。

　コーンウォールの有名な海岸保養地であるセント・アイヴズ（St. Ives）の東方へ約7kmのところにある岬、ナヴァクス・ポイントとゴドリヴィ・ポイント（計320エーカー）がトラストに贈与された。私はセント・アイヴズへは何かに憑かれたかのように何回か訪ねたことがある。セント・アイヴズ湾からでも、すぐそばにあるセント・アイヴズの岬からでも、この突端の地は良く見える。コーンウォールでの私の最初の訪問先はセント・アイヴズであった。この半島をバスで一周したことがある。観光バスではないから殆どが地元の人たちで、その土地の匂いがするのだ。すでにここの海岸線すべてがナショナル・トラストではないかと錯覚してもおかしくはない。ただしランズ・エンド（Land's End・地の果て）は違う。1982年、トラストがここを買おうとしたが、高値をつけられて買えなかったところである。その後も買おうとしたが、高くて買えなかったということをどこかで読んだことがある。

　ロンドン近郊での実績はどうだろうか。アシュリッジ・エステートの守備範囲がまた広がった。バーカムステッド・コモンに隣接し、そしてグレート・フリッツデンとリトル・フリッツデンの雑木林を含む104エーカーが購買された。

　1933年の年次報告書で言及したチッスルハースト・コモンのカムデン・コート・エステートに対する制限約款は成功したことが判明した。そこでトラストはこのコモンに隣接する他の土地に対しても制限約款を設定することにした[19]。ところで制限約款については、アシュリッジ・エステートでも1934年度の年次

報告書で制限約款が結ばれたことが記されている。上記の約款と比較するうえでも重要と思われるので、ここで追記しておきたい。

報告書によれば、このアシュリッジ・エステートの中心部分の最も重要な地域が酪農場（the Old Diary Site）となっており、もちろん私有地である。したがってトラストがここを自由にコントロールできるわけではない。幸いにトラストはある匿名の篤志家の計らいでこの酪農場と制限約款を交わすことができた。その結果、ナショナル・トラストはこの酪農場が将来望ましくない開発をしようとする場合、これをコントロールできるようになった[20]。本来、自然環境保護と農業とは両立すべきものである。イギリスにおいて農業不振が一向に止まない中、トラストがかかる行為を実行したことはきわめて重要な意味と意義を持つ。ここではこのことの持つ意味を深く考えねばらないことを指摘するに留めておこう。

最後に、トラストはボルト・ヘッドとボルト・テイルの間にある海岸線の中ほどにあるソア・ミル・コーヴを獲得できた。これでトラストはボルト・ヘッドからボルト・テイルまでの海岸線をすべて所有することができたことになる[21]。

第2節　第2次ナショナル・トラスト法の成立

ナショナル・トラストは今やイギリスにおいて大土地所有者となった。1938年度で全国を通じて計305の資産を有し、その土地面積は4万5,262エーカーである。その他に長期のリースを持つ7つの資産があり、その面積は1万1,076エーカーである。また1万6,489エーカーの土地が制限約款によって保護されている。

1938年度においては59の資産が獲得された[22]。それらの資産の簡潔な説明はあとで記すことにして、まずは1938年度の第43回年次報告書に見られるトラストの将来への抱負とその覚悟のほどを検討することにしよう。

前年度の報告書において、予め第2次ナショナル・トラスト法の概要については説明を試みた。いよいよこの法律の重要性が認知されることになり、地方自治体との協力の可能性も認識されるとともに、カントリィ・ハウス保存計画も現実味を帯びてきた。前節で見たように、この法律は地代および他の収入によって財産の維持や保護の備えをするために、トラストに土地あるいは投資物

件を獲得し、かつ所有することを可能にする特別の条項を含めた。これこそが「カントリィ・ハウス保存計画」を可能にしたのである。それは本質的に、所有者に歴史的なカントリィ・ハウスを、その雰囲気と趣に役立つ付属物とともにトラストに譲渡することを可能にし、他方では彼と彼の譲受人に、特定の日には一般大衆に公開させながら、そこに居住するのを許すのである。カントリィ・ハウス保存計画の開始は、トラストの事業を著しく拡大することになろう。アルフリストンの牧師館やホークスヘッドのコート・ハウスのようにその地方に特有な建物を保存することは、疑いもなく重要である。それとともにブリックリング・ホールのようなカントリィ・ハウスを保存することがもう一つの大きな仕事となる[23]。

いよいよナショナル・トラストは国民的な組織として、ますます重要な責任を果たさなければならない。しかしだからと言って、その財政的基盤がどのような形であれ、保証されているわけではない。言うまでもなく、ナショナル・トラストはナショナル・トラストとして国民からの信託（trust）を得つつ、その財政基盤をも国民に依拠していかなければならない。

トラストの資産の維持・管理についての見解は注目に値する。自然そのものは時の経過につれて自ずと変化する。自然の維持・管理に積極性が要求されるゆえんである。「木や植物、昆虫、鳥獣類と人類は、すべてが自然界の中で相互に影響しあいながら互いに関係しあっている。この関連性を最も賢明な方法で追求しようとすると、それは幾つかの場合、トラストの現在の資力を超えている」。

多くのトラストの土地では、農地と森林地の管理・運営の方法が考えられねばならない。ここでは農地の管理・運営について、トラストが考えているところを聞いてみることにしよう。農場では、トラストは長期的な視野に立った考えを持った最良の地主でなければならない。そこでは自然と自然誌、そして一般大衆の持つ利害関係がそれぞれ大切にされながら、しかもそれらが健全な農業活動と旨くバランスを保っていかなければならない。このようにトラストは考えている[24]。1930年代というこの時代に、トラストがこのように考えていたという事実に私たちは驚かざるをえない。

トラストが土地や寄付金を寄せてくれた人々に対して、常に感謝の気持を表

第5章　第2次ナショナル・トラスト法の成立

明していることは前にも述べた。この報告書では次の言葉が見られる。「トラストの仕事を可能にするために、時間と知恵（talents）を恵んでくれた人々にも感謝したい」。それにまたトラストは「ボランタリーの見張人（wardens）として、彼らの時間を無料で提供してくれた多くの人々にも恩義を負っている」とも言っている[25]。これらの表現は、これまで一度も表明されてこなかった。トラストがボランタリーの団体であることは周知のとおりである。トラストが国民的な団体となるためには、会員になる資力の無い人々をも支持者としてトラストに引き付けることが必須である。今後トラストがこのようなボランティアたちの役割をどのように理解していくのか。しばらく様子を見ることにしよう。

このところ国民的な規模で、あるいは地元でのアピールが数多く発せられるようになった。そのうちの幾つかを紹介しておこう。1938年4月6日、ピーク・ディストリクトのマニフォルド渓谷とダヴ渓谷のための国民的なアピールが開始され、そこを訪れる人々が多くいる市当局との協力のための話し合いが進んでいる。ダヴ渓谷では、トラストがこれまで世話になっている有力者からの支援もある。しかしなお1万500ポンドが9月末日までに集められねばならないという。

プリマス近くのウェンベリィ・アピールは1936年に開始されたのだが、あと1,800ポンドが1938年末までに集められねばならない。

ウィッケン・フェンでの基本財産基金のアピールも続行中である。他にもいくつか紹介されているが、ハインドヘッドでの地元のアピール（3,000ポンド）もある[26]。

冒頭に述べたように1938年度の獲得資産は59である。その内訳は建築物が15、土地が28、制限約款によるものが16である。今後トラストの資産獲得はますます増加することが予想される。したがって今後獲得される資産については、本書の問題意識に従いつつ、できるだけ簡略化することにしたい。

北アイルランドでは、北部海岸にある180エーカーのホワイトパーク湾（Whitepark Bay）が地元のアピールによって獲得された[27]。今後この北アイルランドの北部海岸は、次々とトラストによって獲得されることになろう。私は

2001年3月5日にロンドンに着いた翌6日、かねて日本で会見を予約していたハニコト・エステートに電話してみた。この頃はすでにあの口蹄疫（foot and mouth disease）が広がりつつあった。当面、事務所への訪問は不可能となった。さてどうするか。具体的な妙案が思いつかないが、先ず北アイルランド行きを決行することにした。翌日にはベルファスト空港に降り立った。まずはわが国でも有名な奇岩怪石で有名なジャイアンツ・コーズウェイをはじめとするトラストの北アイルランドの海岸を歩いてみようと考えた。ここも既に閉鎖されていた。口蹄疫に対するトラストの対処の早さに敬意を表しつつも、次の機会を待つことにして、今回はバスで、トラストがその湖岸のほとんど全部を所有しているストラングファド湖の東岸を経て、ニュー・カースルへ行くことにした。

ウェールズでは、ペンブロークシァの西端にあるラムジィ海峡（Ramsey Sound）を挟んで、3つの制限約款が交わされた。ラムジィ島では625エーカー以上の土地に制限約款が交わされ、ホワイト・サンズ湾（White Sands Bay）のすぐ南にある二つの隣り合っている計200エーカーの農場でも制限約款が交わされた。それにさらに南のほうにあるとともに、ラムジィ島にも面している248エーカーのトレギニス農場にも制限約款が交わされた[28]。実はこの地域を私は2002年3月に訪ねている。特にトレギニス農場には立ち寄り、そこでは現在、自発的に有機農法を行っていることも知った。これらのことについては、機会をみてやや詳しく触れるつもりである。

湖水地方では、ダッドン渓谷（Duddon Valley）で湖水地方農地会社（the Lake District Farm Estates Co.）が127エーカーのハイ・ウァロウバロウ・ファームを買ったが、この会社はこの農場についてトラストと制限約款を交わしてくれた。というのはこの農場は、トラストの保護下にあるウァロウバロウ・ファームに隣接しているからである。グレート・ラングデイルでもG. M.トレヴェリアン教授が75エーカーの農場について制限約款を交わしてくれた[29]。

ピーク・ディストリクトでは、ダヴ渓谷でトラストの資産が増え続けている。これに大きく寄与している人物を2名あげている。この年度の獲得件数は多い。例を挙げると、アイザーク・ウォルトン・ホテルに近い190エーカーの美しい

森林地が購買されたが、それと同時にこの森林地に隣接する108エーカーの農場には制限約款が設定された。それから140エーカーのニュー・ハンソン・グレンジ・ファームに対する制限約款も交わされた。この農場はすでに1936年にトラストへ贈与された土地に隣接している[30]。

コーンウォールでも土地の購買や遺贈、そして約款が実現したが、この年度はそれほど多くない。1例だけをあげておこう。セント・アイヴズから西南地方へ向かう道路と海の間にある海に面した崖地を持った約45エーカーの農場で制限約款が交わされた[31]。

バーミンガムの南郊外にあるコットン・ホール・エステートの一部をなす44エーカーの放牧地が、一般大衆へのアピールによってトラストに譲渡された。大衆のアクセスは認められない。ここは東側のグローベリィ・エステートと西側のリッキー・ヒルズにつながる大変大切なところである[32]。ここはチャドウィッチ・マナー・エステートともごく近い。すでに記したように、私は2001年4月にここを訪ねている。この辺りは緑豊かな素晴らしい郊外地である。自然環境保護と農業活動との両立、そして郊外の肥大化の阻止が有する社会経済的意義および癒やしの場として、ここがどれほど役立っているかを考えるために、再びこの地を訪ねなければと思う。

ロンドン近郊では、アシュリッジ・エステートのごく近隣にある116エーカーのハドノール・コモンが獲得された。ヘイズルミアの南に位置する30エーカーの森林地であるボーデン・ドア・ボトムが贈与された。ウェスト・ウィカムでは、トラストはこの年度中に旧牧師館 (the Old Vicarage) と1軒のコテッジを購買したことによって、事実上このウェスト・ウィカム村の所有権を完了したことになる。あとは如何にして管理・運営を首尾よく行うかにかかっていると言えよう[33]。

第3節　困難な時代——農業危機と自然破壊

1937年の第42回年次報告書で、トラストは自らが社会的により広い活躍の舞

台に立たされつつあることを自覚するに至った。しかし1939年度のこの第44回年次報告書では次のように言わなければならなかった。

いよいよイギリスが重大な危機に立たされつつあり、トラストもこれに対峙しなければならない。トラストの当該年度の実績は、所有地が37で約3,000エーカー、制限約款で守られる土地が22で7,142エーカーを獲得した[34]。これは前年度の実績の2倍強である。今後もこの方向は維持されるはずだ。だからこの危機は乗り越えられるし、乗り切らなければならない。それではここでのイギリスの重大な危機とは何を指しているのだろうか。トラストは自然保護団体であり、かつ土地所有団体である。イギリスの農業部門が危機に晒されてから久しい。イギリスの農村社会が荒廃しつつあることに注意を呼びかけたのも当然であった。本書でも幾度か指摘したように、1846年に穀物法が廃止され、ついに1873年には農業大不況がイギリスを襲った。それ以来第1次世界大戦中、食料増産運動が行われた時期を除いて、イギリス農業の危機は基本的に言って、第2次世界大戦まで放置されたままであった[35]。

それではトラストはこの農業危機に対して、如何に考え、そして如何に対峙しようとしたのか。報告書を見てみよう。

「トラストはこれまでの1年間、全国でトラストによって得られるべき土地に関する報告書を100件以上受け取った。多くの場合、農業が経営不安定のために、将来農業に希望がもてないこと、そしてトラストの活動も同じ状況の中で、それらの農地を引き取り、維持するには相当な経費が嵩むことが明白となった。事実上、トラストの所有する土地は大部分が遠隔地にあり、限界地である。したがってかかる農業不況のもとにあっては、土地が全く使われなくなるか、または容易には回復しそうもないほどに荒廃しつつあるのが現状である。農業の救済策を論じることはトラストの役割ではない。しかし農業の悪化は国民一般に対すると同様に、トラストにも深刻である。放置された放牧地と森林地、手入れのされていない生垣や農場の家屋、そして人口の減少した農村は、望ましくない開発と同じくわが国土の色彩豊かな美しさの敵である。トラストが受け取った報告書の殆どが、土地はかつては豊かで、生産力があったのに、今では放置され不毛になっていると書いている。その結果、いやがうえにも社会経済

第5章　第2次ナショナル・トラスト法の成立

的見地からと同じく、国民の不満の増大とそれの解決策の緊急性に思いを致さざるをえない。これまで取られてきた救済手段にもかかわらず、事態は一向に良くならない。遠隔地にある土地こそ、生産のために守る必要があるのに、荒れるに任せて、人口が減少している。このことに異論をはさむ人はいないはずだ。上記の如く、トラスト自体、その農地が使用されなくなるのを食い止める難しさにしばしば直面している。トラストの主たる義務は、トラストの持つ資産の自然の美しさを保ち、その質を高めることである。そしてそのことがしばしば農業の改良を必要とするのである。良き地主であり、同時にアメニティを保ち続けるためには、十分な資本が必要であるけれども、その資金を見い出すのが困難である。しかし資金が許す限り、トラストへ提供された農業用地をすべて受け入れ、そしてその農場が誇りとしている建物もすべて受け入れるようにトラストは絶えず努力している」[36]。

このようなイギリスの社会経済的状況の中で、ナショナル・トラストは孤軍奮闘していたといっては言い過ぎだろうか。トラストへ提供された土地が、すべてトラストによって受け入れられたわけではなかったことは上述のとおりである。1937年に第2次ナショナル・トラスト法が通過し、トラストが「カントリィ・ハウス保存計画」を開始した社会経済的背景も、上記の歴史的事実と無関係ではなかったのである。

それでは以下、トラストの1938〜39年度の実績を見てみよう。

北アイルランドでは、49エーカーの森林地が贈与された。

ウェールズでも4つの資産が得られた。2つは山岳地で、モンマスシァのスキリド・フォール（Skirrid Fawr、205エーカー）が贈与された。カーナヴォンシァのアバーグラスリン（71エーカー）も贈与された。ガワー半島では、ピットン・クリフス（38エーカー）と80エーカーのパビランド・クリフスが贈与された。グラモーガンシァのこの半島の海岸地も点から線へ、そして面が形成される日も近いだろう。あと一つは15世紀の2軒の石造りのコテッジが得られた[37]。

湖水地方では、所有地が7で合計422エーカー、制限約款の得られた土地が7で合計5,821エーカーである。主なものをあげると、グレート・ラングデイルで

155エーカーのミドルフェル・ファームが購買された。ここでは他に羊の買い取りと農場家屋の修理と改築代の125ポンドが与えられている。エスクデイルでは、ほぼ5,000エーカーの植林用の森林地が制限約款で得られた。これでスコーフェル地区とダッドン渓谷（Duddon Valley）地区とがつながることになった。美しいニューランズ・バレーでは117エーカーのバークリグ・ファームと隣の27エーカーの農場で制限約款が交わされた。ついでだが、かつてバスの車窓から見下ろしたニュー・ランズの谷のオープン・カントリィサイドの景色はまさに息を飲むほどの絶景であった。アンブルサイドの441エーカーのスケルウィズ・ファームが湖水地方農地会社によって購買され、次いでトラストと制限約款が交わされた。トラウトベックの185エーカーのハイ・スケルギル・ファームがトラストへ贈与された[38]。

ピーク・ディストリクトでは、この年度はダヴ渓谷とマニフォルド・バレーが最高の収穫をおさめた。所有地が5で、制限約款の得られた土地が2で、合計エーカー数はそれぞれ925エーカーと555エーカーである。ここでは地元での寄付や遺贈金、それに地方自治体との協力も得られて、これだけの実績を上げることができたのである[39]。

コーンウォールとデヴォンシァの海岸地はどうか。所有された海岸地が5で合計310エーカー、制限約款が2で合計370エーカーである。主なところを挙げると次のとおりである。モート・ポイントの西方に位置するバギー・ポイント242エーカーが贈与された。ここにはほぼ4kmの海岸線があり、その後背地は農業用地である。かつてモート・ポイントとウラクームの砂浜からバギー・ポイントを見た私には、その後背地の農業と野生のままの自然美とが相俟って、私たちの心と身体の癒しの場を提供していることが十分に分かる。トラストはそのためにこのような早い時期から努力していたのだ。

ウェンベリィ湾とエルムの入江では、309エーカーを超すソーン・エステートとエルム川の右岸にあるオールド・バートン・ファームに対して制限約款が得られた。他方では地元のアピールによって、26エーカーの土地も獲得された[40]。

第 5 章　第 2 次ナショナル・トラスト法の成立

　ロンドン近郊では所有地が10、制限約款で得られた土地が3で、それぞれ合計して402エーカーと42エーカーである。ここでは2例を挙げておこう。ハインドヘッドのパンチ・ボウルはトラストが長年の間所有し保護してきたところだが、その中心部分の14エーカーのハイクーム・ボトムとその隣にある210エーカーのハイクームの森はそうではなかった。しかし漸くこの年度に前者を地元のアピールによって、残りの210エーカーのハイクームの森を幸いに寄付金のおかげで購買できた。これで有名なパンチ・ボウルの所有もついに成就された。ケントでは、トラストはチディングストン村を、この年度に得られた高額の遺贈金により買い取ることができた。私はまだここを訪ねていないが、年次報告書によれば絵の様に美しい村であると報告されている。なおこの村に隣接する6エーカーの土地とも制限約款が交わされたという[41]。先にデヴィルズ・パンチ・ボウル（Devil's Punch Bowl）について記したことがあるが、この地名には当初から興味を持っているが未だに明らかでない。Devilの言葉から推して、何かしら悪いいわれがあるのかもしれない。それはとにかくハインドヘッドの中心地に車がひっきりなしに走る十字路がある。その一角にDevil's Punch Bowlというホテルがあるのを発見した時には、大変面白く感じたことを今でも覚えている。2002年4月12日に、そのホテルの前に出来たトラストのDevil's Punch Bowl Caféで軽い食事を取り、その辺りを歩きながら、ハイクームの森とハイクーム・ボトムを見下ろしながら、かつてそこから咲き乱れる花の美しさに惹かれて、小高い丘に登ったことを思い出していた。それにしてもこの辺りは起伏の多いところだ。パンチ・ボウルはこの地名の言葉の持つ意味から、これと関係があるのかもしれない。

　最後に、未だに国立公園法は制定されていないが、本報告書で国立公園となるべき地域において、トラストが所有している面積を示している。紹介しておこう。湖水地方の所有面積は3万2,000エーカー、エクスムアの近辺あるいは圏内での所有面積は1万エーカー、ピーク・ディストリクト内のダヴ渓谷地域での所有面積は4,000エーカーである[42]。この地域は、現在ピーク・ディストリクト国立公園の南部に位置する。私は未だこの地に足を踏み入れていない。し

231

たがってこの地域について、私の体験を語れないのは残念である。

---

(1) *Forty-Second Annual Report*（the National Trust, 1936-37）p. 1.
(2) *The National Trust Acts 1907 to 1971*（the National Trust, 1995）p.17.この法律の正式名はAn Act to confer further powers upon the National Trust for Places of Historic Interest or Natural Beauty and for other purposes, 1st July 1937（歴史的名勝地及び自然的景勝地のためのナショナル・トラストに対して更なる権限を与え、かつその他の目的を遂行するための法律、1937.7.1）である。略称名はThe National Trust Act 1937である。
(3) *Ibid.*, p.19.
(4) *Ibid.*, p.17, p.20.
(5) *Ibid.*, p.18.
(6) *Ibid.*, pp.18-19.
(7) 以上の1937年ナショナル・トラスト法についての説明は、Robin Fedden, *op. cit.*, pp.169-172. 拙訳書 199-203頁によった。ただし注（6）のナショナル・トラスト法の文面については、一部脱落があったので、1937年ナショナル・トラスト法の第8条から'または特定期間'という言葉を加筆した。なお*The National Trust Acts 1907 to 1971*（The National Trust,1995）について埼玉大学経済学部の同僚の江口幸治講師とともに研究し、かつ多くのアドバイスと教示を得た。ここに厚い謝意を表したい。
(8) *Forty-Second Annual Report, op. cit.*, pp.2-3.
(9) *Ibid.*, pp.3-4.
(10) *Ibid.*, pp.4-5.
(11) *Ibid.*, p.5.
(12) *Ibid.*, pp.7-8.
(13) *Ibid.*, p.13.
(14) *Ibid.*, p.15.
(15) *Ibid.*, p.15.
(16) *Ibid.*, p.12.
(17) *Ibid.*, p.12.
(18) *Ibid.*, pp.12-13.
(19) *Ibid.*, pp.10-11.
(20) *Thirty-Ninth Annual Report, op. cit.*, pp.4-5.
(21) *Forty-Second Annual Report, op. cit.*, p.16.
(22) *Forty-Third Annual Report*（the National Trust, 1937-38）p. 1.
(23) Robin Fedden, *op. cit.*, pp.44-45. 拙訳書43-44頁。ただし一部加筆されている。
(24) *Forty-Third Annual Report, op. cit.*, p.3.

(25) *Ibid.*, p.4.
(26) *Ibid.*, pp.4-5.
(27) *Properties Acquired or Protected during the Year 1937-1938*（the National Trust, 1938）p.15.
(28) *Ibid.*, p.13.
(29) *Ibid.*, pp.11-12.
(30) *Ibid.*, pp.8-9.
(31) *Ibid.*, p.8, pp.14-15.
(32) *Ibid.*, p.8.
(33) *Ibid.*, p.11, p.15.
(34) *Forty-Fourth Annual Report*（the National Trust, 1938-39）pp.7-9.
(35) 特に産業革命以降、第2次世界大戦までイギリス農業がいかなる状況に置かれていたのかを理解するために、とりあえず拙稿「イギリスの貿易政策と産業構造の歪曲化―農業部門との関連において―」（埼玉大学経済研究室『社会科学論集』第68号、1989年6月）44-62頁を参照されたい。
(36) *Forty-Fourth Annual Report, op. cit.*, pp.4-5.
(37) *Ibid.*, pp.12-13.
(38) *Ibid.*, pp.15-17.
(39) *Ibid.*, pp.13-14.
(40) *Ibid.*, pp.11-12.
(41) *Ibid.*, pp.10-11.
(42) *Ibid.*, p.5.

第 2 編　ナショナル・トラスト運動の展開

第 6 章
第 2 次世界大戦

第 1 節　第 2 次世界大戦の勃発

　第 2 次世界大戦が勃発した1939年に、1902年以来第 3 代のトラストの総裁を務めてきたルイーズ王女が亡くなった(1)。思えばダーウェントウォーター湖畔のブランデルハウの獲得のセレモニーは、1902年に彼女によって開始されたのだった。

　トラストに対する大戦の影響は計り知れないものがあったに違いないが、特にトラストの財政状態と将来への一般的な予測もほとんど不可能な状況であっただろう。大戦の勃発時のトラストの状勢と資産は、第 1 次世界大戦の勃発時の1914年と較べて、ある点ではより強力なものとなっており、また他の点では弱い面も持っていた。比較するために、幾つかの項目の数字をあげておこう(2)。

	1914年	1939年
資産数	63	410
面積（所有とリース）	5,814エーカー	58,900エーカー
制限約款による面積	2エーカー	27,000エーカー
管理・運営に供された資本金額	59,861ポンド	530,114ポンド
一般基本財産および保存基金	1,690ポンド	12,498ポンド
会費（会員）	559ポンド	6,173ポンド
維持用地元寄付金額	63ポンド	2,573ポンド
資産からの総収入額	1,461ポンド	27,553ポンド
（入場料および特別基金財産からの収入額を含む）		
事務費	682ポンド	5,128ポンド

〔注：トラストが入会権あるいは類似の権利を有する（トラストが所有していない……著者）土地を除く〕

いずれの項目も25年の間に、かなりの増加を示している。獲得面積と会費も相当な長足の進歩を遂げた。しかしこれからの戦時下、いかなる事態が生じるかわからない。会員数も減少した。トラストも不安定な状況に晒されることは避けられないだろう。資産の維持・管理にも困難が生じるだろうし、財政上の不安も大きい。入場有料の資産からの収入も減少し、これまで宿泊客の世話をしてきたトラストの借地農の収入も減るに違いない。それにトラストの多くの資産が軍事用に供されねばならない。自然破壊を避けられないことは目に見えている[3]。

健全な農業を拡大し、そしてその繁栄を図ることが、カントリィサイドを守るために働いているトラストの主たる関心事であることは、前年の報告書で説いたとおりである。しかしある一定面積の土地を耕作地へ転用するようにという政府からのトラストへの要請――トラストとしては、できるならばこの要請に応えたいのだが――は、実際面からも、また財政的にも多くの問題を投げかけており、きわめて解決困難な問題である[4]。もちろんトラストの主要なねらいが、トラストの農場を生産力が豊かで、自然美の溢れたものに保つことにあることは言うまでもない。事実、新たな資産を獲得する努力は当面の間止めて、トラストの努力をこれまでの資産を現状のままに保つことに集中しなければならない。だからこれまで行われてきた各種のアピールも当面中止することになった。

約1万5,000ポンドで、ペンブロークシァの西南部の沿岸にある4,000エーカー以上の海岸地を保護するための国民的なアピールは、戦争の勃発で成就されないでいる。しかしかなりの金額が集められたので、トラストはこのお金でこの計画を最大限に実行しようと考えている[5]。

「カントリィ・ハウス保存計画」については、これまで所得税（income tax）と付加税（surtax）に問題があり、すぐには効果を生じないことが予想されていたが、漸くその問題も解決した。早晩この計画も順調に進むであろう[6]。

第2節　第2次世界大戦（1939-1945年）

それではこの年度の実績を見てみよう。戦時下にあるとはいえ、所有地が21

で、土地面積は1,363エーカー、制限約款によるものが17で、土地面積は4,037エーカーである[7]。

その内訳をごく簡略に見ることにしよう。

北アイルランドでは、ニュー・カースル近くのドナード・ディミーン（51エーカー）が贈与された。ここは1997年現在、1,300エーカーにまで広がっているが、私はニュー・カースルからこの山岳地帯を仰ぎ見るだけで満足せねばならなかった。

ウェールズでは、4ヵ所で制限約款がトラストとの間で交わされた。主なものは北ウェールズのデンビィ近くの2,129エーカーのクルーイディアン・ヒルズで、もう一つはペンブロークシァのセント・デイヴィズ地域の1,220エーカーである。ペンブロークシァでは同じセント・デイヴィズ地域の367エーカーが購買された。ペンブロークシァの海岸地の他の場所の獲得のための交渉はまだ続けられているが、トラストとしては近いうちに資金が許す限り、この計画を出来るだけ多く完成に近づけたいと希望している[8]。

湖水地方では、獲得された所有地は3ヵ所で、一つはボローデイルの森林地（142エーカー）が購買された。あとの2つはバタミアの西岸にある森林地（30エーカー）とリトル・ラングデイル（9エーカー）で、前者は贈与され、後者は購買された。特に後者は、モンク・コニストン・エステートとつながっている。2002年3月、私はこのことを確かめるためもあって、リトル・ライグデイルを訪ねた。予想通りに周囲を山で囲まれた小さな集落地で、羊たちが草を食んでおり、とても心なごむ思いがした。他の2ヵ所は、トラストと制限約款が交わされた[9]。

ピーク・ディストリクトでは、この年度には殊更言うほどの実績はない。

コーンウォールでは、ローズムリオン・ヘッドに隣接する22エーカーの土地が贈与され、さらに南のコーンウォールでは、4ヵ所の海岸地（計385エーカー）の制限約款がトラストとの間に交わされた[10]。

ロンドン近郊では、制限約款1ヵ所を含め、8ヵ所が獲得された。主なものを

あげると次のとおりである。まずサセックスのベイトマンズのラドヤード・キップリングの邸宅が300エーカーの土地と一緒に贈与された。イーストボーンとシーフォードの間にある有名なセヴン・シスターズ・クリフスの保存計画については、前に述べたことがある。ここのトラストのクロウリンクに隣接するミッシェル・ディーンとウェント・ヒルにある160エーカーの土地が購買され、ここの海岸線を伸ばしたのである。さらにバーリング・ギャップの反対側にあるベル・タウト・ヘッドも確保されるはずだという。なおこの土地を維持するための費用は、ここの農地の地代だけでは十分ではないので、ここの一部をキャンプ地として利用する予定である。

　ケントのトイズ・ヒルに隣接する71エーカーの森林地であるブラステッド・チャートが購買された[11]。この辺りはイード・ヒルともつながっており、すぐそばにはかつてチャーチルの邸宅でもあったチャートウェルもある。この辺りはロンドンの近郊にありながら、広大なグリーン・ベルトを形成しつつあるといっては言い過ぎだろうか。

　1939年に大戦が勃発して1940年に入ると、いよいよトラストにも大きな影響が出てくるようになった。職員の数もだいぶ減り、決してなおざりにすることを許されない資産の維持・管理にも大きな困難が生じざるをえなかった。それでも1940年には、旅行の困難や人員の減少にもかかわらず、職員の資産への訪問は644回を数え、それは資産の60％に達した[12]。

　次に、トラストの1941年度の年次報告書に入る前に、トラストに関連する限りで、今次大戦下、イギリスがいかなる事態にあったのかを説明しておかねばならない。

　産業革命以降、イギリスが輸出工業と外国貿易を推し進め、次いで海運業や金融・保険部門に進出していったことはすでに知られるとおりである。それと同時に原材料や食料品の輸入が増大していったことも当然のことである。1939年にイギリスが第2次世界大戦に参戦した時、イギリスは第1次世界大戦とは比較にならないほどの厳しい状況に置かれていた。表1と表2を参照していただきたい。

農業について言えば、両大戦間中に耕作面積が減少し、そして牧草地が増えていた。その結果、耕作農業に関する知識と技術を持たない農業者や農業労働者が増えていた。それだけではなかった。イギリスの経済力そのものが弱体化していたのである。輸出産業はすでに縮小しつつあったし、貿易収支の赤字も増え続けていた。海運収入も減っていたし、また対外投資収入も減少していた。大戦開始前に、すでに国際収支自体の赤字も膨らんでいた。それに船舶の喪失も深刻であった。ここに海外貿易への依存度が極めて高いイギリスの戦時経済が、如何に困難な状況に置かれたかは自ずと判明するであろう。表2から、大戦開始以前にイギリスの食料事情が、いかに大きく海外産食料に依存していたかが分かる。それに国内産畜産物の生産が海外からの輸入飼料に依存していたことも知るべきである。今や買うための資金もなく、運ぶための船も十分に持っていないイギリス国民が、深刻な食料不安に陥ったことは何の不思議もない。第2次世界大戦が開始されるとすぐに食料増産計画が実行に移された。1940年に入り戦争が拡大するにつれて、食料供給地が失われ、船舶の喪失も生じた。それに輸入資金も枯渇していた。外国貿易に大きく依拠したイギリスの経済構造のもたらした帰結であったが、イギリスの置かれた窮境は大きかった。それでも第1次大戦中に食料増産計画が実行された経験が役立ったことは、記憶に留めておきたい。

　上記のごときイギリスの社会・経済状況を踏まえ、かつその持つ意味と意義を考慮しつつ、トラストの1941年度の年次報告書の言うところに耳を傾けてほしい。

　戦争と関連して、多くの森林が切り倒され、多くの美しい土地が飛行場や軍用基地にされている。トラストの建築物のうち大部分が戦争目的に占拠され、一般人には閉鎖され、他方では多くの広い丘陵地が耕作されており、もはやアクセスは許されない。このような状況に置かれながらも、トラストとしては可能な限り、トラストの資産を守り続けることに努力を傾けている[13]。

　新しく獲得された資産について言えば、積極的なアピールを発しなかったにもかかわらず、かなりの実績を上げている。これはこれまでのトラストの活動が国民の間に評価されつつあるのだと考えても誤りではあるまい。トラストに

第6章　第2次世界大戦

表1　イギリスの国際収支　1920〜38年

(100万ポンド)

年	商品貿易	対外投資収入	その他全貿易外収支	地金・正貨	経常勘定総収支
1920〜4	-279	+199	+221	+21	+162
1925〜9	-395	+250	+213	+1	+68
1930〜4	-324	+174	+127	-66	-89
1935〜8	-360	+199	+133	-77	-105

(注)　数値は当該各5年間の年平均値である。＋は入超、－は出超を示す。
Mitchell and Deane, *Abstract of British Historical Statistics*, 1971, p.335.
P.マサイアス、小松芳喬監訳『最初の工業国家』498頁。

表2　第2次世界大戦前におけるイギリスの食料品目別消費量とその国内産、輸入別割合　(1934〜38年平均)

	総消費量 1,000トン	国内産割合 ％	輸入割合 ％
小麦その他穀物	4,428	12	88
油脂類	905	7	93
砂糖	2,184	18	82
肉類	2,707	45	55
魚類	523	85	15
鶏卵とその製品	500	60	40
飲用牛乳	4,579	100	0
練乳	260	70	30
粉乳	35	61	39
チーズ	185	24	76
馬鈴薯	3,700	94	6
蔬菜	2,715	92	8
果実	2,406	26	74

(注)　国内産畜産物の一部は輸入飼料に依存している。
How Britain Was Fed in War Time, H.M.S.O., p.7.
三沢嶽郎著『イギリスの農業経済』109頁より転載。

よると、その資産は1935年の5万エーカーに比べて、1941年末までには10万エーカー以上に達するだろうと評価されている[14]。因みに1941年度に獲得された資産を見ると、所有地が25で合計9,644エーカー、制限約款で得られた土地が9で合計557エーカーである[15]。これらの内訳の簡略な説明は後で触れることにして、トラストがこの頃になって何を考えつつあったのかを、報告書に従って見てみることにしよう。

カントリィ・ハウス保存計画については前に述べたとおりだが、今や新たな関心を引きつつあり、幾人かのカントリィ・ハウスの所有者たちがこの計画を念入りに考えつつある。この計画は必ず長続きするに違いない。ロージアン卿のブリックリング・エステートがトラストへ譲渡された最初の大きなカントリィ・ハウスであるが、これほどカントリィ・ハウス保存計画を見事に象徴するものはない。実際にそこにあるすべての家具類や備品、庭園そして土地が一緒に譲り渡されたのである。近い将来、他の人々もこれに続くであろう。ロージアン卿がブリックリングをトラストへ譲渡する際の遺言補足書（codicil）が、この「保存計画」を見事に表わすものとして、その抜粋文が載せられている[16]。少し長いが、その要約文を掲載しておこう。「私はノーフォークにあるブリックリング・ホール・エステートおよびその邸宅にある家財道具や備品などを含む私のブリックリング・エステート（Blickling Estates）をナショナル・トラストへ遺贈する。というのはナショナル・トラストが遺言者の希望を公共精神でもって十分に遂行しうることを私自身が自信を持って信じるからである。したがってトラストは（a）前記すべての財産を維持した後に、ブリックリング・ホールやそこにある家財道具や備品、庭園そして私園（park）を出来るだけ完全な状態に保つために、地所および森林地から生じる全剰余金を利用すること‥‥（b）トラストは、そこへ一般大衆がアクセスすることを認めるとともに、ブリックリング・ホールを愛し、その価値を認め、かつそこを私的な住居としてだけでなく、公共的あるいは知的、芸術的な活動が行われる場所として使用すること‥‥（c）トラストは以下の人々に順次、ブリックリングに住む権利を与えること。もしそこに住む資力を有し、かつ上記（b）に示されるような公共的および芸術的な活動に積極的に関心を持つならば、先ず最初に私の後継者にその権利を与えること‥‥」。私は1985年9月27日にここを訪ねた。邸内を見学した

後に外に出て歩きはじめた。とても1日で歩き切れるものではないことを実感した。広さは4,526エーカーである。2度目の訪問は2001年4月3日である。今はこのブリックリング・エステート内にあるイースト・アングリア地域事務所(East Anglia Regional Office)で勤務しているピーター・バトリック氏に会うためであった。彼は前に幾度か紹介したこともあるバトリック夫妻の子息である。用件は十分に果たしたので、後悔はしていないが、この日はあいにくドシャ降りであった。雪さえも降ったのだから驚きだ。いつの日か彼とも再会を果たし、この村をゆっくりと歩きたいと思っている。

さて1940〜41年頃は、イギリスはすでに食料増産計画を実行中であった。トラストがこの計画にいかなる見解を抱いていたかは必ずしも明白ではない。しかしイギリス農業は、この増産計画を実行する過程で、非効率的な農業経営を能率的な農業経営に転換しつつ、農業生産力を高めていった。このようにしてイギリス農業は、戦時中に高度に機械化された農業へと発展したといわれている[17]。このような農業経営の変化に対してトラストがいかなる考えを持っていたのか。トラストが自然保護団体として大地に関わっている以上、土地問題に無関心でいられるはずがない。ただこの報告書の段階では、まだ増産運動が開始されて間もない頃である。上記のような土地経営の変化にまで言及するには時期が早すぎるかもしれない。しかしトラストが大地に関わっている以上、土地に関して一定の考えを有していたことは間違いないところである。トラストの考えに耳を傾けてみたい。

国内で食料生産が必要とされている時に、土地問題を抜きにして考えるわけにはいかない。トラストはこれまで必然的に、各種の農業活動に直接関わってきた。現在、牧草地の多くが耕作地に転用されている。戦前ならば、借地に出すことなど絶対に考えられなかった土地まで耕作地にしてしまっている。戦争が終わると、これらの土地は耕作地としては限界地以下になる危険がある。トラストとしては、農業そして特に丘陵地にある羊の牧場を、集約的ではない農法で管理・運営する方法を、早急にかつ賢明な仕方で見い出したいと考えている。実際にトラストといえども、その自然保護活動を、効率的で、かつ繁栄する農業の保護と両立するように努めねばならない。政府は作物を生み出さない

土地は不毛で、かつ荒れ地だと考えている節がある。これは愚かな考えだ。イギリスの人口の大部分は都市に住んでいる。彼らが健康で、かつ楽しみを持ち、そして良き市民性を養うためには、彼らが田舎と触れ合うことが、極めて重要である。そのことにより彼らは、田舎の美しさと農村の持つ問題性や農村の必要性を理解できるはずだ。トラストは、自然保護活動と農業保護が両立できるようなカントリィサイドを目指しているのだ。あるところでは訪ねてくる人々が多くて、通常はアクセスを認められないところもあるが、大部分の農場はそうではない。例えば湖水地方のように、一般大衆のアクセスと農業活動とを両立させているところもあるのだ[18]。

それでは1941年度のトラストの実績をごく簡略に見てみることにする。

ウェールズでは、カーマゼンシァのパンプセントの2,074エーカーにものぼるドロコシィ・エステートが贈与された。

ペンブロークシァでは、ペンブロークシァ・アピールによって、セント・ブライズ（St. Bride's）湾で200エーカーの農場が購買された[19]。

湖水地方では、1941年にダーウェントウォーターとバッセンスウエイトの間にある427エーカーの農場と森林地とダンスウエイト・ハウスを持つダンスウエイト・エステートが基本財産（endowment）とともに贈与された。ボローデイルでは、カースル・クラッグの下の70エーカーのホロウズ・ファームが、一部はアピールで集められたお金で、そして一部はある女性からの遺産金で1941年に購買された。アンブルサイドのブラセイ（107エーカー）では制限約款が交わされた[20]。

ピーク・ディストリクトでは、イーデイルの合計346エーカーの丘陵地にあるリー・ファームとオアチャド・ファームが2人の贈与金のお陰で購買された[21]。

デヴォンシァでは、サルクーム湾の東側にあるデックラーズ・クリフで49エーカーは購買され、6エーカーは制限約款が交わされた[22]。

バーミンガムの南郊外では、2つの土地（合計117エーカー）が贈与され、クレント・ヒルズの111エーカーのウォルトン農場（Walton Farm）では制限約款が交わされた[23]。

第6章　第2次世界大戦

　ロンドン近郊について見ると、ゴタルミングのイーシングで2エーカーが贈与され、214エーカーのネットレイ・パークが購買された。そしてウォンドルの140エーカーのモーデン・ホールは遺贈されるとともに基本財産3万ポンドも残された。サセックスのワシントンにあるワレン・ヒル（247エーカー）も遺贈された。ボックス・ヒルでは123エーカーの農場が制限約款によって保護されることになった[24]。ここでついでながらイーシングの橋について触れておこう。この橋は中世時代に作られた橋で、その維持を目的に、1901年にトラストへ贈与されたものである。私は2002年4月13日、帰国を前にここを訪ねた。車はゆっくり走っていたが、橋は立派に維持されていた。今ではこの辺りのトラストの土地は5エーカーで、そこに2つのコテッジがある。それよりもこの橋のすぐ傍らに古い歴史を思わせる立派なパブがあった。このような辺鄙なところにと思ったのだが、それよりもイギリスの懐の奥深さを思わずにはおれなかった。

　さてそれでは最後に「カントリィ・ハウス保存計画」のもとにトラストへもたらされた最初のカントリィ・ハウスであるノーフォークのブリックリングについてやや詳しく報告しておこう。私が最初にここを訪れたのは1985年であり、北ノーフォークの海岸の町、クローマーからバスでアイルシャム（Aylsham）に降り、そこから西北へ2km歩いて着いた。1941年度の報告書によれば、この館を囲む4,526エーカーのエステートには、美しい鹿園と17の農場、一つのイン、そして138のコテッジがある。このエステートは、この館のための基本財産としてばかりでなく、その建物の美しさと農場、そしてその他のコテッジとの均整の取れた自然のままの美しさを保つために保有されるのである[25]。最初にここを訪ねたときの私の強い印象については先に述べたとおりである。4,526エーカーと言えば、一つの村である。ここもトラストがオープン・カントリィサイドとして質を高めつつある。2001年4月3日にピーター・バトリック氏とブリックリングの彼のオフィスで再会した時、私が最初にここを訪ねた時の印象や現在のこの村の状況などを話し合った。最近彼から来たブリックリング・エステートと農業活動との関係に関する手紙から、ブリックリング・エステートの現在の様子を紹介することにしよう。

第2編　ナショナル・トラスト運動の展開

ブリックリング・ホール　　　（1985.9　著者撮影）

(1) 現在、ここには14の農場と計10名の借地農がいる。なお1941年には農場は17と記されているが、これは農場が統合された結果である。
(2) 農地面積は3,600エーカーであり、ここにはまだ実験農場はなく、それ故に持続可能な（sustainable）、あるいは有機農法を採用している農場もない。ただし幾人かの人たちは所謂近代農法（'agro-industrial' method）から離れつつある。
(3) ここでの大部分の農業活動は穀物生産と牧場（肉牛）経営であり、酪農に従事している人はいない。

ブリックリング・エステートでは、ここの館を中心に農場経営が営まれており、質の高いアメニティが保たれていることを想像してみて欲しい。この館のすぐそばには先に記したインもある。私はピーター・バトリック氏を訪ねたこの日、予約していなかったために、ここに宿泊できなかったのである。アイルシャムで会った婦人が、せっかくだからと言って、彼女の車でここまで連れてきてくれたのだが。

第6章　第2次世界大戦

ブリックリング・エステートでの農作業中の一場面（1985.9　著者撮影）

　1942年度の第47回年次報告書も戦時下に入って、もう3年目になった。公けにアピールを発することもできなかったのだが、この年度の実績は次のとおりだ。新しく獲得された所有地は16で、面積は合計1万6,057エーカーであり、制限約款で保護された土地は16で、合計1,697エーカーである[26]。この記録は1940〜41年度のそれを超えている。そこでこの増加の諸原因と、トラストの将来への展望に言及しておくことは必要なことである。

　まず、購買されたものにしろ、贈与されたものにしろ、それらは大部分が1937年と1939年（後述）のナショナル・トラスト法によって与えられた力によって得られたものだということである。購買自体はいつでもアピールなしで実現できるものではないが、トラストの財政状態が数年前よりも随分と安定してきたことが、購買を可能にしたと考えられる。会員や一般大衆が、有利な購買物件と考えられるものを、トラストが購買できるように援助してきてくれたし、今後もそうあり続けるものと信じている。しかしトラストは社会事業団体である。その仕事によって生じる大きな責任を果たすためには、トラストはこれまでよりもトラストの会員から受ける会費に頼らねばならない[27]。私たちはここ

245

でトラストが、トラストとその会員および一般大衆とが相互に信頼関係に立たなければならないことを確信し、そして同時にそのことを彼らに訴えているのだと考えねばならない。

　1942年には、ノーサンバーランドのウォリントン・エステートがトラストへ贈与された。ここはトレヴェリアン家の邸宅である。ブリックリング・エステートとともに、カントリィ・ハウス保存計画を象徴する双璧のひとつをなすものである。私は1997年7月30日に、このカントリィ・ハウスを訪ねるのに成功した。ここは遠隔の地なのである。ニューカースル・アポン・タインまで行き、ここで列車を乗り換えてモーペスへ行くのである。それからバスを利用しなければならない。バスは利用できたが、帰りのバスはない。それでも決行することにした。なぜここが私をこれほどまでに引き付けるのか。館もユニークだが、1万3,000エーカーというエステートの広大さに引き付けられたのだ。館の案内人にこのエステートについて聞くが、満足な返事がかえってこない。どうしても知りたいならカンボの事務所へ行けと言われる始末である。今回は事務所を訪ね、この広大な大地を歩くことを諦めざるをえないが、モーペスからここまでの往復のバスとタクシーの中でも、その広大さは十分に実感できた。この年の滞在中に再び訪ねたかったのだが、ついに叶わなかった。

　1937年に開始されたカントリィ・ハウス保存計画は、1934年の年次大会でのロージアン卿の提議の結果、実現したものである。この時は彼の意見は見向きもされなかったのだが、8年を経過したイギリスの経済社会の変化は著しかった。先に私が試みた1920〜30年代から第2次世界大戦までのイギリスの経済社会の深刻な変化の説明を思い起こして欲しい。この頃所有者たちにとって、カントリィ・ハウスを維持することが如何に困難であったかを十分に理解できるはずである。1937年法については、すでに説明を試みた。不動産の維持のために譲渡された基本財産基金にも相続税を免除されることを付した1939年法によって、カントリィ・ハウス保存計画はトラストの仕事をこれまで以上に拡大させるだろう[28]。このトラストの予想は的中した。しかしG.マーフィ氏はその著書で、トラストはまず第1に、壮大な邸宅の保存と関連する組織であって、オープン・スペースや海岸線との関連は、第2位に置かれているに過ぎないと言っている。私もこの種の手紙を当時の理事長のアンガス・スターリング氏に書

いたことがある。この当時、トラストが上記の通りに考えていたかどうかはともかくとして、当時のイギリス人の間にあるいは現在でも上記のような考えが流布しているようだ。このこと自体が、トラストへの国民の理解をねじ曲げることになることを、私たちは警戒しなければならない。

トラストの目的の第1は、自然保護団体として大地を獲得し、それをオープン・カントリィサイドとして守り育てることにある。

2001年の年次報告書では、議長のチャールズ・ナネリィ氏は「トラストはこの1年間ずっとトラストの借地農と一緒に働いてきた。……カントリィサイドを将来、如何に守り育てるかが、私たちの第1の課題である」と言っている。2001年4月2日、新理事長のフィオナ・レイノルズ夫人と会見した時も、この種の話をした。

トラストは第2次大戦を3年経過する中で、早くも戦時中についてはもちろんのこと、戦後の変化に思いを致しているようである。トラストの目的は(1)自然的景勝地と(2)歴史的名勝地を守り育てることにある。トラストは今や大土地所有者である。それとともにその資産の多様性が、トラストの資産の特徴とも言える。しかしここで特筆すべきは、トラストが広大な農業用地と森林地を持っていることである。森林地が林業という観点で取り扱われるべきは当然のことである。トラストが480のコテッジと100以上の農場を持つに至ったということは、農村の家屋と農業経営の方策の問題に突き当たったことを意味する。広大な海岸地と国立公園になりうる地域を所有していることは国家的な計画と国立公園の問題とに逢着することになる。国家がますます土地利用を規制し、そして国民が長期間重税を課せられる可能性がある時に、トラストと国家との関係が如何にあるべきかを再度深く考察しなければならない。トラストは国家から独立した団体として、増大こそすれ決して減ることのない重要な役割を演じなければならない。

将来に思いを致す時、トラストは特別な困難に直面している。戦争の経済的な浪費や前例のない規模で何年もの間、ばく大な戦費が使われた後で、イギリス社会が相当に困窮化するだろうということを誰も論じようとはしない。困窮化が社会のそれぞれの部門にどの程度の影響を及ぼすのか、あるいは回復がい

つなされるのか容易に予想できるものではない。いかなる場合にしろ、トラストの目的が実益という水準で不当に判断される危険性がある。社会が"無益な"建物や"荒蕪地"（waste）を保護するために、どれほど同意してくれるかは、トラストが社会にこのような出費は有益なのだということを納得させることができるかどうかにかかっている。

　国民のために所有された土地の場合、トラストの主要な目的は、常に自然の美しさを保つことでなければならない。だから農業用地の場合も、上記の点と矛盾するものであってはならない。かくしてトラストとしては、国家計画当局が、鉱工業、建設業、農業および林業について、どこを優先的に扱うかを考えるときには、慎重にかつ賢明に判断して欲しいと考えている[29]。私たちは、トラストが終戦を前に、極めて鋭敏な先見の明を持っていたことを知るのである。

　それではトラストは1942年度にはどのような実績を上げたのだろうか。主なものを取り上げてみよう。
　ウェールズのペンブロークシァで、マーローズにある300エーカーのトレヒル・ファームがペンブロークシァ・アピールで集められたお金で購買された。ここはすでにトラストに属している2つの農場に隣接している[30]。

　湖水地方では、ラーベングラスからの列車の終点駅もあるエスクデイルにある199エーカーのファー・ハウス・ファームが、大部分遺贈金で購買された。またダッドン・バレーでは、湖水地方農地会社（the Lake District Farm Estates, Ltd.）によってトラストのウォロウバロウ・クラッグの南に隣接する233エーカーのロウ・ウォロウバロウが制限約款を与えられた。またエナーデイルでは、同じ会社によって、この湖の重要な地点にも面している448エーカー以上のマイアサイド・ファームで制限約款が交わされることになった。その他グレート・ラングデイルでは、ニュー・ダンジャン・ギル・ホテルとの制限約款が交わされた。それによると、このホテルの周囲の環境や森林地と同じく、このホテルにも実質的な改変を加えるような改築を行わないという制限約款が交わされた。ここは前述したオールド・ダンジャン・ギル・ホテルの近くにある[31]。

第6章　第2次世界大戦

　ピーク・ディストリクトでは、2つの土地が贈与されている。一つは農場で、91エーカーのイーデイル・エンド・ファームである[32]。

　デヴォンシァ南部では、ボルト・ヘッドの対岸にある53エーカーのデックラーズ・クリフが購買され、19エーカーの海岸地に制限約款が交わされた。ここはトラスト所有下のポートルマス・ダウンに隣接している。デヴォンシァ北部では、イルフラクームの西のほうにあるフラット・ポイント（92エーカー）が贈与された。私は朝早くホテルを出て、ここに立ちブリストル海峡を前にしたことがある。トラストのランディ島が見えるのではと期待したのだが。コーンウォールでは95エーカーの農場に制限約款が交わされた[33]。

　ロンドン近郊では、3つの土地が獲得された。サリーでは657エーカーのフレンシャム・コモンが贈与され、サセックスではシングルトンの1,050エーカーのドローバーズ・エステートが遺贈された。ここには17世紀に起源を持つ3つの農場付属の家屋があり、そして美しいセイヨウブナの森があって、典型的なサセックスの農場地帯の趣を示している[34]。

　ナショナル・トラストの創立50周年祭を迎える1945年までには、トラストの土地は10万エーカーに達すると予想されていたが、早くも1943年度の第48回年次報告書までに、その予想は達成された[35]。1939年以降の増加には注目すべきものがあるが、殊に制限約款によるものが増加していることにも注意したい。
　今やトラストは、森林地、丘陵地、そして荒野（moorlands）、城、そしてイギリスの多彩な歴史を示す建築物などの他に、200の農場や約800のコテッジを含む広大な農業用地を持つに至った。それに加えて大規模なカントリィ・ハウスも増加しつつある。このことはまたトラストの財政構造をも変えていかなければならなかった。数年前までは資産の維持費は、訪問者から得られる入場料や地代、あるいは会費や寄付金に依拠していた。ところがこの頃になると、多くの資産が自らの基本財産を投資した結果、得られる資金で主として維持されている。
　その投資の方法としては、基本財産の一部を農地に投資するのが有利である

と考えられる。というのは第1に、カントリィサイドの自然の美しさを守るためには、このように農地に投資し、農場を有利に活用することによって、自然保護と農業とを両立させることが極めて効率的であるからである。第2に、農地に基本財産の一部を投資することは、特に土地の管理に豊富な資材を有し、また経験の豊かなトラストのような団体の場合には、健全でかつ有利な方策であると見なされるからである [36]。

ところで戦後トラストがいかなる状況に置かれ、かつそれにどのように対応していったら良いかを予め考えておかねばならない。まずトラストがイギリスで大地主になった今、一般大衆に対して大きな責務を負わねばならないことは当然のことである。全体としての問題は、急速に変わりつつある社会経済的変化についてどう考えるべきかである。現在の政府の重税体制がトラストに不利であることは言うまでもない。さらに戦後の政府の経済計画については、トラストに影響を及ぼすものは数多くあるに違いない。なかでも戦後実施される計画経済については、計画当局もそれによって生じる弊害を抑制すべく注意を払ってくれるであろう。しかし工業、建設業、農業および林業のために使用される土地については、アメニティを保持すべく十分に抑制の効いた計画経済であって欲しいとトラストは考えている [37]。

それでは今後トラストの資産を管理・運営していく場合には、トラストはいかなる姿勢を保っていくべきか。

トラストの資産は経済的に、かつ効率的に管理されなければならない。トラストの農場とコテッジは近代的な設備と便宜性を備えてきた。森林地も十分に管理され、必要な場合には植林もされた。カントリィ・ハウスをはじめ歴史的建築物も十分に維持されてきている。しかしトラストの資産を管理する場合には、次の2つのことを守らねばならない。

第1に、トラストはできるだけ官僚的な性格を回避すること。すなわちトラストの借地農に対しては、官僚的な形式主義を取ることを避け、できるだけ人間味豊かな接し方をしなければならない。そしてこれまでボランティアの援助を受けながら達成してきた、形式ばらないという方法をこれからも積極的に採用していかなければならない。第2に、一般大衆の必要としていることには、

同感と理解を持って当たらなければならない。トラストの目標は自然環境の中にありながら、身体と心、そして精神の癒しの場を提供することであるからである[38]。

　それから今後、トラストの資産を維持・管理し、運営する方法について、どうするかを決定するのは時期尚早であるが、かなりの程度に地方分権的であることが望ましいと思われる。資産自体が極めて多彩であること、そして土地自体が全国に分散していることを考えても、画一性は避けるべきである。この方向は、実際にここ数年の間、湖水地方で行われてきたが、成功している[39]。

　カントリィ・ハウスについては、保存計画のもとにこれまで23のカントリィ・ハウスが譲渡あるいは遺贈によって獲得された。これからこの傾向が続くであろう。予備会談がより多くの所有者と行われているところである[40]。

　1943年度に獲得された資産について、特に紙面を割いて6つの資産を取り上げている。ここではそのうちの3つの資産を紹介しておこう。
　キラトン・エステートは、約4,500エーカーの農業用地と1,000エーカー以上の森林地を有し、エクセターの北東、約12kmのところにある。キラトン・ハウスはその中央部にある。ここでアクランド家は南斜面に美しい庭園を作り、この邸宅の背後にはうっそうとした森林が控え、歩道が通じている。またこの敷地にはスプリドン・ハウスもあり、ここにリチャード・アクランド夫妻は戦争が終わるまで住むことになるはずである。
　私がこのキラトン・ハウスを訪ねたのは、次に述べるハニコト・エステートを2度目に訪ねた1997年7月23日の翌日のことである。このキラトン・ハウスに着いたのは昼過ぎであった。だから時間の余裕がなく、邸内外を十分に歩くことができなかった。したがって、ここについては多くのことを語れない。しかしこの邸内で私に大変な驚きと興味を抱かせたことがあった。というのはアクランド家の人々が、何故このキラトン・エステートとハニコト・エステートを贈与することになったかについて、きわめて興味深い説明書が掲げられていたからである。残念ながら同じ説明書を印刷したパンフレットはないという。ハニコト・エステートのオープン・カントリィサイドの自然の息吹きを十分に

感じ取っていた私が、ますますハニコト・エステートに興味を抱きはじめた一瞬であった。

次にハニコト・エステートの説明が続く。実はここが500年間のリースから贈与へ移行し、その契約書（Indenture）が交わされたのは1944年9月29日のことである。したがってキラトン・エステートにしろ、ハニコト・エステートにしろ、1943年度の第48回年次報告書で新規獲得資産（New Properties）として紹介されたのはいかなる理由からか。恐らくはいずれにしても、リチャード・アクランド夫妻とナショナル・トラストとの間に1944年に贈与のための契約書が交わされることが確定的であったからに違いない。そこでこのことを確認して、契約書については後述することにして、ここではとりあえず1943年度の報告書にしたがって、ハニコト・エステートについての説明書を見ることにしよう。

ハニコト・エステートは多くの人気の高いリゾート地の近くにあるとともに、エクスムアの北部にあり、ブリストル海峡にも面している。現在、トラストの保護下にある土地は、アクランド家によってリースを与えられているダンケリィ・ビーコンとセルワーシィ・ビーコンの2つのブロックの中にある6,100エーカーの森林地やヒースなどの生えている荒野（moors）を含む。そしてこれらのリース地の間には、また4,500エーカーの農場と渓谷をなす森林地がある。ここにセルワーシィ、アラファド、ボシントンそしてラクームの村がある。ここの中心部にハニコト・ハウスがあるが、ここは戦後ホリデー用に使用される予定である。リチャード・アクランドの希望によると、農場、コテッジ、そして森林地をしっかりと維持するとともに、トラストはここを休養のために訪ねてくる人々のための良質の設備を備えて欲しいとのことである。

事実上、上記2つの土地は、僅かな条件付きであるが、アクランド家によって贈与されてきたのと全く同じである。これらの土地は、トラストの土地のうち、単一では最大規模のものであり、またそこから得られる収入は、この資産を維持するのに十分であるばかりでなく、トラストの一般基金にも充てられるだけの十分な剰余金も生じうる貴重な資産である。

ほぼ1,000エーカーを有するポレスデン・レイシィ・エステートはボックス・ヒルの近くにあり、トラストにとって極めて有利な遺産となった。ポレスデ

第6章 第2次世界大戦

旧皇太后のハネムーンの地でもあったポレスデン・レイシィ。なお彼女は死去するまでトラストの総裁も務めていた。(1985.12 著者撮影)

ン・レイシィはロンドンにも近く、この頃からすでにロンドンっ子たちがたくさん訪ねている。私が始めてここを訪ねたのは1985年12月23日で、ボックス・ヒルのほうから歩いて行った。どこでもそうだが、この時の私の記憶は鮮明だ。ここはノース・ダウンズの北の傾斜地にある。ここからロンドンの建物が見えたような気がするのだが、真実のほどは分からない。ここの借地農のニック・ブレン氏を紹介されたのはもっと後のことである。ここも森や農場で囲まれている素晴らしいところである。ただし、ここがトラストに遺贈されるまでは、一般大衆には開放されていなかった。しかし戦後、ここはトラストによって邸宅も庭園も一般大衆に開放されることになる[41]。邸内は絵画、タペストリィ、家具類やオブジェなどの展示品で満たされている。ボックス・ヒルとここは4kmほどだ。しかもロンドンに近い。実は私は、口蹄疫騒ぎの中、しかも雪の降る日、イギリスの農村が息をひそめている2001年3月に、両者を訪ねてみた。口蹄疫について話す余白はないが、ボックス・ヒルからポレスデン・レイシィへの道路沿いがほとんどトラストの所有地になっていたのには大変驚

253

いた。ここはチャペル・フィールド・ファームズである。

　もう少し、地域別に分けて、トラストの実績をごく簡略に見ておくことにしよう。
　北アイルランドでは、この年度も新たな獲得物には恵まれなかったが、トラストはこの年度中に展示会や諮問委員会を設けており、将来への発展の準備を怠っているわけではない[42]。

　湖水地方では、エスクデイルでスコーフェルの裾野の丘にある215エーカーのタウ・ハウス・ファームと羊の群れが購買された。そしてこの農場は1年前に獲得されたファ・ハウスに隣接している。その他大規模ではないが、湖水地方の各地で購買や贈与、そして制限約款が交わされた[43]。

　デヴォンシァ北部では、ハートランド・ポイント（Hartland Point）のイースト・ティッチベリィ・ファームが贈与された。ここからはトラストの保護下にあるバギィ・ポイントやモート・ポイントが遠くに眺められる。
　コーンウォールでは、ドッドマンに40エーカーの崖地を買い足すことができた。そしてすぐ東側の112エーカーの海岸地では制限約款が交わされた。その他農場でも制限約款が交わされた[44]。

　ロンドン近郊では、ケントのクロッカムで約300エーカーの農場が贈与された。ここは丘陵地の南側にあり、景色の点でも重要であり、また各種の鳥がよく集まるところでもある。ボックス・ヒルでは、多くの人々の協力によって重要なところが買い足され、また他のところでは制限約款が交わされた。ここは丘の裾野にあるのだが、これでボックス・ヒルの大部分を形成することができた[45]。先にボックス・ヒルとポレスデン・レイシィがつながったことを述べたのだが、この辺りには、他のトラストの資産が多数実在している。トラストの地図でなくても、陸地測量部（Ordnance Survey）による地図でも見て欲しい。ロンドン近在が点から線へ、そして面へと一種のグリーン・ベルトを形成しつつあることが分かるはずである。それに私がバーミンガムの南郊外地やリヴァ

プールの西部のウィローでのトラストの活動状況を描いてきたのも、都市化すなわち郊外のスプロール化に対してイギリス人が如何に対応しているかを見ておきたかったからである。念のために言っておくが、ここで単にグリーン・ベルトと言っても、トラストの資産の場合、農場は農場として、そして森林地は森林地として永久に守られていくのだということを忘れてはならない。

　次はトラストの創立50周年祭を1年後に控えた1944年度の第49回年次報告書を見ることにしよう。
　この年度までにトラストの保護下に入った土地は10万8,000エーカーに達した。まずここで注意すべきは、戦後経済に予想される計画経済についてである。工業開発が強行されることになろうが、このことには特に注意しなければならない。さらに今後トラストに突きつけられる大きな問題は、農業と林業を最大限に効率化させながら、大衆のアクセスを如何に最大限に許容するかということである。トラストの農地と森林地は農業と林業のためだけではなく、それらの持つアメニティの高さ故に選ばれるのである。多くのトラストの資産は肥沃ではない。特にアクセスの多いところではそうである。自然の持つ美しさが壊されない限り、アクセスを認めつつ、農林業を注意深く行っていかなければならない。そのためにこそ高度の管理能力と経営の力量が求められるのである[46]。
　1939年以来、トラストの資産はほぼ倍増した。トラストの農場も「戦時食料増産計画」に参加しなければならないが故に、色々複雑な矛盾を抱えざるを得ない。戦時下故に、スタッフも減少している。それでもできるだけ農業や林業のような一般的な資産問題に関するエキスパートたちばかりでなく、この国の地質的に異なる地域の問題をも取り扱うことのできる人を選択して、上記のような複雑な問題に対処しているところである[47]。
　カントリィ・ハウスについての言及もある。この年度には7つのカントリィ・ハウスが獲得され、7つが制限約款で保護されることになった[48]。

　国民の誤解を予め避けるために、トラストはその資産の種類の区別について説明をしている。本書においてもナショナル・トラストを理解するために必要であると思われるので、引用しておこう。

トラストの所有している土地と建物は2つの種類に区分される。すなわち一つは自然の美しさ、あるいは歴史的な価値があるが故に獲得された土地と建物である。そして二つ目は1937年ナショナル・トラスト法の権限のもとに、トラストが純粋に投資物件として持っており、アメニティという点では価値の少ない土地や建物である。現在のところ後者の物件はきわめて少ない。

　いったん土地がトラストによって、そのアメニティの価値故に受け取られた以上、それは執行委員会（the Executive Committee）の特別の決議によって譲渡不能 'inalienable' と宣言される。容易に理解されるように、トラストによって得られた大きな資産には、トラストが譲渡不能と宣言する必要のない小規模の、通常は外部にある資産がついている場合が多い。これらが譲渡不能の資産を維持するのに必要な基本財産をなすのである。かくしてこのような資産は投資物件として見なされ、トラストが自由に処分できる。このような譲渡可能な（alienable）土地は相続税の免除の対象にはならない。将来トラストはその投資物件を販売し、その収入を有価証券や新しい資産の購買に再投資することも可能である[49]。

　トラストが、ビアトリクス・ポター（ヒーリス夫人）から、湖水地方のモンク・コニストン・エステートの半分以上を彼女が買った値段で購買したことは前述したところである。その彼女もこの年に死去した。彼女がその後半生を湖水地方で農婦として過ごし、またトラストの仕事にも積極的に協力したことは、わが国ではあまり知られていないかもしれない。その彼女が遺言書で、湖水地方の彼女の土地をほとんどすべてトラストへ遺贈した。これらは合計して約4,000エーカーにのぼり、今次年度における最大規模の獲得資産となった[50]。

　それでは今次年度のトラストの実績を見てみよう。

　ウェールズでは、これまでのトラストのアバーグラスリンの土地に30エーカーが購買され、付加された。1941年に贈与されたドロコシィ・エステートでは、421エーカーが再び贈与され、付加された[51]。

　湖水地方では、獲得した土地5,173エーカーのうち、ビアトリクス・ポターの

第6章　第2次世界大戦

遺贈地が約4,000エーカーで断然大きい。この遺贈地については、彼女の遺言書を含め、補章で改めて述べるつもりである。したがってここではこの遺贈地以外の土地について、概略を述べることにしたい。

　ダーウェントウォーターの南岸から入っていくボローデイルについては、何度も記した。今度はボローデイルを通過してさらに南の方へ入ったところにある614エーカーのシースウエイト・ファームが購買された。自然のままの美しさを持つ農業用地が、再びトラストの湖水地方の資産として加えられた。残念ながら私はここに足を踏み入れたことはない。しかし私はバタミアからホニスター・パスを歩いてシースウエイトへの入口に着いたことがある。いつの年だったか私はこの辺りで凄い雨に打たれて、やっと近くの店に避難できたことがあった。報告書によると、この辺りは凄い雨で有名だとのことだ。この農場には周辺の2,118エーカーの丘陵地に放牧権があり、1,100頭のハードウィック種の羊がいる。ホークスヘッドでは200エーカーのグリーン・エンド・エステートが遺贈された。ここの一部は、私の湖水地方でのお気に入りの湖の一つであるエスウェイト・ウォーターの湖岸にも接している魅力的なところである。

　グレート・ラングデイルでは、ハリー・プレイスとミルベックの2つの農場（合計289エーカー）が贈与された。これらはすでにG. M. トレヴェリアン教授と制限約款を交わしていたところである。ハリー・プレイス農場は、ダンジャン・ギルからチャペル・スタイル間の道路に沿っている。チャペル・スタイルでは教会が岩山に張りついているかのように建っているのが見られる。かつて私はオールド・ダンジャン・ギル・ホテルからチャペル・スタイルを経て、アンブルサイドへ歩いて帰ったことがある。このウォーキングこそ、健康と心の癒しを提供してくれるものである。私は何度もグレート・ラングデイルのほうを振り返りながら、本当のオープン・カントリィサイドとは如何にあるべきかを考え、かつその自然の美しさに感嘆した。ミルベック・ファームも近くにある。湖水地方で制限約款が交わされたのは8ヵ所であり、合計1,321エーカーであり、大部分が農場である [52]。

　ピーク・ディストリクトでは、マンチェスターとシェフィールド間にある477エーカーのマム・トー（Mam Tor）が購買された。2002年3月16日、ロング

ショウ・エステートの歩行を十分に堪能した翌日、私たち夫婦はカースルトン（Castleton）のバス停からバスに乗ってウィナッツ・パス（Winnats Pass）を通り、このマム・トーを登りつめてイーデイル（Edale）駅へ下りていった。マム・トーの頂上から見るピーク・ディストリクトの広大で自然豊かなオープン・カントリィサイドの風景は胸を打つほどの美しさであった。ダヴ渓谷ではニュー・ハンソン・グレンジ・ファーム（156エーカー）で制限約款が交わされた[53]。

コーンウォールとデヴォンシァでは、それぞれ1ヵ所ずつが贈与されたが、いずれも小面積である[54]。

ロンドン近郊では、レザーヘッドの北側にある421エーカーの自然庭園（parkland）であるハッチランズが贈与され、ヘイズルミア近くでは498エーカーを占めるブラック・ダウンが贈与された。

ウェスト・ウィカムでは、300エーカーの広さを持つウェスト・ウィカム・パークが贈与された。ここには1765年に建てられた美しいカントリィ・ハウスがある。かくしてここに至りウェスト・ウィカムの村がトラストのもとに一つに統合され、保護されることになった。

それからバークシァの農場（102エーカー）とバークシァとバッキンガムシァ両州に位置する4,500エーカーのグリーンランズ・エステートで制限約款が交わされた[55]。

第3節　終戦（1945年）

1945年度は第50回年次報告書となる。トラストの保有面積は11万2,000エーカーとなり、制限約款の下に保護されている土地は約4万エーカーである。創立50周年祭を迎えるに相応しい実績というべきである。顧みれば多彩に満ちた50年間であった。初期の頃のトラストの活動は、3名の創立者とその仲間たちに導かれつつ、大きな実績をおさめたことはこれまで見てきたとおりである。そして今やトラストは、政府から独立した国民のための結集体となっている。

トラストは土地と歴史的建築物を獲得し、そして維持・管理しながら、それらの持つ美しさと重要性を保ち、かつその価値を高めていくという特別の仕事

第6章　第2次世界大戦

100周年祭を記念して贈与されたダンスカー・ファームから見たマム・トー
（2002.3　撮影）

を果たしていくだけの力量を持つに至った。したがってトラストは自然保護に関するプロパガンダという観点から考える時、それらを他の運動体、例えばイギリス農村保護会議（CPRE, 1926年設立）などに依存しつつあると言っていい。かくしてトラストの本来の仕事は、トラストへ与えられた自然環境や芸術的あるいは歴史的・文化的に価値の高いものを、国民により深く認識できるように導いていくことでなければならない[56]。

　トラストはこれまでの50年間、創立者たちの初心を忘れることはなかったし、それから逸脱することもなかった。しかし創立者たちは、トラストが村落地や農場そして森林地を含む偉大な大地（great estates）を所有し、かつ歴史的建築物とともに、それらの家財道具やコレクション、そして庭園などを保持することになるとは、恐らく予想もしなかったであろう。それに初期のころは、植生や野生生物が危機的状態になるまでには至っていなかった。しかし50年を経た現在では、トラストは集落地や農場、そして森林地などを含めた、いわゆるオープン・カントリィサイドを自然豊かなものに保ち続けねばならないというこ

とを自覚しつつある。このようにしてトラストは多くのことを学んできたのである[57]。

それからカントリィ・ハウスの保存問題は、教育、文化あるいはその他の政府機関との協力関係を含んだし、これからはもっとその必要性が生じるに違いない。幸いに、これまでトラストは、政府の諸機関と友好的な関係を持つことができた。それにトラストが政府の公式上の見解と異なる意見を出した時でさえ、政府と友好的な関係を保つことができたことは幸運であった[58]。

ロージアン卿がカントリィ・ハウス保存計画の考えを表明した1934年から11年間が経過した1945年までに、トラストの仕事の規模は急速に成長した。その間、会費収入はほぼ3倍、所有面積は4倍、年間の総支出は5倍に増えた。それに制限約款で保護された土地もほぼ3万5,000エーカーとなった。将来トラストが成長していくことを予想させる証拠も十分にある。だからといって、トラストのこれからの努力を緩めていいと言うわけではない。逆にそれ以上に、トラストは国民のために自然的景勝地や歴史的名勝地を確保し、保護し、かつそれらの価値を高めるために、これまで以上に努力していく責任を有していると言わなければならない。トラストが永久に守っていかねばならない自然的景勝地や歴史的名勝地こそが、国民が求めている身体と心の癒しの場であり、かつ教育の場でもあるからである[59]。

1945年のトラストの実績については、獲得された土地はウェールズで1、湖水地方で2、ピーク・ディストリクトで1、コーンウォールとデヴォンシァで3、ロンドン近郊では6で、制限約款を交わされたものが湖水地方で4、ロンドン近郊で1である。なおこの報告書では、土地の種類と面積およびその呼び名については一切記載されていない[60]。その詳細は、『創立以来1945年までに獲得されたトラストの資産 Properties owned or protected by the Trust（pp.11-78)』の中に一括して収められている。したがって今次報告書では割愛した。

---

(1) *Forty-Fifth Annual Report*（the National Trust, 1939-1940）p.1.
(2) *Ibid.*, p.3.

(3) *Ibid.*, p.4.
(4) *Ibid.*, p.4.
(5) *Ibid.*, p.5.
(6) *Ibid.*, p.5.
(7) *Ibid.*, pp.6-7.
(8) *Ibid.*, p.12.
(9) *Ibid.*, p.8.
(10) *Ibid.*, p.11.
(11) *Ibid.*, p.10.
(12) *Forty-Sixth Annual Report*（the National Trust, 1940-1941）p.5.
(13) *Ibid.*, pp.5-6.
(14) *Ibid.*, p.7.
(15) *Ibid.*, pp.8-9.
(16) *Ibid.*, pp.10-11.
(17) 三沢嶽郎『イギリスの農業経済』（農林水産省生産性向上会議、1958年）149頁。
(18) Forty-Sixth Annual Report, *op. cit.*, p.12.
(19) *Ibid.*, p.87, p.90.
(20) *Ibid.*, p.73.
(21) *Ibid.*, p.62.
(22) *Ibid.*, p.91.
(23) *Ibid.*, pp.50-51.
(24) *Ibid.*, p.65, p.97, p.52.
(25) *Ibid.*, p.51.
(26) *Forty-Seventh Annual Report*（the National Trust, 1941-1942）p.10, pp.13-14.
(27) *Ibid.*, p.5.
(28) *Ibid.*, pp.5-6.
(29) *Forty-Seventh Annual Report, op. cit.*, pp.6-8.
(30) *Ibid.*, p.12.
(31) *Ibid.*, p.10, p.14.
(32) *Ibid.*, pp.10-11.
(33) *Ibid.*, p.11.
(34) *Ibid.*, p.13.
(35) *Forty-Eighth Annual Report*（the National Trust, 1942-1943）p.6.
(36) *Ibid.*, pp.6-7.
(37) *Ibid.*, pp.7-8.
(38) *Ibid.*, p.8.
(39) *Ibid.*, pp.8-9.
(40) *Ibid.*, pp.9-10.

(41) *Ibid.*, pp.10-13.
(42) *Ibid.*, p.16.
(43) *Ibid.*, p.13.
(44) *Ibid.*, pp.15-16.
(45) *Ibid.*, p.15.
(46) *Forty-Ninth Annual Report*（the National Trust, 1943-1944）pp.7-8.
(47) *Ibid.*, pp.8-9.
(48) *Ibid.*, pp.9-10.
(49) *Ibid.*, pp.10-11.
(50) *Ibid.*, p.12.
(51) *Ibid.*, p.13.
(52) *Ibid.*, p.14, p.16, pp.18-19, pp.20-22.
(53) *Ibid.*, p.14, p.21.
(54) *Ibid.*, p.13, p.15.
(55) *Ibid.*, p.13, p.18, p.20.
(56) *Fiftieth Annual Report*（the National Trust, 1944-1945）p.6.
(57) *Ibid.*, pp.6-7.
(58) *Ibid.*, p.8.
(59) 以上 *Ibid.*, p.9.
(60) *Ibid.*, p.10.

補章
望むべきオープン・カントリィサイドへ向けて

　ビアトリクス・ポター（ヒーリス夫人）は、1943年12月22日に死去した。そしてトラストへ湖水地方の彼女の資産のほとんどを占める、ほぼ4,000エーカーを遺贈した。彼女の夫の弁護士（solicitor）ウィリアム・ヒーリス氏は、彼女の後を追うようにして1945年8月に亡くなった。そしてこの時に、彼も彼女の遺産とともに自分の資産もトラストへ遺贈した。彼女の遺言書は生前の1939年3月31日に書き残されている[1]。

　それから前章で記したように、ハニコト・エステートは、キラトン・エステートとともに、1943年度の第48回年次報告書の中で新規獲得資産（New Properties）の項目の中に入っている。しかしこれらのエステートの贈与の契約書（indenture）は1944年9月29日にトラストとの間で交わされている。したがってトラストは、それ以前にこれらの資産を実質的にトラストの資産と見なしていたに違いない。しかし本章では便宜上、1944年9月29日をもって、これらがトラストの実質的な資産になったと解釈したい。

　そこで本章での論述の順序としては、ビアトリクス・ポターの遺産から始め、次いでハニコト・エステートについて論じることにしよう。

第1節　ビアトリクス・ポター（1866～1943年）：湖水地方 the Lake District

　ビアトリクス・ポターと言えば、彼女の絵本に出てくるピーター・ラビットやりすのナトキンなどが登場する湖水地方が思い出されるはずである。しかし意外にもわが国の今の学生たちの間には、あまり知られていない。ただピーター・ラビットと湖水地方、そしてトラストを話題にしたレッスンを用いている高校の英語教科書があることが大きな救いだ。だから彼女がその後半生において、むしろ農業に専念し、牧羊家として、また同時にナチュラリストとして、

263

湖水地方特有の生活を守ろうとしたことは、なおさら知られていないかもしれない。ナショナル・トラストは現在、湖水地方のほぼ25％の土地を所有し、保護している。トラストが確実にその活動を広げていったことの証拠であるが、ここにはトラストの創立者3名のすべてが深い関係と愛着を持っていた。なかでもローンズリィは、湖水地方で1877年から1917年まで聖職者としての生活を全うし、グラスミアのアラン・バンクに引退したのちも、トラストのために力を尽くしつつ、1920年にその生涯を閉じた。

ビアトリクスがローンズリィに初めて会ったのは1882年の夏のことで、彼女が16歳の時であった。その時彼女の家族は、ウィンダミアを見下ろす大きな建物であるレイ・カースルに滞在していた。彼女の父は弁護士で、ローンズリィと親しくしていた。この時から彼は彼女の才能を見抜いていた。だから彼女が上記のような物語を作り上げた時、彼が出版社を見つけてくれなかったならば、私たちはピーター・ラビットの名前すら知ることもなかったかもしれない[2]。

ビアトリクス・ポターは童話作家として、また挿し絵画家として成功した。そして後半生には活動的な湖水地方の農民で、かつ牧羊家として、自らの生活を築き上げていった。彼女はローンズリィ家の一人息子のノウエル（Noel）とも親しく、ノウエルは彼女より数歳年下であった。後年になって彼は、ビアトリクスは父の人生を本当に愛してくれた人であったと語ったという[3]。

ビアトリクスには、ロンドンでの生活よりも湖水地方での生活のほうがずっと心休まる思いがしていた。1903年には、印税でニア・ソーリィ（Near Sawrey）村で、ある土地を買うことができた。それから1905年には、同じニア・ソーリィ村にある住宅（farmhouse）付きの34エーカーのヒル・トップ農場を買うことができた。この農場の世話をしてくれる借地農の家族も決まり、彼らが住むために、この家の増築も行った。彼女は定期的にロンドンからこの農場を訪ね、その間は古いほうの家に滞在した。これが彼女と湖水地方との一生の強いつながりとなった。ここでの生活は充実していた。次々と作品も書いていった。1919年には、ヒル・トップ農場と道一つ隔てたカースル・ファームも買った。

1913年には彼女も47歳になっていた。この年に、土地取引の法律上の手続きをしてくれていた弁護士のウィリアム・ヒーリスと結婚した。その後2人はカースル・ファームのカースル・コテッジを増改築して、ここに住むことになっ

補章　望むべきオープン・カントリィサイドへ向けて

ビアトリクス・ポターが救ったウィンダミア湖畔のコックショット・ポイント
（1985.8　著者撮影）

た。その後の10年間、彼女はヒル・トップ農場の経営にも目を配りながら、湖水地方の牧場生活にも慣れていった。1914年には彼女の父も死去し、1919年には母のために、ヒル・トップからほど近いウィンダミアの湖畔に住居を作り、落ち着かせることもできた。この年からビアトリクスは農業に専念したいと考えるようになった[4]。

　1923年には、湖水地方の広大な牧羊場の一つであるトラウトベック・パーク・ファーム（約1,900エーカー）を購入した。ここはウィンダミアからアルスウォーターへ至る途中に位置する渓谷で、その壮観さは湖水地方でも屈指に入る地域である。ここで彼女は湖水地方特有のハードウィック（Herdwick）種の羊を飼育し、改良した[5]。彼女は生涯を湖水地方で全うするのだが、その間彼女を知る者で彼女の牧羊家としての才能を疑う者はいなかったし、また彼女のハードウィック種に対する眼識も一通りではなかった[6]。

　彼女とローンズリィとの出会いと親しい関係については先に述べた。そしてビアトリクス自身もナショナル・トラストを強く支持するようになった。ビアトリクスは、とりわけ土地を保存すること、大きな地所が分割されたり、古い

265

第2編　ナショナル・トラスト運動の展開

コテッジが壊されたりするのを防ぐこと、そしてこの地方特有のハードウィック種の羊の飼育を続け、そして改良することに強い関心を示した。またトラストで発せられた種々のアピールには寄付金で応えた[7]。1927年のこと、ウィンダミアの東岸のフェリー乗り場の近くにあるコックショット・ポイントが売りに出された。もしトラストが最初に手を打たなければ、土地開発業者の手に渡ることは確実であった。したがってこの土地を購買するために緊急のアピールが、トラストによって打ち出された。当時農業不振は特にひどく、彼女とて十分にアピールに応えるほどの余裕はなかった。そこで思い付いたのが、アメリカにいる知り合いの、ある雑誌の編集者に、彼女のサイン付きのピーター・ラビットの絵（drawings）を送り、それらをアメリカで売ってもらうことであった。これが思った以上に良く当たり、このアピールに十分応えるだけのお金が送られてきた[8]。

　この頃になると、ビアトリクスはトラストともっと深い関係に入っていくことになる。農民でかつ牧羊家として、自らの生活を築き上げていく過程で、「彼女は……、ナショナル・トラストを特に意中において、農場とコテッジを買っていった」[9]が、それが具体化する時が来た。彼女は1929年にコニストン湖沿いの北西部から、リトル・ラングデイルの南のほうに連なる4,000エーカーにものぼるモンク・コニストン・エステートを買った。この時ビアトリクスは、トラストへその面積の半分以上を、お金が集まり次第いつでも買った時の価格で譲ってあげると申し入れた。そして死んだら、後の残りの分は遺贈するとの約束であった。トラストがそのお金を集めるのに時間はかからなかった。ただ一つ、トラストにとって難問があった。この頃にはまだ、トラストは湖水地方で農業用地を管理し、運営していくだけの力量に欠けていた。そこでトラストがその土地を引き継げる時が来るまで、そこを彼女が管理してくれるように依頼した。この時彼女は64歳であったが、この仕事を引き受けた。それにしてもこの頃は、世界恐慌の最中にあり、彼女にとっても容易な仕事ではなかったはずだ。農産物価格は下落し、1932年までに湖水地方の羊の価格は1シリングにも満たなかった[10]。借地農たちは困窮に喘ぎ、地代の減免を要求した。彼女も、彼らに同情はしたけれども、あくまでも経済的な手段でこの困難を乗り切っていった。その過程で良い借地農と、そうでない借地農とを区別できる眼も養え

た。

　もう一つ、彼女はこの困難を乗り切るために、他の手段をとることを借地農たちに示唆することも忘れなかった。たとえば湖水地方の観光客のためにティーを出すことなどを勧めたりもしたのである。他方では、彼女はこの間も、ソーリィ村やその周辺のコテッジを買っていくとともに、リトル・ラングデイルやホークスヘッド、そしてエスクデイルの農場も買っていった。

　モンク・コニストン・エステートでの借地農たちとの関わり合いは、彼女にとってはかなりの重荷ではあったが、このことがまたトラストとの関係を深めもした。1936年に、湖水地方のトラストの資産の管理責任者として、B. L. トムスンが新たに任ぜられて、やってきた。その時ベアトリクスとしては一方ではホッとした思いがしたのだが、他方では寂しい気持にもなった。トラストがその土地を引き継いだのは1937年であった。しかしこれでトラストとの関係が無くなったわけではなかった。彼女にはまだ安心してトムスン氏にこの土地を手渡すという仕事が残されていたのである。「借地農たちは自分らの問題をヒーリス夫人に持っていき続けた。そして彼女はこれらの問題を、トムスン氏へ適切な指示を添えて伝えた」[11]。

　「ヒーリス夫人の指示と援助とアドバイスのおかげで、トラストは建物や土地を持つ単なる会社から湖水地方の生活や風景に対して重要な影響力を持つ団体へと変化していくための最初の大きなステップを踏みはじめた」[12]のである。もうこの頃は、彼女は71歳を過ぎていた。

　1939年3月31日に、ビアトリクスは彼女の遺言書を書き残した。1943年12月22日に、彼女は夫のヒーリスに看取られながら亡くなった。77歳であった。遺言書にあるように、僅かな例外を除いて、彼女は財産のすべてを夫に残した。そして遺言書には、彼の死後、彼女のすべての財産はナショナル・トラストへ贈与するようにと記されている。その中には、残りのモンク・コニストン・エステートや数多くのコテッジや農場を含め、ほぼ4,000エーカーが含まれていた。夫のヒーリスは彼女を追うように2年も経たないうちに亡くなった。1945年8月であった。

　彼は自らの遺言書の中で、ホークスヘッドの法律事務所（現在はビアトリクス・ポター・ギャラリィ）を含めて、自分の財産をビアトリクスの財産に加えて、

第2編　ナショナル・トラスト運動の展開

トラストへ贈与するように指示した。これらのすべての資産は、ヒーリス遺産（Heelis Bequest）と言われた。戦後1946年になると、トラストはヒル・トップの家を一般公開した。ここはホークスヘッドからエスウェイト湖畔の東側の道を歩いていけば、道路の右側沿いにあるのだが、その手前にパブとB&Bを兼ねているタワー・バンク・アームズ（Tower Bank Arms）がすぐ目に入る。この建物もトラストのものである。ヒル・トップの家はすぐその裏手にある。今でもこの辺りに立てば、ピーター・ラビットをはじめビアトリクス・ポターの作品の中に登場してくる動物たちの姿が彷彿としてくるであろう。トラストは彼女の遺言に従ってヒル・トップの家を、その部屋や備品は当時のままに保存しながら公開している。ピーター・ラビットの多くの本が書かれたヒル・トップ農場や、彼女が夫ヒーリスと一緒に住んだカースル・コテッジを含めて、ニア・ソーリィ村の全体が彼女のものであった[13]。

　ヒーリス遺産は全体として、その広大な面積のためだけでなく、得られた土地や建物のタイプや質のために、トラストにとって極めて大切なものである。ビアトリクスは、湖水地方は、そこでの伝統的な生活様式がそこの農場や、そして実際の農業様式そのものと一緒に生き続ければ、生き残れると考えていた。

　ビアトリクス・ポターは、いつまでも農業不振が続く中で、農場とコテッジを買い続けていった。そしてそこでハードウィック種の羊を飼い、改良しながら、望ましい農業とは何かを考え続けていったに違いない。彼女は自分が愛して止まないこのカントリィサイドを、将来も守り続けていってくれることを願いつつ、彼女の資産のすべてをトラストへ残していったのである[14]。

　私は1991年8月、現在コッツウォルズのチャッスルトン・ハウス（Chastleton House）の管理責任者で、当時ヒル・トップの家の管理責任者だったマイク・ヘミング氏と会った。後日、私は彼とともに一日を費やしてヒル・トップとカースル・ファームのあるニア・ソーリィ村から小さな湖であるモス・エクルズ・ターンを経て、時にはウィンダミアを見下ろしながら、牧場や放牧地、そして森や林を通り抜けながらホークスヘッドの村落へ降りていった。そこで私たちは昼食のための小休止をしてから、同じホークスヘッドの村にあるワーズワスの通ったグラマー・スクールを通り過ぎてエスウェイト湖畔の西づたいにニア・ソーリィ村へ帰ってきたことがある。ヒル・トップやカースル・ファーム

補章　望むべきオープン・カントリィサイドへ向けて

ヒル・トップの家。この家の前方がヒル・トップ農場である。(1991.7　著者撮影)

を中心とするニア・ソーリィ村やホークスヘッドに限らず、私たちは自然の息づいているオープン・カントリィサイドをこの身で感じた。

　数々の湖を見やりながら、また森や林、そして牧場や放牧地の歩道を私たちは一日中歩き続けた。農地は私たちの生存の糧を恵んでくれる生産の場だ。しかも機械や工場と違い、前にも記したようなトラストのいう持続可能な'sustainable'　農業を続けていく限り、農地は永遠の生産の場になりうるところだ。しかも農地＝農業は人と生きとし生けるものすべてがバランスを保ちながら、周囲の大地と溶け合っていってこそ、真の意味での持続可能なオープン・カントリィサイドが実現可能となる。そこにこそ本当の人間社会が生まれ、そして文化も生まれるのだと考えねばならない。このようなことを考えさせてくれたマイク・ヘミング氏とのウォーキングであった[15]。

　それから1994年8月には、トラウトベック・パーク・ファームを訪ねた。一周するのに3時間ほどかかったが、静かで穏やかな農場であった。いつの年だったか、アルスウォーターのガウバロウ・パークからの帰途のバスの中でのことであった。トラウトベック・パーク・ファームに差しかかった頃、バスから

眼下に見えるトラウトベック・パーク・ファームは絶景であった。私は思わず、「ここはビアトリクス・ポターの農場だった！」と叫んだ。みな一斉に立ち上がった。「今はナショナル・トラストのものだ」と言うことも忘れなかった。今思えば、気恥ずかしい気がするが、良い思い出だ。

　1995年にはモンク・コニストン・エステートも訪ね、ターン・ハウズにも辿り着いた。ここには2001年3月31日にも訪ねている。この日に私は、今はホークスヘッドに住んでいるバトリック夫人を訪ねた。イギリスで口蹄疫（foot and mouth disease）が猖獗を極めていた時だ。湖水地方は今では大部分がトラストの所有下にあるといっていい。したがって湖水地方の大部分がすべて'closed'だ。だが公道は大丈夫だ。彼女の車でドライブをすることにした。どこに行くかと聞かれたので、まずモンク・コニストン・エステートのターン・ハウズを見てから、コニストン湖を一周して欲しいと頼んだ。戦前にトラストへ贈与されたピール・アイランドやその周辺のトラストの土地を見ておきたかったからである。

　ロンドンに帰った翌日の4月2日には、トラストの本部で新理事長のフィオナ・レイノルズ女史と初会見した。すでに私も湖水地方のトラストの農場で、ついに口蹄疫が発生し、トラストもショックを受けていることを知っていた。彼女との会見の冒頭発せられた言葉は、Sheep crisis! Herdwick!だった。Herdwickとは、湖水地方特有の羊種で、ビアトリクスが改良に努めた羊だ。この時にはトラストの農場も口蹄疫が3ケースから8ケースに増えていた。危機意識が生じるのは当然だ。彼女が理事長に就任したのはこの年の1月1日である。かくも大きな試練に見舞われるとは過酷すぎる。しかし彼女は女性特有のしなやかな強さで持って、この難局をきっと乗り切っていくに違いない。帰国後、4月20日には早くも理事長からのメッセージがナショナル・トラストのウェッブサイト（website）に掲げられている。最後の部分だけを紹介しておこう。

　「私たちは荒廃した農村経済に息吹きを吹き戻すために、地元の人々と一緒に働いています。トラストのカントリィサイドの仕事がこれほど必要とされている時はありません。トラストはこれまで以上にあなたの援助を必要としています。今カントリィサイドを蘇らせるために、あなたの御寄付をお待ちしています」（注：この基金をトラストではLiving Countrysideと呼んでいる）[16]。

補章　望むべきオープン・カントリィサイドへ向けて

現在は車椅子の利用者にも、エンジョイできるように
便宜が図られているターン・ハウズ（1995.6　著者撮影）

　今でも湖水地方でのトラストの活動は、依然として困難を抱えているようだ。湖水地方特有の羊であるハードウィック種が大きな痛手を受ければ、湖水地方の生態系（eco-system）さえも変わるかもしれないのである。
　パトリック夫人から最近、湖水地方の地域事務所が発行したパンフレットが送られてきた。内容を紹介するだけの余白はないが、そのタイトルは「持続可能な湖水地方：口蹄疫以降の湖水地方のための展望」（A Sustainable Lake District : A Vision for the Lake District after Foot and Mouth）である。湖水地方の現在のナショナル・トラスト活動はすでに第2次世界大戦終了前にその基礎を作り上げつつあったといって良い。きっとこの難局を乗り切っていくに違いない。

　それから私がパトリック夫人に宛てたビアトリクスの農場に関する質問に答えてくれたE-mailが、その後（2001.11.29）に届いた。それについて簡潔に紹介しておこう。
　彼女がトラストへ遺した約4,000エーカーの土地には、14の農場が含まれて

271

いた。時を経るにつれてこれらの農場も統合されつつ、現在では10の農場となっている。これらの農場は、いずれもトラストの実験農場にはなっておらず、また完全な有機農法を採用しているわけでもない。ただしそれらのいくつかの農場では、もはやいわゆる近代農法に依拠することを止め、有機農法によるハードウィック種の羊の飼育が行われ、ラム（子羊の肉）が市場で販売されつつある。ビアトリクスの農場は、現在も羊の飼育がもっぱら農業活動の主軸を占めている。

以上がバトリック夫人からの返答の要旨である。上記のとおり、湖水地方は未だ口蹄疫による影響から解放されているわけではない。したがって彼女自身によれば、将来の湖水地方への展望を今記すことは無理であるとも述べられていた。そのためにこそ彼女が私へ先の上記トラストの "A Vision for the Lake District after Foot and Mouth" なるパンフレットを送ってくれたのである。

彼女によると、政府機関たる国立公園局も計画局も、トラストと同様に将来への農業活動への対応の仕方に関して議論を重ねている。何らかの経済的に賢明な前進策が採用されうることが望まれる。口蹄疫が発生する前は、EUのこれまでの農業保護政策故に、すべての農場が過剰生産に見舞われていた。今後この政策に戻ることはあり得ないことだ。トラストは、すでに湖水地方でも具体的な方策を採りつつある。彼女は、このように記しているが、序章で記したところからでも、また例えば口蹄疫に対する新理事長からのメッセージからでも、トラストが私たちの期待に十分に応えているのだと言っても決して間違いではない。

第2節　アクランド家：ハニコト・エステート—エクスムア　Exmoor

1918年7月5日にトマス・アクランドとトラストとの間に、7,000エーカーから8,000エーカーに及ぶハニコト・エステートのリースが設定されたことは第2編第2章第3節で詳述したとおりである。リース設定の交渉が進む中で、アクランド家のカントリィハウスであるキラトン・エステート（6,100エーカー）とハニコト・エステートを35年後には贈与するとの話し合いも行われていた。ところがそれよりも早く、1944年9月29日に、リチャード・アクランドは、子供のいなかった大おじの例にならって、9,848エーカーにのぼるハニコト・エステー

補章　望むべきオープン・カントリィサイドへ向けて

トをトラストへ贈与した。それと同時にキラトン・エステートも贈与した[17]。

　譲渡証書（conveyance）によれば、彼の考えでは、大規模な資産を私的に所有することは止めるべきであり、そしてかかる資産はその管理を国民全体のために、そしてその資産の一部をなす農場やコテッジの場合は、それらを借用している借地農のために行うように構成されているナショナル・トラストに与えられるべきであるということであった。彼の妻は、自らの資産が分割されることは社会的なダメージになると考えていた。

　既述したように、このハニコト・エステートには、アクランド家に属していなかったダンケリィ・ヒルにある860エーカーと945エーカーが、それぞれ別の2人の所有者によってトラストへ1932年と1934年に贈与されていた。それからトラストは1944年の贈与を完成に近づけるために、同年767エーカーを購買した。次いで1978年と1992年には海岸に面したスパークヘイズ湿地が、それぞれ9エーカーと35エーカーずつ購買された。

　私はハニコト・エステート・オフィスを訪ねる前日の2000年3月26日に、ハニコト・エステートの西に隣接する有名な保養地であるポーロック村へ行ってみた。この村にあるボシントン・ビーチを確認するためだった。あいにく雨に打たれたが、海岸のほうへ向かううちにスパークヘイズ湿地に行き着いたのである。「ここもトラストだ！」とビックリしたものだった。今に思えば、1992年に購買されたスパークヘイズ湿地だったのである。

　現在ではハニコト・エステートの面積は約1万2,500エーカーとなっている。

　戦前に、すでにトラストはアラファド、ボシントン、ラクームそしてセルワーシィの4つの村といくつかのハムレット（教区教会を持たない小さな集落地）を包み込む広大な大地を所有し、保護するに至った。

　トラストの草創期からの最大の目的は、自然環境保護と自然景観の質を高めること、そしてそこへ一般大衆がアクセスし、そこをエンジョイ（享有）することである。それと同時に、そこを効率的に、かつ自らを自足しうるように管理・運営することである。ハニコト・エステートでは、1950年代から70年代を通じて、トラストの優先的な資産管理の方針は、コテッジや農場の改良を行いながら、第2次世界大戦中に切り倒された森林地に植樹をすることに集中されてきた[18]。

確かに、大地は私たちによって注意深く管理・運営されていくならば、将来にわたって自然風景の特徴と美しさをさらに高めることさえできるはずだ。ハニコト・エステートの大きな魅力は、この大地の持つ自然風景の美しさと時間を超越した心と身体の癒しの場を私たちに与えてくれることにある。自然のままの海岸地とヒースや低木の茂る丘陵地、穏やかに落ち着いたたたずまいを見せる耕作地や牧場、そして放牧地に囲まれた集落地、その外側に広がる広大な大地こそが大きな魅力となり、私たちを一年中この地に引き付けるのである。清々しい空気と水と大地。そこにこそ多種類にわたる各種の野生生物が宿るのである。

2000年3月27日にハニコト・エステートの土地管理人（Land Agent）のリチャード・モリス氏に会った。1時間ほどのインタビューの後、2時間半ほど車でこの地を案内してくれた。今では約1万2,500エーカーの面積を持つこのハニコト・エステートこそ、典型的なカントリィサイドだ。ここには4つの村と14名のトラストの借地農がいる。ここの農場も例にもれず状況が良くないが、トラスト以外の農場ほどではない。もちろんここの農業活動も自然環境と両立するために日々努力が続けられている。どこでもそうだが、トラストで働いている人々はすべて、生き生きとして働いている。このことは特筆に価するはずだ。私たちは車の中でも色々なことを語り合った。車を降りて2人で遠くオープン・スペースを見渡しながら、彼は私に"I am happy to work here"と言った。そのとおりだ。彼の思いが私にはそのまま通じた。私は再びハニコト・エステートをこの眼で確かめることができた。

2001年、私が成田空港をイギリスへ向けて立ったのは3月5日だった。イギリスでは口蹄疫が発生し、広がりつつあるらしいことは知っていた。今回は渡英前、ハニコト・エステートの事務所を3月8日に訪ねる約束を得ていた。ただし口蹄疫が広がらない限りとの約束であった。いったい口蹄疫とはいかなる家畜伝染病なのか。知人からわが国の具体的な情報を入手し、検討もしてみた。2000年には宮崎県や北海道で口蹄疫の疑いのある肉用牛が確認されており、その治療法はないという。2001年には狂牛病（BSE）もわが国で発生した。

今回のイギリスの口蹄疫の発生源がトラストの農場である可能性は少ないが、感染される危険は十分にある。一抹の不安を抱きながら渡英した。ロンドンに

補章　望むべきオープン・カントリィサイドへ向けて

着いて翌日の6日、ハニコト・エステートの事務所に電話してみた。案の定、返事では「訪問は不可能だ。会う日は後日検討しよう」とのことだった。イギリスでの口蹄疫の感染域は日を追うごとに広がっていった。テレビでも、新聞でも、大々的に報道している。極端な表現だが、全国の村落の閉鎖と都市への避難という定式化をも描きたくなるほどの状況であった。農業とツーリズムへの打撃、特にツーリズムへの打撃の報道が目立った。イギリス経済に占める農業部門が矮小化しつつあり、ツーリズムがイギリス経済で最大部門の一つを形成している現在、イギリスでの報道がこのようになることはやむをえまい。しかしだからと言って、そうであって良いとも言えまい。ただここはこのことを直接に論じる場ではない。しかしテレビだったはずだが、農業体験旅行（agricultural tourism）という言葉を聞いたことだけは書き留めて置こう。

　ついに3月29日、ハニコト・エステートの事務所を訪ねる日が来た。前夜泊まったインの宿泊客は極端に少なかった。通りの店で聞いた話では、旅行客は全くゼロと言うわけではないが、ご覧のとおりだと言う。ティー・ルームの主人はこう言った。「口蹄疫はイギリスだけの問題ではない。自然災害ではなく、人災だ。だから単なる偶然事ではない」と。29日、午前10時に事務所に到着。Land Agentのリチャード・モリス氏の他に、郷土史家のイソベル・リチャードソン女史も同席してくれた。口蹄疫については、ハニコト・エステートでは生じていないが、14名の借地農の全員が大変に心配しているという。

　トラストの農場でも3ケースが発生し、イギリス全体では、この日までに771ケースが発生したと紙上にある[19]。農民の心配は一通りではあるまい。自殺者も出ている。家畜を焼殺しなければならない農民の苦悩についての報道もしばしば見られた。今回の口蹄疫の感染域の速さについては、一例として屠殺場が合理化され、大規模になったために、地元の屠殺場が次々と消えていったことが挙げられていた。家畜の遠距離輸送が日常化し、その残酷さも指摘されていた。

　ハニコト・エステートでは、2000年14名の借地農のうちの1名と、持続可能な農法を実施するための契約を交わしたという。トラスト自体、すでに持続可能な農業を目指しつつある[20]。この農場も持続可能な農法に成功することを期待したい。この事務所では、この非常事態に借地農のために地代の一時停止な

ど必要な措置をとるそうだ。産地直売も行っているし、地元の屠殺場もポーロックにある。しかし現実には、トラストが地元の屠殺場を残すべく努力しているが、これまで多くの屠殺場が閉鎖されてきたという。それからトラストの借地農がB&Bを経営する場合、トラストは彼らのB&BのPRを行っている[21]。

上記の如くハニコト・エステートは、1918年のリースを経て1944年には直接トラストの所有下に入り、現在に至っている。その歴史の重さを感じざるを得ない。今や持続可能な農業を目指すとともに、持続可能な地域社会へと動きつつある。ハニコト・エステートも1918年以来の貴重な体験と学習を基礎に、この難局を切り開いていき、私たちに確かな希望を与えてくれるに違いない。

おわりに

最後にトラストの50年祭の年、漸く第2次世界大戦が終わろうとしていた時に書かれたトラストによる刊行書『ナショナル・トラスト—50年間の成果』(*The National Trust：A Record of Fifty Years' Achievement,* the National Trust, 1945)の序論を記したG. M. トレヴェリアン教授の言葉を聴いてみたい。この時彼はトラストの評議会の構成員であると同時に、資産委員会（Estates Committee）の議長をも兼ねていた。

彼自身、民間部門にしろ、政府部門および地方自治体にしろ、これまで利益を求めて自然破壊を続けてきた事実を隠そうとしない。戦時中における政府部門の自然に対する略奪行為は平和時をさらに超えるものである。このような不幸な状況の中で、トラストはかなり抑えられた形を取らざるを得ないけれども、民間部門自らが立ち上がって、国民のための遺産とも言うべき自然を守るための運動に積極的に参加しているのだと言っている。しかしトラストの活動の領域はまだ小さい。イングランド、ウェールズ、そして北アイルランドでトラストによって所有されている土地は11万エーカーであり、また制限約款で守られている土地は約4万エーカーである。それでも何もないよりはずっと良い。というのはこれらの土地は極めて美しく、かつ価値あるものであり、かつそのような建物も含んでいるからである[22]。トラストの土地所有の規模に対する彼の見解を如何に解釈するかは極めて難しい。私たちにとっては途方もない数字だが、とにかくこれらの資産の管理・運営については、何よりも慎重深さが求め

補章　望むべきオープン・カントリィサイドへ向けて

られたことは間違いない。

　トラストとしては、その資産の管理・運営については官僚主義と中央集権化を極力避けることが必須である。というのはその資産が多彩である上に、全国に散在しているからである。できるだけ柔軟性のある体制で望むべきは当然であろう。もちろん本部との絶えざる接触は必要である。その地域の代表者は、自分の担当地域に住むと同時に、本部との連絡を怠ってはならない。確かにこの体制は戦後復員が実施されるまでは成就されないであろう。しかしこれまでもこの体制は、大部分機能してきている。例えば1936年には、湖水地方のトラストの資産の管理責任者として、B. L. トムスン氏が新たに任ぜられ、強力な地方委員会の援助をも得ながら、湖水地方の管理体制を整えてきている[23]。トムスン氏が湖水地方の資産の管理・運営について、ビアトリクス・ポターのアドバイスを受けていたことは先に記したとおりである。トムスン氏の場合のように、トラストの地域代表者は、収入を上げるだけでなく、常に自然を愛し、かつ郷土愛をその地域に住む人々と分かちあうとともに、その地域のトラストの借地農たちと同じ立場に立ち、同じ考え方に立つように努めねばならない。「トラストの目的は、自然の美しさは自然のままであるべきであり、そして農業は農業として繁栄し続けるべきである」。農場について言えば、ときどきゲートが開け放たれ、また干し草畑を農業のことも考えないで、通り過ぎていく人もいる。「しかし私は田舎で休日を過ごす人たちが多くなるにしたがって、そういうことはなくなると期待している」。実際の体験から言っても、カントリィサイドへやってくる人たちは、特に歩行者たちは、自然を重んじ、農業者とその仕事を尊重し、そして理解するようになっている。「この戦争とこの戦争の結果、都市の人々は当然の成り行きとして、食料品は輸入されるものではなく、カントリィサイドの技術と労働によって産み出されるものであるということ、そしてカントリィサイドは都市からの訪問者のための休日用の場所であるばかりでなく、農民の仕事場でもあるということを知るであろう」[24]。

　第2次世界大戦の開始前に、すでにイギリスは国際収支自体の赤字が膨らんでいた。それに船舶の喪失も深刻であった。大戦開始以前に、イギリスの食料事情が異常に大きく海外産食料に依存していたことはすでに触れたとおりである。国民のための食料を買うための資金も無く、運ぶ船も十分に持っていない

277

イギリス国民が、深刻な食料不安に陥ったことは何の不思議もない。大戦が開始されるとすぐに食料増産計画が実行に移された。1940年に入り戦争が拡大するにつれて、食料供給地が失われた。それに輸入資金も枯渇していた。外国貿易に大きく依存したイギリスの経済構造のもたらした帰結であったが、イギリスの置かれた窮境は大きかった。

海外からの食料封鎖と国際収支の赤字、そして船舶の不足によって、食料生産の拡大が至上命令となった。耕作地の拡張を目標とする政府の食料増産計画は、第1次世界大戦の食料増産計画の経験が役立った。戦争が経過する中で農用地中に占める耕作地の比率は著しく上昇した。イギリス全土で耕作地の比率は1939年の41％から1944年には62％へと上昇した。特に穀物（小麦）作付地の増加が顕著だった[25]。

生産高もかなり増加した。例えば1943年に、戦前に比して小麦、大麦、馬鈴薯は倍増し、燕麦（えんばく）は60％増加した。そして甜菜（てんさい）、疏菜、飼料作物も30～40％増となった。乳牛の頭数は10％ほど増加した[26]。このような生産増加は、単位面積当たり収穫量の増加よりもむしろ作付地面積の増加に負うところが大きかった。それに農業技術の進歩も大きかった。肥料の使用量も2倍ないし3倍と多くなった。農業の機械化も進んだ。1939年から1946年までに農場に備え付けられた機械のうち、トラクターの台数についてみれば、5万6,200台から20万3,400台へとほぼ4倍に増えた。かくして労働力の増加分9％に対し、機械力の増加率は158％であった[27]。このようにしてイギリス農業は、戦時中に高度に機械化された農業へと発展した。

上記の通り、第2次世界大戦中における食料増産計画の直接的な成果は目覚ましかった。しかも第1次世界大戦の食料増産努力は2年間だけしか続かなかったが、第2次世界大戦の場合、それは6年間も持続した。そればかりではない。戦後においても政府は国内農産物に対する価格を保証するとともに、その市場をも保証する方針を採った。そして1973年にEC（現在はEU）に加盟した後は、イギリスの農業政策はEUの共通農業政策（CAP）に包括されることになった。現在、EU諸国においては、グローバリズムが進行する過程で、僅かながらでも農業保護政策から農業環境政策へと変化しつつあることは簡略ながら序章で説明したとおりである。

補章　望むべきオープン・カントリィサイドへ向けて

　それではトラストは、食料増産計画に対していかなる態度を持したのであろうか。第6章第1節で触れたように、トラストがこの計画にいかなる見解を抱いていたかは必ずしも明白ではない。ただし1941年度の年次報告書に見られるように、トラストも、イギリス経済の置かれた厳しい状況下において、国内での食料増産計画が必要であることは認める。しかしトラストの方針が、あくまでも自然保護活動と農業生産活動とが両立しなければならないことを堅持しようとしていることは間違いない。

　それからもう一つ。「1940年までに、ビアトリクスは再び、戦時中の官僚的形式主義とあらゆる物不足、そして地方の問題と状況のほとんどを把握していない政府の官僚たちと付き合わねばならないという厄介な問題に直面しながら、農場経営を維持しなければならなかった」[28]という彼女の胸中を思い起こしてみたい。ナショナル・トラストが戦後のイギリスの農業保護政策といかに関わっていくのかを注意深く見守っていかねばならないと思う。

　それから「カントリィ・ハウス保存計画」について、この運動は直接には本書の主たる関心事ではない。しかしこの計画自体、戦後イギリスにおいて脚光を浴びることになったことから、トラストはまず第一に、壮大な邸宅と関連する組織であるとさえ思わせるに至ったことはすでに述べたとおりである。このような国民的とさえいえる動きに対して、トラストが如何ように対処していくのかについて注意深く見守っていく必要がある。

　ただここで留意すべきは、このような動きがナショナル・トラスト運動の本質では必ずしもないということである。しかしそれにもかかわらず、このような動きが私のこれまでのイギリスでの体験から言っても決して消え去っているわけではない。このように考えるとき、トラストが戦後、このような問題も含めていかなる運動を展開していくのかを、しっかりと見極める必要がある。トラストはこれまで50年間の貴重な体験を積んできた。それに今や、100年祭を経て、次の100年を目指して運動を展開しつつある。本書の研究方法に基づきつつ、戦後のナショナル・トラスト運動を追究していく中でこそ、私たちはナショナル・トラスト運動の本質と将来への人間社会の進むべき道を見い出せるはずである。

(1) ビアトリクス・ポターの遺言書のタイトルは次のとおりである。
HELEN BEATRIX HEELIS of Castle Cottage Sawrey in the Parish of Claife in the County of Lancaster the wife of William Heelis HEREBY REVOKE ALL TESTAMENTARY DISPOSITIONS HERETOFORE MADE BY ME AND DECLARE THIS TO BE MY LAST WILL. （ウィリアム・ヒーリスの妻、ランカスター州クレイフ教区内のソーリィにあるカースル・コッテジのヘレン・ベアトリクス・ヒーリスは、この文書により、これまで私によって作成された遺言による財産処分をすべて撤回し、これが私の最後の遺言書であることを宣言する）。なお遺言検認証（Probate）では、彼女は1943年12月22日に死去したことが記され、1944年3月2日付けのサインが押してある。なお遺言検認証および遺言書については、パトリック夫人にすべてを活字に直していただいた。ここに改めて彼女に感謝したい。
(2) Elizabeth Battrick, *Beatrix Potter's Tale,* (Ellenbank Press, Cumbria, 1993) Chapter 8-10,エリザベス・バトリック著、おびかゆうこ訳『ピーター・ラビットの生みの親――ビアトリクス・ポター』(ほるぷ出版、1994年) 128-178頁。Graham Murphy, *op.cit.*, p.79. 拙訳書 123-124頁。
(3) *Ibid.*, p.79. 拙訳書 124頁。
(4) Elizabeth M. Battrick '7 Creative Years and the Lake District', p.184, Judy Taylor, Joyce Irene Whalley, Anne Stevenson Hobbs, Elizabeth Battrick, *Beatrix Potter 1866-1943：The Artist and her World,* (Warne, the National Trust, 1987).
(5) B. L. Thompson, *The Lake District and the National Trust* (Kendal, 1946), p.123.
(6) *Ibid.*, p.162.
(7) Judy Taylor, *Beatrix Potter and Hill Top* (the National Trust, 1989) ,p.15.
(8) Elizabeth M. Battrick, '8 Lake District Farmer', *op. cit.*, pp.193-194.
(9) Graham Murphy, *op.cit.*, p.79. 拙訳書124頁。
(10) Elizabeth M. Battrick, '9 Beatrix Potter's Lake District', *op. cit.*, p.195.
(11) *Ibid.*, p.197.
(12) *Ibid.*, pp.197-198.
(13) *Forty-Ninth Annual Report* (the National Trust 1943-1944), p.16.
(14) Elizabeth M. Battrick, '9 Beatrix Potter's Lake District', *op. cit.*, pp.204-206.
(15) 詳しくは四元忠博記「ナショナル・トラストを訪ねて①-⑦」紀伊民報 1992.5.9—5.31のうち② 1992.5.10 ③ 1992.5.20 および④ 1992.5.21 を参照されたい。
(16) 前掲拙稿「口蹄疫（foot and mouth disease）のなか、ナショナル・トラストをゆく」143頁。
(17) キラトン・エステートとハニコート・エステートの譲渡証書は次の書式で始まっている。
This Conveyance is made the 29th day of September 1944 Between SIR RICHARD THOMAS DYKE ACLAND of Killerton in the County of Devon Baronet M. P.

補章　望むべきオープン・カントリィサイドへ向けて

(hereinafter called "the Donor") of the one part and THE NATIONAL TRUST FOR PLACES OF HISTORIC INTEREST OR NATURAL BEAUTY incorporated by the National Trust Act 1907 of 7. Buckingham Palace Gardens Westminster in the County of London (hereinafter called "the National Trust") of the other part.（この不動産譲渡証書は1944年9月29日、一方、デボン州キラトンのサー・リチャード・トマス・ダイク・アクランド準男爵、下院議員〈以下「贈与者」と称する〉と、他方、ロンドン・ウェストミンスター・バッキンガム・パレス・ガーデンズ7番地の1907年ナショナル・トラスト法によって法人化された歴史的名勝地および自然的景勝地のためのナショナル・トラスト〈以下ナショナル・トラストと称する〉の間で交わされる）。

(18) *Holnicote Management Plan* (the National Trust Holnicote Estate Office, 1995) p.10.
(19) The Times, 2001年3月30日、10面。この記事によれば、29日までに771ケースが発生し、屠殺されたか、屠殺待機中の家畜は78万8,956頭とある。1ケースはおおよそ1農場と考えてもよいとは、トラストのある事務所での説明であった。
(20) 具体的には、拙稿「ナショナル・トラストとイギリス経済─望むべき国民経済を求めて─」『日本の科学者』、1997年2月号、41-42頁。拙稿「ナショナル・トラストと地域経済の活性化─ナショナル・トラスト（イギリス）の農業活動と将来への展望」（財）トトロのふるさと財団編『武蔵野をどう保全するか』、（財）トトロのふるさと財団、1999年10月、67-82頁。拙稿「談話室：ナショナル・トラストを訪ねて─望むべき国民経済を求めて─」『日本の科学者』2001年2月号、26-27頁。
　　なおハニコト・エステートでの持続可能な農法の実施の実情については、*The National Trust Magazine,* No.96 Summer 2002 pp.64-68に紹介されている。
(21) 私の手元には、ナショナル・トラストが発行したThe National Trust, BED AND BREAKFAST 2002がある。これは全国のナショナル・トラストの借地農たちが経営しているB&Bを極めて要領良く紹介している。
(22) James Lees, Milne, *The National Trust : A Record of Fifty Years' Achievement* (London, 1945) p.ix.
(23) *Ibid.,* p.xi.
(24) 以上 *Ibid.,* p.xi.
(25) 三沢嶽郎 同上書 119-120頁。
(26) 同上書 121-123頁。
(27) 同上書 141頁。
(28) Elizabeth M. Battrick, '9 Beatrix Potter's Lake District', *op. cit.,* pp.201-202.

索 引

索引
事項・人名索引

あ行

愛国心　58
アクセス権　24
アクランド、サー・トマス・ダイク　127-133
アクランド、サー・リチャード　132, 251, 252
アメニティ　102, 206-207, 244
遺産税　217
イギリス農村保全会議（現在、イギリス農村保護会議へ改称）　137, 196
一般基金　164
一般基本財産基金　164, 171, 175
入会権　21, 31
入会地　21
入会地法　24
入会地保存協会（1899年に入会地および歩道保存協会に改称、1983年にオープン・スペース協会に改称）　18, 23-26, 64, 119, 175
EU　81, 84, 272, 278
EUの共通農業政策(CAP)　81, 84, 278
ウェストミンスター公爵　36, 45, 46, 62, 132
ウェールズ農村保全会議（現在、ウェールズ農村保護会議へ改称）　137, 200
ウッドワード、ジュリア・ルーシィ　111
エア、G. E. ブリスコウ　146
エリス、クラウ・ウィリアムズ（ウェールズ農村保全会議会長）　200
オープン・カントリィサイド　49, 127-134, 188
オープン・スペース　21-26
王立鳥類保護協会（RSPB）　150

か行

カーゾン卿　120, 160
会社法　26, 31
囲い込み　21, 26

事項・人名索引

環境保全地域事業　83
カントリィサイド・スチュワードシップ事業　83
カントリィ・ハウス　49, 95, 114, 204, 243, 246
カントリィ・ハウス保存計画　69, 223, 235, 240, 243, 246
カントリィ・ライフ誌　151, 152
基本財産基金　147, 159, 164, 168, 242
基本定款　36, 39, 57, 69
勤労者階級　67
グリーン・ツーリズム　17, 82
グレイ子爵（副総裁）　153, 159, 167
グローバリズム　18, 77
グローバリゼーション　77
クローフォド卿　150, 167
グロブナー・ハウス　62
経済波及効果　82
ケジック工芸学校　140
コーンヒル・マガジン誌　123
工業化と都市化　18, 22, 70
郊外のスプロール化　70, 165, 202
口蹄疫　80, 134, 270-272, 274-276
広報委員会　168, 175, 218
穀物法の廃止　18, 228
国立公園　200
湖水地方農地会社　226, 230, 248
古代記念物法案　178
雇用効果　82

さ行

産業革命　22, 189
執行委員会　41, 52, 256
資産委員会　170, 276
社会事業団体　38, 45
ジュニア会員　189
譲渡可能な alienable　256
譲渡不能な inalienable　68-69, 76, 95, 256
ジョーンズ、R.　86, 87
ショウ＝ルフェーブル（エヴァースリィ卿）　175
食料増産計画　238, 241, 255, 278

285

所得税 217, 235
スターリング、アンガス（元理事長） 92, 112, 246
スペクテイター誌 122
制限約款 restrictive covenant 197-199, 206, 208, 209, 222, 223
税制改革 56
政府機関 272, 276
世界大恐慌 76, 170
ゼットランド侯爵（執行委員会議長） 190
相続税 56, 120, 172
相続税の免除 178

た行
第1次世界大戦 76, 234
大聖堂アメニティ基金 192
第2次世界大戦 77, 234
タイムズ紙 34, 63, 111, 117, 120, 140
地方自治体 38, 69, 223, 230
地方の通信員 55, 58
通常定款 36, 40
ティチェスター、ミス 106, 201-202
デヴォンシァ公爵 52
鉄道敷設 18, 22, 33, 60
特別科学研究地域（SSSI） 146
都市および農村計画法案 178
トムスン、B.L. 204, 267, 277
ドルアリィ、マーティン（前理事長） 90, 93
トレヴェリアン、G.M. 22, 62, 170, 172, 181, 276

な行
ナショナルとトラスト 36-38
ナショナル・トラスト法（第1次）68, 76,（第2次）214-217, 223-224,（1939年法）246
七姉妹計画 Seven Sisters Scheme 184, 188, 237
ナネリィ、チャールズ（現評議会議長） 4
任意の団体 23, 31
農業革命 22
農業学校 140
農業環境政策 81, 85, 278
農業危機 19, 22, 228-229

事項・人名索引

農業水産食料省（MAFF）　84
農業体験ツーリズム agricultural tourism　82, 275
農業大不況　18, 31, 52, 70, 100, 228
農民からの土地収奪　22, 51

は行
ハーコート（大蔵大臣）　56-57
ハードウィック種　257, 265, 268, 270, 271
パートナーシップ　81, 84, 112
破局の時代　77
パトリック、E.M　110, 186, 241, 270, 271, 272
パトリック、ピーター　241, 243-244
バレット、N.B.C.　180
ハンター、ロバート　26, 30, 34, 45, 68
ハンターの死　123
ピーター・ラビット　173, 263, 264, 268
ヒーリス遺産　267-268
ヒーリス、ウィリアム　263, 264, 267
B&B　186, 276
BBC放送　181, 184
評議会　40
ヒル、オクタヴィア　30, 34, 45, 54, 60, 66, 120-121
ピルグリム・トラスト　206, 208
ファーガスンの一団　199
フェデン、ロビン　41, 136
付属定款　68, 104
ブライス子爵（副総裁）　146
プリマス伯爵（執行委員会議長）　122
ブレン、ニック　253
文化　16, 50
ヘミング、マイク　268-269
ペンザンス商業会議所　125
法人団体　23, 26
歩行権　58, 103
歩行者オープン・スペース基金　192
ポター、ビアトリクス（ヒーリス夫人）　173, 186, 256, 263-272

ま行

マートン法　23-26
マーフィ、グレアム　29, 46, 136, 144, 246
マグドナルド、ラムジィ（首相）　158, 167
マグナ・カルタ　174
マクリン、ロブ（現農業アドバイザー）　17
マナーハウス　30, 100, 114
ミッドランド諸州基金　192, 206
メイレイド、アンドリュー　180
モリス、リチャード　134, 274, 275

や行
ヤング・ナショナル・トラスト　48, 136
ヤング、ジョン（前農業アドバイザー）　87, 89
ユース・ホステル協会　189

ら行
ライゲイト町会　118
ライル、アーサー（陸軍大佐）　99
ラウザー、J.W.（下院議長）　94
ラスキン、ジョン　33, 61, 104
ラドノア伯爵（ウィルトシァ知事）　167
リース　70, 128, 130-131
リチャードソン、イソベル　134, 275
領主権　103, 114, 146, 159
臨時評議会　34, 37, 40
ルイーズ王女（副総裁）　60, 91, 234
ロージアン侯爵　204, 246, 260
ローンズリィ、ハードウィック　33, 34, 45, 104, 106, 135, 264
ロバート・ハンター記念基金　126, 195
レイノルズ、フィオナ（現理事長）　4, 6, 91, 93, 270
レコンフィールド卿　109

わ行
ワーズワース　22, 66, 155, 200, 268

索引
地名索引

あ行

アービィ・ヒル Irby hill 130
アーリントン・コート Arlington Court 201
アイタム・モート Ightam Mote 116
アイルシャム Aylsham 243
アシュリッジ・パーク・エステート Ashridge Park Estate 158-159, 170-171, 194, 218
アバーグラスリン峠 the Pass of Aberglaslyn 208, 229
アルスウォーター Ullswater 66, 199, 265, 269
アルフリストン村の牧師館 Alfriston Clergy House 54, 55
アンブルサイド Ambleside 121, 155, 169, 192, 230, 257
イーシング Eashing 243
イーストボーン Eastbourne 183, 185, 188
イード・ヒル Ide Hill 66, 138, 237
ウァロウバロウ・クラッグ Wallowbarrow Crag 173, 193, 248
ウィッケン・フェン Wicken Fen 60, 91, 118, 145-146, 164, 218
ウィットリィ・コモン Witley Common 145, 166
ウィロー Wirral 126, 164-165, 255
ウィンクワース・アボレタム Winkworth Arboretum 126, 161
ウィンザー Windsor 174
ウィンダミア Windermere 34, 169, 174, 192, 199, 264, 265
ウィンチェスター Winchester 189
ウィンブルドン・マナー Wimbledon Manor 24
ウェスト・ウィカム村 West Wycombe Village 191, 194-195, 202, 227, 258
ウェンベリィ湾 Wembury Bay 206, 218, 230
ウォーストウォーター Wastwataer 153, 199
ウォータースミート Watersmeet 107, 182, 188, 209
ウォリントン・エステート Wallington Estate 246
ウォンドル・パーク Wandle Park 91
ウラクーム Woolacombe 106-107, 182, 201
エアラ・フォース Aira Force 66

289

エスウェイト・ウォーター Esthwaite Water 257, 268
エスクデイル Eskdale 230, 267
エッピング・フォレスト Epping Forest 24
エナーデイル Ennerdale 248
オールド・ポスト・オフィス the Old Post Office 65-66

か行
カースル・クラッグ Castle Crag 138
カーフ・オブ・マン Calf of Man 221
ガウバロウ・フェル Gowbarrow Fell 66, 67, 68, 94, 269
カムデン・コート・エステート Camden Court Estate 197
ガワ―半島 Gower 188
カンボ Cambo 246
キミン Kymin 64
キラトン Killerton 251
キンダー・スカウト Kinder Scout 209, 220
クーム・エンド・ファーム Coome End Farm 185
グラスミア Grasmere 155, 192, 264
グレート・ブッカム・コモン Great Bookham Common 149
グレート・ラングデイル Great Langdale 152, 229-230, 257
クローカズ・パッチ Croaker's Patch 175
グロースター Gloucester 180
クローマー Cromer 243
クロヴェリィ Clovelly 145
クロウリンク Crowlink 189, 237
クロッカム Crockham 66, 101, 254
ケジック Keswick 64, 145, 155
ゴスウェルズ Goswells 108
ゴダルミング Godalming 125
コーンウォール Cornwall 57, 125, 178, 209
コッツウォルズ Cotswolds 82, 180
コックショット・ポイント Cockshott Point 265, 266
コニストン Coniston 173, 186, 199-200, 266
コリー・ヒル Colley Hill 117, 154

さ行
サーストストン Thurstaston 126-127, 165
サーバ・ヘッド Thurba Head 188

地名索引

サイレンシスター Cirencester　180
シースウェイト Seathwaite　257
シーフォード Seaford　183-184, 188
シェフィールド Sheffield　167, 179, 220
シティ・ミル City Mill　189
シャーボン・エステート・オフィス Sherborne Estate Office　180
シャーボン農場 Sherborne Farm　17, 85-86, 180
シュガー・ローフ the Sugar Loaf　207
ジャイアンツ・コーズウェイ Giant's Causeway　226
シングルトン Singleton　249
スウォンジィ Swansea　208
スコーフェル・パイク Scafell Pike　138, 152, 230
スコルト・ヘッド Scolt Head　149, 150
ストーン・ヘンジ Stonehenge　64, 65, 167, 168
ストラウド Stroud　180
ストラングファド湖 Strangford Lough　226
セヴァーン地域事務所 Severn Regional Office　180
セヴェレルズの森 Severel's Copse　174
セント・アイヴズ St. Ives　222
セント・ディヴィズ St. David's　208, 219, 236
セント・ブライズ湾 St. Bride's Bay　242

た行

ダーウェントウォーター Derwentwater　33-34, 61, 94, 109-110, 111, 144, 234
ターン・ハウズ Tarn Hows　186, 270, 271
ダヴ渓谷 Dovedale　193, 209, 225
ダッドン渓谷 Duddon Valley　169, 173-174, 226, 230, 248
タッターシャル城 Tattershall Castle　120, 159-160
ダンケリィ・ビーコン Dunkery Beacon　183
ダンケリィ・ヒル Dunkery Hill　194
ダンジャン・ギル・ホテル Dungeon Ghyll Hotel　169, 248
チッスルハースト・コモン Chistlehurst Common　197
チディングストン村 Chiddingstone　231
チャートウェル Chartwell　237
チャドウィッチ・マナー・エステート Chadwich Manor Estate　156, 158, 165
ディナス・オライ Dinas Oleu　53
ティンタジェル Tintagel　57, 59, 65, 206
デヴィルズ・パンチ・ボウル Devil's Punch Bowl　68, 231

291

デヴォンシァ Devonshire 145, 178
テムズ川 The Thames 174
トイズ・ヒル Toy's Hill 60, 109
ドッドマン Dodman 135, 254
トラウトベック・パーク・ファーム Troutbeck Park Farm 70, 265, 269
ドルメリンスリン・エステート Dolmelynllyn Estate 207
トレギニス農場 Treginnis Uchaf 226
ドローバーズ・エステート Drovers Estate 249
ドロコシィ・エステート Dolaucothi Estate 242, 256

な行
ナントギウイナント Nantgwynant 200, 207-208
ニア・ソーリィ Near Sawrey 264, 268
ニューキィ Newquay 179
ニュー・フォレスト New Forest 24, 146
ニューランズ渓谷 Newlands Valley 230
ネア・ヘッド Nare Head 178

は行
バーウェル・フェン Burwell Fen 91
バーカムステッド Berkhamstead 24, 159, 171
バーマス Barmouth 182
バーミンガム Birmingham 30, 64
ハーレック Harlech 182
ハイドンズ・ボール Hydon's Ball 123, 125
ハインドヘッド Hindhead 67, 68, 94, 138, 166-167
バギー・ポイント Baggy Point 230, 254
バクストン Buxton 193
橋の家 Bridge House 169
バタミア Buttermere 190, 191, 199, 217
ハットフィールド・フォレスト Hatfield Forest 152, 156
ハニコト・エステート Holnicote Estate 70, 128-134, 251-252, 272-276
バラス・ヘッド Barras Head 57-59
バリントン・コート Barrington Court 49, 66, 67, 95, 96-101, 111
ピーク・ディストリクト Peak District 167, 169-170, 179, 193-194, 220-221, 242
ピース・ハウ Peace Howe 126
ピール・アイランド Peel Island 186, 270
ビアトリクス・ポター・ギャラリー Beatrix Potter Gallery 267

292

ヒル・トップ Hill Top 70, 165, 264, 268
フォアランド・ポイント Foreland Point 107, 188
フォイ Fowey 135, 161
フライアーズ・クラッグ Friar's Crag 104, 105, 144
ブラデナム Bradenham 195
ブランデルハウ・パーク・エステート Brandelhow Park Estate 61, 64, 94, 140, 234
ブラントウッド Brantwood 186-187
ブリックリング Blickling 243-246
ブレイクニィ・ポイント Blakeney Point 118, 119
ヘアズフィールド・ビーコン Haresfield Beacon 180
ヘイズルミア Haslemere 138, 166, 258
ペッツ・ウッド Pett's Wood 166
ペンタイア・ヘッド Pentire Head 206, 221
ペンダーヴズ・ポイント Pendarves Point 179
ホークスヘッド Hawkshead 165, 186, 257, 267, 268
ホークスヘッド・コートハウス Hawkshead Court House 186, 187
ボーディアム城 Bodiam Castle 120, 159-160
ボーナス Bowness 165, 169, 192
ポーロック Porlock 275, 276
ボックス・ヒル Box Hill 124, 147, 153, 160, 252, 253
ボランズ・フィールド Borran's Field 61, 119-120, 121
ポルーアン Polruan 135, 209
ボルト・テイル Bolt Tail 164, 209, 223
ボルト・ヘッド Bolt Head 163-164, 209, 223
ポルペロ Polperro 135, 162, 209
ボレスデン・レイシィ Polesden Lacey 252-253
ボローデイル Borrowdale 34, 61, 110, 137-139, 236
ホワイトパーク湾 Whitepark Bay 225
ホワイト・サンズ湾 White Sand Bay 220

ま行

マーリィ・コモン Marley Common 117
マインヘッド Minehead 134
マトロック Matlock 193
マニフォルド Manifold 201
マム・トー Mam Tor 258, 259
マリナーズ・ヒル Mariner's Hill 119, 121
マルバーン・ヒルズ Malvern Hills 206, 218

マンチェスター Manchester　167, 220
ミラーズ・デイル Miller's Dale　194
ミルファド・コモン Milford Common　166
ミンチンハンプトン Minchinhampton　180
モート・ポイント Morte Point　106-107, 182, 201-202
モーペス Morpeth　246
モンク・コニストン・エステート Monk Coniston Estate　70, 173, 236, 256, 266

ら行
ライゲイト・ヒル Reigate Hill　117, 154
ライダル・ウォーター Rydal Water　155, 200
ラドショット・コモン Ludshott Common　102
ラニミード Runnymede　174
ランズ・エンド Land's End　187, 222
ランディ島 Lundy　249
リー・ウッズ Leigh Woods　108
リース・ヒル Leith Hill　148, 174
リーズ Leeds　64
リヴァプール Liverpool　64
リザード・コモン Lizard Common　201, 203
リドステップ Lydstep　208
リトル・ラングデイル Little Langdale　236, 267
リンマス Lynmouth　107
レイ・カースル Wray Castle　174, 264
ロックビア・ヒル Rockbeare Hill　66
ロングショウ Longshaw　168, 179, 206, 220
ロング・マインド Long Mynd　207

わ行
ワゴナーズ・ウェルズ Waggoners' Wells　102, 138, 175, 195
ワン・ツリー・ヒル One Tree Hill　116

【著者紹介】

四元　忠博（よつもと　ただひろ）
　1938年　鹿児島県に生まれる。
　1964年　埼玉大学文理学部経済学専攻卒業。
　1968年　東京教育大学大学院文学研究科修士課程入学。
　1972年　同大学大学院博士課程中退。
　1972年　埼玉大学経済学部助手。
　2003年　埼玉大学経済学部教授定年退職。
　現在　　津田塾大学国際関係学科・東邦大学理学部非常勤講師。
〔専攻〕ナショナル・トラスト研究およびイギリス社会経済史研究
〔著書〕『イギリス植民地貿易史研究』（時潮社、1984年）
〔訳書〕ヴァンダーリント（浜林・四元訳）『貨幣万能』（東大出版会、1977年）、ロビン・フェデン『ナショナル・トラスト―その歴史と現状』（時潮社、1984年）、グレアム・マーフィ『ナショナル・トラストの誕生』(緑風出版、1992年)

ナショナル・トラストの軌跡(きせき)
―1895〜1945年―

2003年7月20日　初版第1刷発行　　　　　　定価3800円十税

著　者　四元忠博
発行者　高須次郎
発行所　緑風出版Ⓒ
　　　　〒113-0033　東京都文京区本郷2-17-5　ツイン壱岐坂
　　　　〔電話〕03-3812-9420　〔FAX〕03-3812-7262　〔郵便振替〕00100-9-30776
　　　　〔E-mail〕info@ryokufu.com
　　　　〔URL〕http://www.ryokufu.com/

装　幀　堀内朝彦
組　版　R企画　　　　　　印　刷　モリモト印刷・巣鴨美術印刷
製　本　トキワ製本所　　　用　紙　大宝紙業　　　　　　　　　　　　　　E1000

落丁・乱丁はお取り替えいたします。

本書の無断複写（コピー）は著作権法上の例外を除き禁じられています。なお、お問い合わせは小社編集部までお願いいたします。

Printed in Japan　　ISBN4-8461-0309-9　C0036

◎緑風出版の本

ナショナル・トラストの誕生

グレアム・マーフィ著／四元忠博訳

A5判上製
二八四頁
（グラビア四〇頁）
5000円

イギリスの美しい山と森林、河川湖沼などの自然的景勝地と古城などの歴史的名勝を保護、公開しているナショナル・トラストとは何か。三人の創立者の生涯、その創立の理念と歴史を描いた初の書。貴重な写真も多数収録。

ザ・ラスト・グレート・フォレスト
カナダ亜寒帯林と日本の多国籍企業

イアン・アークハート、ラリー・プラット著／黒田洋一、河村洋訳

四六判上製
四七二頁
4500円

カナダ北西部の世界最大・最後の亜寒帯林。この大森林に目を付けた日本企業は、大規模な森林伐採権を手に入れるが、先住民の抵抗にあう。カナダ深部で繰り広げられる地球最後の大森林をめぐる、知られざるたたかい。

自然保護事典②海

全国自然保護連合編

A5判上製
五〇〇頁
5000円

東京湾、瀬戸内海、白保のサンゴ礁、蒲生・藤前干潟等、北海道から沖縄まで日本の海・湾・海岸・干潟が直面している汚染、自然破壊の惨状を多角的に照射し、保護の現状と未来を豊富な図表と資料を駆使して考える事典。

エイリアン・スピーシーズ
在来生態系を脅かす移入種たち

セレクテッド・ドキュメンタリー
平田剛士著

四六判並製
二六七頁
2200円

自然分布している範囲外の地域に人が持ち込んだ種を移入種という。アライグマ、マングース、ブラックバス等の移入種によって従来の生態系が影響をうけている。本書は北海道から沖縄まで移入種問題を追い、対策を考える。

▨全国どの書店でもご購入いただけます。
▨店頭にない場合は、なるべく書店を通じてご注文ください。
▨表示価格には消費税が転嫁されます。